Sylvie Marineau

GOÛTS DE LUXE

Jennifer BELLE

GOÛTS DE LUXE

Traduit de l'anglais (États-Unis)
par Jean-Pascal Bernard

Titre original :
High Maintenance

7-13, boulevard Paul-Émile-Victor - Île de la Jatte
92521 Neuilly-sur-Seine Cedex

À Andrew Krents

[Première partie]

« Oh ! J'ai acheté un domaine d'amour,
mais je n'en ai pas pris possession,
et celui qui m'a acquise n'a pas encore joui de moi... »

William SHAKESPEARE,
Roméo et Juliette
Acte III, scène 2

1

LOFT ZEN – À NOUV. DISPO.

La veille du jour où je prévoyais de quitter mon mari, ma copine Violet me donna rendez-vous dans un hôtel particulier où se produisait un bonze. Je fus surprise d'y trouver un banal Américain en toge orange, assis sous un vrai Picasso.

– La méditation se pratique les yeux ouverts, indiqua le gourou.

Ouf. Je n'avais aucune envie de fermer les yeux dans ce lieu bizarre au milieu d'une bande de barjos.

– Même lorsque nous regardons au plus profond de nous-mêmes, nous ne cessons d'explorer le monde, poursuivit-il.

Je passai alors quarante-cinq minutes assise, et les yeux ouverts, à considérer ma situation personnelle tout en scrutant la salle : un séjour splendide, tapissé avec soin et donnant sur un jardin privé via un petit escalier situé dans mon dos. S'affairant avec superbe, notre hôtesse rajustait les coussins et remplissait de thé la tasse du bonze.

Mon appart à moi avait bien plus de classe. La question était de savoir qui, de Jack ou de moi, allait prendre la porte. Jack en était le propriétaire. Pas moi. Jack avait les moyens de l'entretenir. J'en étais incapable sans son aide. Et Jack avait d'ores et déjà prévenu qu'il ne quitterait notre duplex qu'entre quatre planches. Dont acte.

Je ne voulais pas déménager, mais je refusais de finir comme ma mère, ce personnage digne d'un roman de gare, avec sa croix égyptienne en pendentif, qui fermait les yeux, les oreilles, l'autre joue et je ne sais quoi encore sur les infidélités de son mari.

C'était donc à moi de partir. J'étais mariée depuis cinq ans à un certain Jack. J'avais remis mes espérances entre les mains d'un homme répondant au nom de Jack, telle une guitare électrique qui, pour produire un son, doit accueillir l'embout du jack la reliant à l'ampli – et qui constate, une fois branchée, qu'elle reste inaccordable.

J'étais donc là, assise, à pleurer en silence, quand quelqu'un ébranla d'un coup de baguette un gong miniature. Le gourou demanda alors s'il y avait des questions. Je songeai à lui demander si l'amour frapperait de nouveau à ma porte, avant de me raviser. Trop tard. Il me fixa et déclara :

– Oui, cela viendra.

Je jetai un œil par-dessus mon épaule, puis me retournai vers lui.

– Qu'est-ce qui viendra ? demandai-je.

– Un petit copain, dit-il d'un air espiègle, déclenchant l'hilarité générale. À condition toutefois que cette quête ne tourne pas à l'hystérie.

– Je ne pensais pas à un petit ami, répondis-je. Je suis une femme mariée.

Du moins, pour quelques heures encore...

Étais-je sotte, tout de même, de rêver d'amour quand l'heure était à trouver un boulot et un logement.

– Un bon conseil, lança-t-il à la ronde, ne visez pas plus haut que votre aura.

Ma voisine, en position du lotus, hocha la tête, l'air bouleversé. Un tas de gens l'imitèrent avant de fondre en larmes.

– Cela vaut particulièrement pour vous, précisa-t-il à mon intention.

À la fin de la séance, tout le monde me sourit comme si j'étais une sorte de célébrité de la méditation. Comme si leur gourou m'avait ouvert les portes du paradis en m'apprenant que je devais, plus que quiconque, rester confinée dans mon aura. Personnellement, j'avais plutôt l'impression qu'on venait de me jeter un mauvais sort.

Bien entendu, Violet m'avait posé un lapin. Alors, esseulée, je bus du thé et étreignis des gens à contrecœur.

En sortant de l'hôtel particulier, je demandai l'heure à un homme posté devant l'entrée. D'un ample mouvement télescopique façon Tex Avery, il découvrit son poignet et consulta sa montre. J'obtins ma réponse, le remerciai et m'engageai pour traverser la rue, surprise de me sentir relaxée et épanouie.

– Trouve-toi une montre, ma poule, l'entendis-je marmonner.

– Pardon ? dis-je en me retournant.

– Achète-toi une putain de montre, ma poule ! répéta-t-il à haute voix.

– Charmant. Charmant, vraiment !

J'étais grisée par la perspective d'une prise de bec en pleine rue. Mais en y regardant de plus près, je vis que le type était couvert de boutons et ne paraissait guère plus de dix-sept ans. Les gens nous observaient. Mes sens étaient presque en alerte.

– Tu me prends pour Big Ben ou quoi ? tonna-t-il.

Je m'étais assise dans un drôle de salon pour implorer le ciel de m'envoyer un homme, et je me retrouvais avec... ça. Le bonze avait honoré la commande. Ce garçon n'était peut-être pas celui avec qui j'allais passer le reste de ma vie, mais c'était mieux que rien. Un petit début. Je sus à cet instant que j'étais prête pour de nouvelles rencontres. C'était une sorte d'échauffement.

– Vous ne ressemblez en aucun point à Big Ben, rétorquai-je. De toute évidence, il n'y a rien de *big* chez vous. Quelle heure m'avez-vous indiquée, déjà ?

– Je t'emmerde.

– Je t'emmerde aussi.

Et je passai mon chemin.

J'achetai le *New York Times* et m'installai dans un café pour faire comme tout le monde : tracer des ronds au stylo rouge sur du papier journal. Mais avant ça, je tâchai de récapituler l'étendue de mes compétences.

Que pouvais-je espérer en échouant dans un café, à vingt-six ans, sans le moindre diplôme ni qualification ? J'avais fréquenté la fac de New York pendant huit jours, et j'en avais détesté chaque minute. Après une première semaine de cours et un week-end de détente bien mérité, j'avais prolongé l'expérience d'un lundi et d'un mardi supplémentaires, avant de jeter l'éponge le mercredi soir. C'est à cette période que je rencontrai Violet. Mon père s'était offert de me louer une suite au Plaza – ce qui épousait au mieux sa conception de la vie en appartement –, mais je préférais m'établir en cité-u pour goûter à l'existence des jeunes de mon âge. Violet était ma camarade de chambre. Huit jours durant, je l'entendis expliquer au téléphone à ses Texans de parents qu'elle s'était cassé la cheville et que les New-Yorkais étaient les êtres les plus laids et lippus qu'elle ait jamais vus.

Cette remarque me resta. J'avais toujours considéré les lèvres pulpeuses comme un attribut avantageux. Or, la seule finesse de Violet résidait dans ses lèvres. Mais Violet était ma coturne, ma copine de fac, et comme j'admirais les femmes qui restaient amies avec leurs camarades de chambrée et les prenaient pour demoiselles d'honneur à leur mariage, je passai huit jours à porter ses plateaux de cantine parce qu'elle marchait avec des béquilles et à chercher du charme au fait qu'elle n'avait jamais vu un film de Woody Allen.

Puis je rencontrai Jack dans un ascenseur de la Cour suprême, au 60, Centre Street. J'étais venue me renseigner sur les changements d'état civil après que le *New York Post* eut consacré à mon père un entrefilet en forme de devinette : « Quel célèbre couturier s'est fait pincer en compagnie d'un travesti à Riverside Park, avant d'agresser un agent de police ? » Jack et moi nous mariâmes deux ans plus tard et ce jour marqua le début d'une vie trépidante. Oui, ces cinq années ont vraiment filé. Nous passions tous nos week-ends dans sa maison de campagne, mais ces périodes-là ne comptaient pas vraiment car nous n'étions plus à New York. Dès que nous sortions de Manhattan, mon existence s'interrompait. Ni sexe, ni distractions, ni amis. Au mieux, je pouvais espérer un cinéma ou une brocante de temps à autre. Mon activité principale consistait à écouter la fille des voisins m'énumérer les endroits où elle s'était envoyée en l'air à l'insu de ses parents, tandis que j'étalais de la confiture sur des biscottes et que Jack alternait les siestes entre les deux canapés blancs de la véranda. Puis, de retour en ville du lundi jusqu'au vendredi, mon mari avait toujours une mission palpitante à me confier, comme acheter un presse-agrumes chromé ou auditionner des femmes de ménage. Mais je ne vivais plus aux crochets de mes parents. C'était déjà ça.

Cinq ans plus tard, je me retrouvais face à un avenir en forme de point d'interrogation, assise dans un café à lire le journal.

Lire ! Voilà quelque chose que je savais faire, bien que je m'y sois mise sur le tard, à l'âge de sept ans et demi. Il ne me restait plus qu'à regarder si le *New York Times* proposait des petites annonces pour des lectrices.

2

BIJOU À REST. – TRAV. NÉC.

En sortant de l'ascenseur, je tombai nez à nez avec une grosse femme noire vêtue en tout et pour tout d'un énorme soutien-gorge beige et d'un jupon. Sa robe, trempée, pendait à la patère derrière son bureau ; au sol, quelques feuilles du *National Enquirer* protégeaient la moquette.

– J'imagine votre surprise, s'excusa-t-elle, mais il pleut et j'ai perdu mon pépin dans le métro. J'avais oublié qu'il devait vous recevoir.

À vrai dire, c'était mon premier entretien d'embauche. Je manquais de points de comparaison pour m'offusquer de quoi que ce soit.

– Je ne vois rien d'inhabituel, répondis-je.

– Cela dit, je pourrais bosser complètement à poil qu'il en saurait rien, le pauvre.

J'aimais l'idée d'un boulot où le patron ignore si vous êtes à poil.

– Son Honneur vous attend.

La grosse femme se dandina jusqu'à une porte et pianota sur un digicode.

– Venez, je vais vous montrer le chemin.

L'élastique de son jupon menaçait de sauter à tout instant.

– Ne vous embêtez pas, je trouverai.

J'enfilai un couloir jusqu'à la dernière porte.

– Entrez, dit une voix d'homme avant même que j'aie frappé.

J'ouvris et restai figée un instant, le souffle coupé. Rien n'est plus désarmant que de rencontrer un aveugle. Je me sentais encore moins à l'aise que si j'avais choisi de travailler dans les égouts ou dans un labo plein de rats. Il y avait maldonne.

– À quoi pensez-vous ? Ne restez pas plantée là. Approchez. Je suis le juge Garrett.

Il était anglais.

– Excusez-moi, répondis-je. Je m'appelle Liv Kellerman.

Il me tendit la main. Je m'avançai pour la serrer. Si seulement j'avais intégré l'entreprise de papa, songeai-je, à l'heure qu'il est je trinquerais avec Isabella Rossellini, au lieu d'empoigner la main flasque d'un aveugle. Je m'assis sur la chaise en bois posée devant le bureau. Dans le dos du juge, une immense baie vitrée donnait sur l'East River.

– Alors, à quoi pensiez-vous en restant plantée sur le seuil ? J'ai l'ouïe très fine, voyez-vous, et je vous ai entendue réfléchir.

Je trouvai sa question déroutante. À en croire ce type, ma cervelle faisait le bruit d'un réveil mécanique.

– Votre bureau offre une vue splendide, remarquai-je.

– N'est-ce pas ? répondit-il comme s'il en savait quelque chose.

Il s'ensuivit un silence gêné, puis je me lançai à corps perdu dans une description du panorama, tel un guide enragé. Chacun des trois ponts, avec leurs spécificités ; les lumières – « semblables à des *chapelets* » –, les bateaux sur le fleuve – « enfants du *Mayflower* » –, l'horloge des Témoins de Jéhovah à Brooklyn, les voitures sur la rocade Franklin D. Roosevelt Drive, un hélicoptère, le ciel, la fumée des cheminées et les châteaux d'eau sur les toits.

– Des châteaux d'eau ? s'étonna-t-il.

– Oui, des châteaux d'eau. Comme si des *Chinois obèses* nous toisaient depuis leurs *rizières !*

– Je vois.

Je poursuivis par la description d'un ouvrier perché sur un échafaudage à flanc d'immeuble. Ses mains boudinées jointes sur les genoux, le juge semblait magnétisé. Sans raison particulière, je lui décrivis le Woolworth Building, bien qu'il soit hors de notre champ visuel.

– Il ressemble à la *cité d'Émeraude* ! parvins-je à glisser.

À forcer ainsi mon enthousiasme, j'avais l'impression d'être la jeune Dorothée du livre pour enfants.

– Si je vous suis bien, intervint le juge, je suis le Magicien d'Oz, n'est-ce pas ? Vous seriez Dorothée et Mlle Howard pourrait jouer le rôle du lion poltron au ventre jaune.

J'avais vu le ventre de Mlle Howard, et il n'était pas jaune. Ce type se moquait de moi.

– Désolée, murmurai-je.

– Je suis ravi que la vue vous plaise. Dites-moi un peu, les carreaux sont-ils propres ?

Ils étaient tout crasseux, zébrés de traînées noires. Que devais-je répondre ? Je ne voulais pas l'offenser.

– Ils sont légèrement maculés.

– Voilà qui est fâcheux... On m'a promis qu'ils avaient été lavés la semaine dernière, mais j'avais un pressentiment. M'en voudriez-vous si je vous abandonnais un instant, le temps de taper une note pour l'équipe de nettoyage ?

Je secouai la tête, avant de dire « non » à voix haute.

Il pivota dans son fauteuil, introduisit tant bien que mal une feuille dans le chariot d'une machine à écrire ordinaire et pianota frénétiquement pendant plusieurs minutes. J'étais admirative, jusqu'à ce qu'il me demande de relire sa lettre à voix haute. Il y avait des centaines de fautes.

– Si vous décelez une coquille, soyez gentille de la corriger au stylo bleu ou noir. Je tiens à ce que mes courriers soient irréprochables.

– C'est absolument parfait, répondis-je.

Flatté, il hocha la tête dans ce qu'il croyait être ma direction.

– À présent, parlez-moi un peu de vous, mademoiselle Keller.

– Kellerman, rectifiai-je.

Pendant que je me présentais, il prit des notes sur sa machine

Braille, une antiquité crépitante truffée de pistons semblables à ceux d'une trompette. Des points en relief apparurent sur des bandelettes de bristol parcheminé, comme une chair de poule. J'évoquai l'appartement que j'avais occupé avec mon mari, et les circonstances de mon départ. Je décrivis la vue sur le parc et le soleil qui venait lécher l'épaisse moquette de la chambre, les plafonds de six mètres de haut et la courbure de la rampe reliant la mezzanine au salon.

– Il semble que votre mari vous manquera moins que votre logis, remarqua-t-il.

– Sans aucun doute.

C'était la stricte vérité. Nous avions passé la totalité de nos cinq années dans cet appartement, et je doutais de m'habituer un jour à ne plus y vivre.

– Combien de temps y avez-vous résidé ?

– Sept ans, répondis-je.

Je méritais bien un supplément de compassion...

– Et quel âge avez-vous ?

– Vingt-six ans.

Il sourit.

– Vingt-six ans à attendre son prince charmant...

Quel imbécile, me dis-je, avant de songer qu'il avait peut-être raison. Peut-être n'avais-je jamais connu le grand amour, après tout. Sur le moment, je ne pouvais même pas me souvenir d'un seul baiser. Non, c'était impossible. J'avais été mariée, tout de même...

Je le regardai taper à tour de bras sur son engin préhistorique. J'adorais cette possibilité de l'observer à loisir. Il est rare de pouvoir dévisager quelqu'un en toute impunité. Je découvrais un nouveau genre d'intimité. Brun, caché derrière une grosse barbe et une moustache grisonnantes, Son Honneur était de taille moyenne, rond et avachi. Pas vraiment obèse, juste ramolli comme s'il n'avait jamais décollé de son fauteuil. Il portait un costume marron et une cravate immonde.

– J'aime beaucoup votre cravate, lançai-je.

– Merci, dit-il, radieux. Je m'habille toujours au même endroit. C'est Shirley, la jeune vendeuse, qui choisit tout à ma place. Je lui transmettrai votre compliment.

– Ouais, c'est vraiment une chouette cravate.

– Et vous, comment êtes-vous vêtue, si ce n'est pas indiscret ? Si j'aborde ce point, voyez-vous, c'est parce que j'exige une tenue assez stricte pour ce poste. Il vous arrivera de m'accompagner à des rendez-vous. Vous comprendrez dès lors qu'un jean, ou quoi que ce soit de cette nature, serait inapproprié.

Je bénis ces paroles, grâce auxquelles je compris que je pourrais venir en jean tous les jours. Je baissai les yeux sur ma tenue : une jupe en velours noir et un vieux pull.

– Je porte un tailleur en tweed anthracite et un chemisier de soie blanc. C'est tout à fait approprié.

– Délicieux... souffla-t-il en rougissant un peu.

Il actionna encore quelques manettes et pistons puis se renversa sur son dossier. Si j'allais m'allonger sur le canapé en cuir à l'autre bout de la pièce, s'en apercevrait-il ?

– Bon, reprit-il. J'imagine que vous commencez à cerner le profil de ce poste, n'est-ce pas ?

Je n'en étais pas si sûre.

– Oui, affirmai-je.

– Vous avez des questions ?

– Non.

– Vous ne souhaitez pas connaître le salaire ?

– Si, bien sûr.

– Je crains qu'il ne dépasse pas les huit dollars de l'heure, ce qui est peu, n'est-ce pas ?

Que répondre à ça ? Que je payais mieux ma femme de ménage ? J'aurais l'air de me plaindre.

– Pourriez-vous monter à dix dollars ? hasardai-je.

– Non, ce ne sera pas possible. J'ai bien conscience que c'est très chiche, mais la municipalité ne débourse que six dollars de l'heure, et je verse le reste de ma poche.

À l'entendre, il n'existait pas d'homme plus généreux sur terre.

– Alors, va pour huit dollars.

– Cela suffira-t-il à couvrir vos besoins ?

Devant une question aussi absurde posée avec une telle sincérité, je ne pus m'empêcher de pouffer.

– Je ne crois pas, non.
– Ah ? J'en suis bien peiné.
– Mais ça ne veut pas dire que je renonce à ce poste.
Je pourrais toujours réclamer une pension alimentaire à Jack ou emprunter les cartes de crédit de mon père. Ou faire la lecture à d'autres aveugles en parallèle.
– Huit dollars de l'heure peut paraître une somme dérisoire mais, comme je vous l'ai expliqué, une partie est ponctionnée sur mon propre salaire. Cependant, je tiens à ce qu'elle comble les besoins financiers de mes employés.
– Elle comblera mes besoins, assurai-je.
– On ne dirait pas, pourtant.
– Si, si ! Croyez-moi... Ça comblera mes besoins.
Quelle injustice. Comme s'il ne suffisait pas d'accepter un job sous-payé, je devais en plus m'abaisser à prétendre que mes besoins s'élevaient à huit dollars de l'heure. Mais un besoin comblé par huit dollars de l'heure n'est pas un besoin. De vrais besoins, mes besoins à moi, n'auraient pu se satisfaire de cent dollars de l'heure. Aucune somme au monde ne pouvait subvenir à mes besoins.
– Alors, c'est d'accord, conclut-il. Si ce salaire peut vous aider, vous êtes la bienvenue. À présent, j'aimerais vous confier un petit secret. Mais vous ne devrez en parler à personne.
– Entendu.
Il allait peut-être m'avouer qu'il voyait aussi bien que moi et faisait juste semblant d'être aveugle.
Une main timide frappa à la porte.
– Entrez ! hurla mon interlocuteur en forçant sa voix.
Un huissier apparut et annonça :
– C'est l'heure, Votre Honneur.
– Refermez cette porte ! gronda le juge en lui faisant signe de disparaître.
La porte claqua.
– Je crains de devoir mettre fin à notre entrevue, bien que j'y aie pris grand plaisir, annonça-t-il.
– Merci, répondis-je en me levant.
– J'espère que ça vous a plu.

Il souriait à la chaise que je venais de quitter.

– Énormément, monsieur.

– Appelez-moi Jérôme, dit-il suavement.

Jérôme me tendit sa note concernant le nettoyage des carreaux et me pria de la remettre à Mlle Howard sur le chemin de la sortie. La secrétaire n'était pas à son bureau, mais sa robe pendait toujours à la patère. J'en déduisis qu'elle n'avait pu aller bien loin. Je l'attendis un moment, le temps de corriger toutes les coquilles de Jérôme, puis je sortis en laissant la lettre en évidence sur le bureau.

3

ÉQUIPT. EN SUS/CHARMANT !!!

Je quittai le palais de justice et filai sur MacDougal Street pour visiter un appartement.

J'allais enfin pouvoir signer mon propre bail, sans Jack dans les pattes pour me donner des millions d'instructions telles que : ne pas mentionner sa profession car personne ne veut traiter avec un avocat ; ne rien dévoiler sur sa maison de campagne ni sur l'identité de mon père pour ne pas laisser croire qu'on roule sur l'or ; se garder de toute critique pour ménager la susceptibilité du proprio... Ce que Jack refusait de voir, c'est que les gens me préféraient systématiquement à lui, au point que je devais chuchoter : « Ne faites pas à attention à mon mari, il est avocat », chaque fois qu'il s'éloignait un peu.

Si cette liberté retrouvée m'enthousiasmait, le temps que j'atteigne MacDougal Street et que Maria, la femme du gardien, se pointe, j'étais en larmes.

– C'est un bon endroit pour êt'triste, commenta cette dernière.

Elle était énorme. Son prénom en lettres rutilantes pendillait à une chaîne en or et elle portait des gants de caoutchouc. L'entrée de l'immeuble était ceinte d'une palissade de tôle artisanale, sans doute un rempart contre les rats.

Je gravis cinq étages sur les talons de la concierge. Bâti sur le modèle des logements ouvriers du début du XXe siècle, l'appartement était tout en longueur. La porte n'était pas verrouillée et s'ouvrait directement sur la cuisine. Je pleurais encore quand Maria me fit entrer. Il y avait un vieux frigo et une gigantesque cuisinière.

– Le four march' p'us, indiqua Maria. Je préfère jouer cart' sur tab'.

Entre le réfrigérateur et la cuisinière s'élevait une cabine de douche métallique.

Pareille à une gamine découvrant une nouvelle marâtre, je restai pétrifiée devant la cabine. Je ne pouvais concevoir de me déshabiller devant cette chose, encore moins de m'y introduire nue. « En serai-je capable ? En serai-je capable ? » me demandais-je. Je n'étais pas courageuse. La douche dégageait une présence semblable à celle d'un arbre malfaisant dans un conte de Grimm. On aurait dit un cercueil en fer-blanc dressé à la verticale. Je ne pouvais détacher mes yeux de cette horreur. Ses gonds en chatterton. Sa hauteur vertigineuse, qui commençait à un mètre du sol et finissait au plafond. Au centre de la porte en plastique opaque se trouvait un petit morceau d'adhésif. Je le décollai délicatement, et découvris un trou parfaitement rond, de la taille d'une pièce de monnaie. Comme un impact de balle. Auréolé de minuscules craquelures. Je glissai mon doigt dans le trou.

Maria ôta ses poings de sa taille et replaça le bout d'adhésif gris sur la porte meurtrie.

– C'est prop', affirma-t-elle.

Elle ouvrit la porte, et une odeur de détergent m'assaillit les narines.

Pas de robinet, mais une gerbe de conduits métalliques courant sur le mur et une clé anglaise posée dans le bac tartreux.

– Bon jet, très puissant, dit Maria d'un air vexé.

Je pénétrai dans la minuscule pièce attenante à la cuisine.

– C'est quoi, ça ? demandai-je en désignant sur le mur une petite trappe en bois surplombant un lit à deux places.

– La bouche d'aération. Ne jamais l'ouvrir. À cause des pigeons.

– D'accord. Je m'adresse à qui si je suis intéressée ?

– À moi.

– Je n'ai pas d'argent en ce moment, avouai-je avant d'ajouter, à mi-voix : instance de divorce.

– Z'avez du boulot ?

– Oui, répondis-je, un brin hésitante. Je travaille pour un juge.

– Z'êtes avocate ?

– En quelque sorte. Je suis lectrice. Mais j'aurai de quoi payer le loyer.

– Alors, ça ira. J'ai assez monté d'escaliers comme ça. Il est à vous.

– Combien ? demandai-je.

– Combien vous voulez mett' ?

Un sentiment de profonde gratitude m'envahit. Maria allait se comporter de manière raisonnable. Tout ce que l'on racontait sur New York était faux. On pouvait y dégotter un appartement bon marché.

Je préférais néanmoins finir la visite avant d'avancer un chiffre. J'abandonnai donc Maria dans la cuisine et traversai la chambre jusqu'au salon, où trônait un affreux divan beige. Le soleil se reflétait dans une fenêtre de l'immeuble d'en face, derrière laquelle je distinguai un chien noir et blanc. Je suivis la chute d'une feuille morte. À New York, ce qui se rapproche le plus de la campagne est une rue bordée d'arbres.

Un curieux fantasme prit forme dans mon esprit : je pourrais arranger un peu l'appart et recevoir mon mari chaque weekend. Je préparerais une grande salade que nous dégusterions assis par terre, puis il repartirait.

Des deux fenêtres, l'une était à moitié masquée par une pancarte métallique indiquant : À LOUER. Ce serait sympa d'avoir deux fenêtres entières plutôt qu'une et demie.

Je convoquai Maria au salon.

– J'imagine que vous allez reprendre ce panneau ?

– Non.

– Mais il devient caduc. L'appartement n'est plus libre.

– Ça rest' là, insista Maria.

– Je vous propose trois cents dollars, annonçai-je.

– Parfait, répondit-elle. Rajoutez-en neuf cents et vous êtes chez vous.

– Douze cents ? C'est beaucoup trop, voyons. Je vous en offre neuf cents.

– Douz' cents.

– Mille.

– Douz' cents.

– Onze cents ?

– Mille deux cents dollars, articula-t-elle en levant deux doigts.

– Je le prends.

Maria me remit trois clés.

– C'est libre quand ?

– C'est lib' tout d'suite.

– Mais toutes ces choses, là ?

En plus du lit et du canapé figuraient dans la chambre un téléphone, un téléviseur et un magnétoscope, le tout posé sur un petit coffre écaillé, orné d'une ancre.

– Je peux vous les vend' mais elles appartiennent au locataire précédent, alors si y port' plainte vous devrez les lui rend'.

Je flairais comme un léger parfum d'arnaque. J'avais vu un cas similaire dans un reality-show : le proprio avait jeté par la fenêtre tous les jeux vidéo du plaignant, ainsi que les cendres de sa mère.

– Non, rétorquai-je.

Elle aspira entre ses dents.

– Bon, d'accord. J'vous les prêt' pour cinquante dollars.

– Ça roule.

– Ça roule.

Sans retirer ses gants, elle me serra la main, puis me laissa seule. J'allai pleurer quelques minutes au salon, puis m'aventurai dans les minuscules toilettes à la recherche de papier pour me moucher. Décidément, c'était un jour de chance : là, sur le plancher exigu, m'attendait un rouleau quasiment neuf. Je me remis à pleurer, cette fois-ci bouleversée par tant de générosité et d'abondance en ce bas monde. Je me voyais dans la peau d'une Scarlett O'Hara découvrant sur son lopin de terre non pas un vieux navet rabougri, mais un champ de coton florissant.

Je commençais à me prendre en main. J'avais un boulot et un appart.

Passé l'euphorie de l'épisode PQ, incapable de rester une seconde de plus entre ces murs, je sortis faire un tour dans l'espoir de trouver du mobilier sur le trottoir. Mais les meubles sont comme les hommes – on n'en trouve jamais quand on en cherche.

Cette nuit-là, je restai allongée sur mon lit prêté/loué à contempler une fissure au plafond en forme de ballerine. Je ne pouvais me sortir Jérôme du crâne. J'aurais dû songer à ceux qui avaient occupé ce lit avant moi, ou à l'horrible scène de ménage à laquelle mon mari et moi nous étions livrés quelques heures plus tôt, mais dès que je fermais les paupières, Jérôme s'avançait vers moi en agitant sa canne blanche. Et quand j'essayais de garder les yeux clos, pour éprouver un semblant de cécité, ils se rouvraient sans cesse. Je me demandais ce que l'on ressentait en se réveillant chaque matin dans le noir total, avec pour seules images celles de ses rêves. Les aveugles faisaient sûrement des maris fidèles. Non que j'aie l'intention d'épouser Jérôme. Mais j'allais tout faire pour lui fournir un travail de qualité. Et me montrer moins difficile.

4

QUART. AFFAIR. – TRAV. À PIED

Dans les premiers jours suivant mon embauche, j'ai oublié un « n » au mot « ordonnance ». Assise, face à Jérôme, dans la chaise en bois de style bibliothèque municipale, les jambes écartées comme un type dans le métro, je le bombardais de clins d'œil languides et de moues suggestives tandis qu'il pestait contre mon orthographe.

– Est-ce de la négligence ou êtes-vous vraiment incapable de l'épeler correctement ? demandait-il.

Aucune des deux propositions ne me satisfaisait.

– J'ignore comment j'ai pu commettre une telle erreur, avançai-je pour ma défense.

J'avais sous les yeux le document en question. Dans le coin inférieur droit, sous mes initiales L.K., en figuraient deux autres : J.M.

– Essayez de comprendre combien j'étais gêné. Ça ne m'enchante guère de vous surveiller en douce, mais il semble pourtant que c'était nécessaire, n'est-ce pas ? J'ai montré la chose à ma lectrice précédente, une jeune femme qui a passé deux ans et demi avec moi. J'ai été très peiné de la voir partir. Elle se marie la semaine prochaine...

– Vous m'avez moi, maintenant.

– Mais vous devez m'assurer que de telles bêtises ne se reproduiront plus. N'oubliez pas que vous me représentez.

Elle, elle n'a jamais commis la moindre faute en deux ans et demi. C'était une perfectionniste.

Je devenais jalouse de l'ex-lectrice de Jérôme. Il nous montait l'une contre l'autre.

– Je suis moi-même du genre perfectionniste, plaidai-je.

– Alors, vous le cachez bien ! Vous savez, quand je lui ai montré votre lettre et qu'elle est tombée sur cette « ordonnance » estropiée, j'ai passé un mauvais quart d'heure. Que ne m'a-t-elle dit sur sa remplaçante ! Je crois même me souvenir qu'elle a employé le mot « catin ». Elle m'accuse de vous avoir recrutée uniquement pour votre physique...

– Vous constaterez vite que je suis une bien meilleure lectrice que votre mystérieuse J.M. Et vous pourrez le lui répéter de ma part.

– Entendu, je ferai part de votre réaction à Jordan.

– Vous lui avez confié votre secret ? demandai-je.

– Quel secret ?

– Vous disiez avoir une confidence à me faire.

– Pour tout vous avouer, non. Je m'apprêtais à le faire quand Jordan m'a remis sa démission. Mais je l'ai persuadée de rester une ou deux semaines de plus pour faciliter la transition. Je vais peut-être vous laisser vous bagarrer entre vous, et la gagnante découvrira mon secret, qu'en pensez-vous ? Cela dit, je doute de savoir gérer deux lectrices à la fois. Ce serait presque... un harem, n'est-ce pas ? Fût-ce un tout petit harem.

Il me faisait de la peine, affaissé dans son fauteuil, à parler de son harem. J'avais envie de lui signaler un arc-en-ciel à la fenêtre, bien qu'il n'y en ait pas. On ferait n'importe quoi pour embellir le quotidien d'un aveugle. Je pensais qu'il pourrait prendre plaisir à imaginer un arc-en-ciel. Baissant les yeux, je constatai que mon chemisier était boutonné de travers. Je l'ouvris entièrement et le refermai en partant du bas. Je portais un soutien-gorge sensationnel. Si Mlle Howard s'exhibait à l'accueil dans un soutif beige miteux, je pouvais bien arborer un La Perla jaune. Je soulevai mes seins hors des bonnets. Je pouvais presque y sentir la main de mon mari. Je me mis à pleurer en silence.

– Vous pleurez ? demanda Jérôme aussitôt.

Je hochai la tête.

– Allons, ce n'est pas la fin du monde. Je suis sûr que vous serez plus vigilante à l'avenir. Auriez-vous la gentillesse d'aller acheter de quoi nous restaurer ?

Il m'envoya au McDo, et j'appréciai de me retrouver au milieu des voyants, quoique je me sente toujours grisée par une douce sensation d'invisibilité. Des hommes d'affaires m'observaient bizarrement. Je marchais les pieds en canard, la ceinture de mon imperméable traînait sur le trottoir. Mais j'avais rangé mes seins.

Jérôme couvait son hamburger de ses dix doigts, quand il ne cherchait pas ses frites à tâtons. J'avais tout disposé sur le bureau. Je mâchais la bouche ouverte car il était aveugle.

Je passai la journée à pleurer par intermittence.

– Alors, parlez-moi un peu de ce mari, dit Jérôme.

– Il est plus âgé que moi. De quatorze ans.

– Et combien de temps lui a-t-il fallu pour vous demander en mariage ? Ou, plus exactement, pour que vous l'incitiez à le faire ?

– C'est venu de lui. À la plage. Il m'a tendu un coquillage dans lequel se trouvait une bague.

En vérité, nous étions au lit quand Jack avait plongé sous les draps et déclamé, d'un ton obscène : « Regarde ce que j'ai trouvé dans ta chatte ! » J'avais senti une chose pointue contre moi, puis Jack avait ressurgi avec un solitaire au bout de la langue. « Ah, si c'était dans ma chatte, ça m'appartient, répondis-je. File-moi ça. » La bague passa de sa bouche à la mienne et c'est ainsi qu'il fit sa demande. J'étais obligée d'inventer une histoire chaque fois qu'on me posait la question.

– Vous vous déplacez comment ? demanda Jérôme, alias le Céciteux, comme je l'appelais désormais dans mes songes.

– En taxi.

– Dommage, j'avais pensé que nous pourrions nous rendre ensemble jusqu'au métro, expliqua-t-il, persuadé que ça me plairait.

– Mais je serais ravie de vous promener jusque là-bas.

Taxi, taxi, taxi, pensais-je en boucle.

Le Céciteux se leva d'un bond et agrippa le dossier de son siège.

– Je ne suis pas un chien ! aboya-t-il. Vous pouvez vous promener *avec moi* tant que vous voudrez, mais sûrement pas *me* promener !

– Dans ce cas, je rangerai ma laisse, répliquai-je fielleusement. Vous savez, j'emploie cette expression avec n'importe qui. Je vais vous promener ici, je vais vous promener là-bas, promène-moi dans tel coin... Tout le monde dit ça.

Il m'écoutait en inclinant la tête, fasciné d'apprendre ce que disaient les gens. Il rassembla ses affaires et se prépara à quitter le bureau.

– Alors, on y va ? lança-t-il en claquant les talons.

Il saisit doucement mon coude gauche et se hissa à mon niveau. Il ne lui restait plus qu'à me donner le mode d'emploi.

– Cela vous ennuierait si on s'arrêtait pour retirer du liquide ? demanda-t-il.

– Pas le moins du monde.

Non mais sans blague. J'étais lectrice, pas banquière. Il m'emmena à un distributeur automatique, et je le regardai composer son code, remarquant pour la première fois les reliefs en braille sur le clavier. Jérôme débita cent dollars de son compte courant.

– J'ai bien pris cent dollars ? demanda-t-il d'une voix anxieuse.

– Non, vous avez demandé deux cents dollars sur votre compte épargne. Vous avez des billets de cinquante dans la main.

Il parut troublé. Je regrettai de l'avoir taquiné.

– Je plaisante, Jérôme. Vous avez bien retiré cent dollars sur votre compte courant.

La blague ne le fit pas rire. Il recompta deux fois ses cinq billets de vingt, puis nous reprîmes notre chemin.

Nous passâmes devant la statue d'un homme que je ne connaissais pas. C'était une statue recouverte de pigeons comme toutes les autres, et pourtant elle m'arracha des larmes.

Je l'avais vue si souvent qu'elle m'était devenue invisible, de la même façon que j'avais dû devenir invisible aux yeux de Jack. En même temps, pour une raison qui m'échappait, je l'enviais terriblement. Hormis les pigeons, elle avait de la chance. Elle pouvait trôner à un carrefour animé de New York, indifférente au tumulte de la ville.

Je rêvais d'être une statue. Je voulais me changer en statue de Jeanne d'Arc sans avoir été la vraie Jeanne d'Arc. Me planter sur un triangle de gazon new-yorkais, solide, froide et fixe. Je rêvais de m'incarner directement en statue. D'aspect presque vivant. Intégralement bronzée, lisse, comme une chaussure de bébé. Je pourrais alors suivre des yeux une fille, pour ne pas dire une fille sublime, descendant vers le métro au bras d'un juge aveugle.

Il fallait vraiment que je déteste ma vie pour jalouser le destin d'un bloc de pierre.

– Chaque année, un ou deux aveugles décèdent dans le métro, m'informa Jérôme. Quand le train s'arrête le long du quai, il leur arrive de rater les portes, de chuter entre deux rames, directement sur les rails, et de se faire écrabouiller quand le train repart.

Jérôme, écrabouillé... J'envisageais déjà de le raccompagner tous les jours.

– Pourquoi n'adoptez-vous pas un chien ? demandai-je.

– Pourquoi adopter un chien, puisque je vous ai ?

5

BEAUTÉ CART. POST.

Seule dans le bureau, je feuilletais le courrier de Jérôme. Il était en retard, et le thé que je lui rapportais chaque matin avec amour de chez Starbucks était froid. Le téléphone sonna. Je décrochai et répondis façon hôtesse d'accueil, en susurrant « allô » comme si j'étais en train de me faire sauter. Silence.

– Allô ? répétai-je.

– Vous êtes la nouvelle lectrice du juge Garrett ? demanda une voix féminine.

– Tout à fait. Il n'est pas arrivé. Puis-je prendre un message ?

– Comment ? s'alarma mon interlocutrice. Mais ça fait plus de quarante minutes qu'il est parti !

– Je suis sûre qu'il sera là d'un instant à l'autre...

Il avait dû se perdre vers le pont de Brooklyn.

– Pour l'amour de Dieu, qu'il m'appelle dès qu'il arrive ! Je vais essayer de ne pas m'affoler. Il m'a beaucoup parlé de vous, vous savez.

– À qui ai-je l'honneur ? m'enquis-je.

– Je suis Sarah, l'amie de Jérôme, déclara-t-elle fièrement.

Son *amie* ?

Au même moment apparut l'intéressé, flottant dans ses manches trop longues, cramponné à sa serviette marron racornie et à sa canne blanche tapotant sur le sol. Il avait une trace noire en travers de la joue. Était-ce dans mes attributions de l'informer qu'il était barbouillé ? Non. Absolument pas. Sarah pourrait le lui dire quand il rentrerait à la maison.

– Ne quittez pas, Sarah. Il vient juste d'entrer.

Jérôme jeta son pardessus et longea le bureau jusqu'à son fauteuil. J'avais été bien inspirée de m'en extraire pour répondre au téléphone. Il dit deux mots à son amie et raccrocha vite fait.

– Je suis tombé sur un chauffeur de taxi fou à lier. (Il prononça les trois derniers mots comme « fouailler », un défaut d'élocution qui se produisait souvent lorsqu'il était stressé.) Figurez-vous qu'il n'y avait pas de ceinture à l'arrière ! C'est illégal, n'est-ce pas ? J'ai bien cru que j'allais y rester.

Je l'imaginais en train de tâtonner sur la banquette, paniquant au moindre soubresaut du véhicule. Personne ne bouclait sa ceinture en taxi.

– C'est horrible, opinai-je.

Je ne pouvais détacher mes yeux de la tache en forme de L.

– Et si vous alliez vous passer un peu d'eau sur le visage, pour vous remettre de vos émotions ?

– Ça va aller, dit-il froidement.

Il ne fit rien pendant quelques minutes, mais j'y étais habituée. Cela signifiait qu'il réfléchissait.

– Je vous lis votre courrier ? proposai-je.

Ma première tâche, en arrivant, consistait à vider la boîte aux lettres. Quelqu'un lui avait adressé une carte postale représentant une famille heureuse sur une plage, en maillots de bain et lunettes de soleil. Curieux, d'envoyer ça à un aveugle. La mère arborait une poitrine énorme.

– Pas maintenant, grommela-t-il.

– Votre amie a l'air gentille.

– Moui...

Il plongea la tête dans ses mains.

– Puis-je vous poser une question personnelle ? demanda-t-il.

– Je vous écoute.

Son visage était flasque et atone, celui d'un homme qui ne se regarde jamais dans la glace. Il ne pouvait travailler ses expressions joyeuses, graves ou langoureuses comme tout le monde. J'en avais une, jamais testée en public, où je souriais jusqu'aux oreilles tout en serrant les dents comme un tigre.

– Liv, commença-t-il d'une voix hésitante, il se trouve que je me demande où vous habitez. Vous m'avez beaucoup parlé de votre ancien logement, mais j'ignore où vous résidez actuellement.

Cette interrogation m'alla droit au cœur. Il m'imaginait sûrement pelotonnée dans un grenier à foin, comme Heidi, ou batifolant avec des copines sur un futon. L'espace d'un instant, je songeai à le ramener chez moi, lui faire gravir les cinq étages et le guider dans l'appartement, en veillant à ce qu'il ne se prenne pas les pieds dans le nid-de-poule de la cuisine. Mais que penserait son amie en apprenant qu'il se rendait chez sa lectrice avec sa canne ?

Je lui parlai de mon logement ouvrier sur MacDougal Street, cinq étages au-dessus d'un « restaurant » baptisé le King Shawarma. Tout le restaurant, tout le pâté de maisons, tout mon appartement empestaient la viande avariée. Chaque matin, un nouvel agneau en forme de barrique était embroché sur le gril vertical et coiffé d'un oignon en guise de petit chapeau – quand ce n'était pas d'abord l'oignon puis l'agneau, telle une otarie en équilibre sur une balle. L'odeur envahissait tout, se logeait dans les coins et recoins de mes muffins, enduisait les plumes de mon unique oreiller, se logeait entre les mailles des pulls de ma grand-mère.

Je n'avais rien remarqué le jour de la visite. Mes pleurs m'avaient probablement obstrué les narines.

– Vous devez regretter d'avoir posé cette question, conclus-je comme pour m'excuser.

– N'allez pas croire ça... Pour ma part, je vis dans un petit studio au premier étage d'un immeuble avec ascenseur, à Brooklyn. Je me suis laissé dire que le loyer très avantageux était dû à la quasi-absence de lumière.

J'ignorais si c'était une blague. Mais il ne rit pas.

– Si vous saviez, Liv. Je me méprise tant, parfois...

– Mais pourquoi ?

– N'avez-vous jamais connu ces moments où, soudain, on

se déteste soi-même ? demanda-t-il d'une voix fluette avant de baisser la tête. C'est juste que... je ne suis pas vraiment un homme bon.

Je ne savais que dire. Une image récurrente me vint à l'esprit : moi, me jetant sur mon mari pour lui larder le torse de coups de couteau. Une sorte de réflexe fantasmagorique.

Une autre scène qui me hantait souvent ces temps-ci était le souvenir d'un pique-nique au Shakespeare Garden de Central Park, au tout début de notre idylle, où j'avais apporté du veau à la milanaise, du fromage, des fruits, du vin, une salade de nouilles et une tarte. Dire que j'avais tout planifié, préparé, et emballé moi-même dans du papier alu...

– Allons, Jérôme. Je suis persuadée que vous êtes un brave homme.

– Quoi qu'il en soit, oui, Sarah est tout à fait charmante. Vous avez un soupirant ?

J'éclatai de rire. J'avais bien une soupière en argent, laissée chez mon mari, un soupirail au pied de l'immeuble et des soupirs à revendre. Mais je n'avais pas de soupir-ant.

– Je ne vois personne en ce moment, répondis-je.

Zut, j'aurais dû choisir un autre verbe.

– Comment pouvez-vous vous satisfaire de cette situation ? s'étonna-t-il. Le bruit circule pourtant que vous êtes très séduisante.

– Quand j'ai lancé cette rumeur, il me semble avoir employé le mot « sublime ».

Je m'étais longtemps demandé si Jérôme s'était enquis de mon physique. Il rêvait sûrement de me palper le visage, comme tous les aveugles au cinéma. Très peu pour moi, merci.

– Vous devez appartenir à cette race de femmes qui aiment être inondées de cadeaux. Vivre avec vous ne doit pas être une sinécure.

– Et vous, vous inondez Sarah de cadeaux ?

– Oh, oui.

Je n'en croyais pas un mot.

Il ajouta :

– Tenez, puisque vous en parlez, envoyons-lui des fleurs. Voudriez-vous prendre le bottin ?

Il était fier comme tout. J'attrapai les pages jaunes sur le rebord de la fenêtre et pêchai le numéro d'un fleuriste de Midtown, où travaillait Sarah. Jérôme prit le téléphone et commanda des roses couleur saumon. Apparemment, ils n'avaient pas ça en rayon.

– Non, je ne veux pas du rose ou du pêche, je veux du saumon !

Il claqua l'écouteur sur le plateau du bureau, puis retrouva le socle du bout des doigts. Je lui dictai le numéro d'une autre boutique. À nouveau, il demanda des roses saumon, et sortit de ses gonds quand on lui proposa des roses champagne.

– Les roses champagne sont très belles, glissai-je, bien qu'incapable de me les figurer.

– Les saumon sont ses préférées.

– Saumon et pêche sont très proches, insistai-je.

– Absolument pas !

Le comble du ridicule : s'étriper sur les couleurs avec un aveugle. On frappa à la porte. Jérôme dit d'entrer.

– Le jury aimerait vous voir, monsieur le juge.

C'était l'huissier, un type décharné et dégarni portant un catogan roux. Il me sourit :

– Salut, Liv.

– Salut, Ray.

– Très en beauté, aujourd'hui.

– Merci.

Le drame de la vie active : être obligée de fréquenter des gens qu'on n'oserait côtoyer dans le métro.

– Attendez-moi dehors, Ray, et veuillez fermer la porte.

– Vous avez la joue un peu sale, Votre Honneur, remarqua Ray.

– Merci de me prévenir.

Ray referma bruyamment et Jérôme se tourna vers moi.

– Pourquoi ne m'avez-vous pas dit que j'étais barbouillé ?

– Je n'avais rien remarqué avant que Ray n'en parle.

– Je ne vous crois pas, dit-il comme un adolescent piteux.

– Je vous jure, ça se voit à peine.

– Il est nécessaire que vous remarquiez ce genre de choses, Liv.

Il ouvrit un tiroir et sortit une trousse de toilette en cuir noir.

– Pourrais-je vous regarder présider l'audience d'aujourd'hui ?

– Avec grand plaisir, dit-il en rougissant. De toute façon, nous ne croulons pas vraiment sous le travail. Au fait, Liv... c'est le diminutif d'Olivia ?

– Non.

– De Lavinia, alors ?

– Non !

Je lui expliquai que je pesais à peine un kilo cinq à la naissance et que nul ne donnait cher de ma peau, sauf mon père qui resta penché sur la couveuse à psalmodier « *live, live...* », de sorte qu'une infirmière crut qu'il s'agissait de mon prénom – ce qui devint effectif quand il s'avéra que j'allais vivre.

Puis je décrivis à Jérôme la photo me montrant endormie dans la paume gauche de mon père.

– Vous m'enchantez, Liv. En me levant le matin, je n'ai qu'une seule hâte : venir ici.

– J'en suis heureuse.

Je revis mentalement mon spot publicitaire préféré. Une jolie femme monte les marches d'un tribunal tandis qu'une voix masculine commente : *Aujourd'hui, Jennifer retrouve le palais de justice. Elle n'est pas avocate, mais elle gagne autant d'argent que beaucoup d'entre eux. Elle n'est ni plaignante ni accusée, mais elle est attentive aux propos de chacun. Elle n'est pas juge, même si nombre de verdicts sont passés entre ses mains.* Nous découvrons alors que Jennifer est une sténographe formée au Cittone Institute, dans le New Jersey. Et si j'essayais de faire ça ?

– Je me demandais si vous accepteriez...

Jérôme s'interrompit, l'air de se mépriser comme tout à l'heure. Puis il se leva et s'approcha de ma chaise.

– Accepter quoi ? demandai-je.

– C'est juste que... j'aimerais tant savoir à quoi vous ressemblez. (Il avança sa main.) Vous permettez ?

– Permettre quoi ?

Pour toute explication, il posa sa main sur mon visage. Il me toucha furtivement un œil, qui resta ouvert, puis le nez, la joue, l'oreille, la mâchoire et la bouche. Le front, la naissance des cheveux, les cheveux eux-mêmes. Il était rouge comme une tomate.

– Vous êtes sublime, n'est-ce pas ? Merci. Désolé.

Je m'ébrouai vivement pendant qu'il empoignait sa trousse de toilette, son cartable, sa robe de juge et disparaissait.

Je restai assise, à me palper le visage des deux mains pendant une éternité. D'abord fraîche, ma peau devint brûlante. Je trouvai mes cils courts. Mes sourcils lisses comme un ruban de soie. Mes joues plates. Ma lèvre inférieure épaisse. Ma peau douce comme le velours carmin tapissant les murs d'un restaurant chinois. À la longue, je ne sentis plus rien. Je devenais invisible. J'avais pris le visage de tout le monde.

Ce soir-là je dînai dans mon repaire habituel, juste en face de mon nouvel immeuble : l'Olive Tree Café, à ne pas confondre avec l'Olive Garden. L'Olive *Tree* était un vieux bistrot du Village[1] avec des lampes en verre teinté, des ardoises que l'on remplissait à la craie, et des films de Charlie Chaplin projetés en continu sur un écran mural. L'Olive *Garden*, pour sa part, était une chaîne de restaus italiens ringards où je n'aurais pas mis les pieds pour tous les scampi-à-volonté du monde.

Je me glissai derrière ma table attitrée et le garçon vint prendre ma commande. Il avait des cheveux bruns soyeux et de grands yeux. Son badge indiquait : « Serveuse en formation ». J'étais penchée sur une photo de moi en sombrero, dans le désert mexicain.

Le serveur s'en empara.

– Vous êtes mannequin ? demanda-t-il.

Sur ce cliché, j'avais les yeux bouffis et le nez rouge écrevisse car nous avions passé la journée à chercher mes lunettes

1. Greenwich Village : quartier bohème et branché de New York. *(N.d.T.)*

de soleil dans le désert. Mon mari avait élaboré un système de marquage des cactus pour nous éviter de ratisser deux fois la même zone : il refusait d'abandonner les recherches tant que nous n'aurions pas remis la main dessus – ce qui n'arriva jamais. Je gardais cette photo sur moi pour me rappeler que vivre avec lui n'était pas drôle tous les jours.

– Non, je ne suis pas mannequin, avouai-je tout en savourant ces mots au goût inédit. C'est juste une photo que mon mari a prise pendant le pire jour de ma vie.

Il l'examina de nouveau.

– Je pensais que c'était pour votre... comment qu'on dit, déjà ? Votre book. Sérieusement, je vous trouve canon là-dessus.

– Horrible, vous voulez dire ! J'ai un coup de soleil monstrueux.

Son visage se fendit d'un sourire gêné. Je me souvins alors avoir lu quelque part que les mâles n'aimaient pas les grosses comiques braillardes. J'aurais dû me contenter de le remercier.

– Merci, murmurai-je.

Il partit chercher un rouleau de ruban correcteur derrière le comptoir, en arracha un bout et revint à ma table. Il y inscrivit un « r » minuscule qu'il colla par-dessus le « -se » de serveuse.

– Ce truc allait finir par me rendre dingue, expliqua-t-il. On voit de ces connards, parfois. Je suis nouveau à New York.

Il n'est jamais prudent de sortir avec un New-Yorkais novice. C'est même une très mauvaise idée. Rien de tel, pour se sentir flouée, que de traîner un type à Coney Island et aux quatre coins de la Grosse Pomme, pour apprendre six mois plus tard qu'il est rentré chez lui car il regrettait le potage de maman. C'est toujours une perte de temps, a fortiori lorsqu'il s'avère gay.

Je m'excusai pour aller aux toilettes.

– Bonne chance, dit-il.

Si j'avais besoin d'encouragements, c'est parce que l'Olive Tree Café hébergeait dans ses sous-sols une troupe de café-théâtre baptisée « les Caves ». Se rendre aux WC était toujours une expérience humiliante car il fallait emprunter un escalier et longer une petite scène, d'où les comédiens se payaient systématiquement votre tête.

Je les entendais déjà rire en descendant les marches, et ma gorge se noua. Comme je passai devant l'estrade d'un pas soutenu, le bouffon gesticulant et son public de banlieusards s'interrompirent pour me dévisager.

– Pourquoi êtes-vous si pressée ? demanda le comique.

Mon corps tout entier se raidit. Ces types-là ne vous laissent jamais tranquille.

– Dégagez le passage, m'sieurs-dames ! lança-t-il. Cette femme pisse dix fois plus que n'importe quel être humain sur terre.

Personne ne rit. Pourtant, à le regarder, avec sa tronche et ses cheveux roux qui lui arrivaient aux fesses, on pouvait penser qu'il n'avait même pas besoin d'ouvrir la bouche pour susciter l'hilarité.

– Et cette fois-ci, n'oubliez pas de vous laver les mains ! ajouta-t-il.

– Je ne suis pas venue faire pipi, répliquai-je, mais te transmettre un message. Ta mère vient d'appeler ; elle dit qu'à quarante ans, il serait temps que tu te trouves un appart.

La salle explosa et je me retirai, triomphante, dans les toilettes des dames. Quand je refis le chemin en sens inverse, le comique resta concentré sur son texte.

Puis il remonta pour me parler :

– Dis donc, t'es vachement drôle, toi.

Quand un comique loue votre humour, c'est vraiment qu'il vous déteste.

– Je voulais juste pisser en paix.

– Et moi, je veux juste survivre, tu vois ?

Il avait l'air si misérable que je décidai de ne plus jamais utiliser ces toilettes. J'adopterais celles du Caffe Reggio, au coin de la rue.

Je me tournai vers l'écran, où Charlot faisait du monocycle sur une corde raide pendant que trois singes dansaient sur son crâne. L'un d'eux lui fourra sa queue dans la bouche. Je ris, et le comique me lança un regard noir.

De retour à la maison, j'introduisis la vidéo de mon mariage dans le magnétoscope et me regardai prêter serment. L'amour m'avait rendue forte, confiante et sincère. « Jusqu'à ce que la mort nous sépare », me vis-je déclarer. Je rembobinai ensuite jusque sa partie à lui. « Renonçant à toutes les autres... » dit-il. Je revins en arrière. « Renonçant à toutes les autres... » Retour arrière. « Renonçant à toutes les autres... » J'appuyai sur PAUSE et son visage se figea sur l'écran encrassé. J'étais ébahie par la performance de Jack, digne d'un oscar. « Renonçant à toutes les autres. » « Jusqu'à ce que la mort nous sépare. » Je me le repassai sans fin.

Violet appela et me demanda ce que je faisais.

– Rien. Je suis devant la télé.

Mon mari était statufié, la bouche en cul-de-poule sur le « ou » de « toutes les autres ».

– Tu regardes quoi ?

– Rien. Je zappouille.

– J'espère que ce n'est pas encore la cassette de ton mariage.

Violet ne l'aimait pas car elle s'y trouvait grosse. Un bref instant, je lui en voulus de me croire capable d'une chose si pathétique.

– J'ai arrêté, mentis-je.

Le temps de pause écoulé, la cassette se remit à tourner. Un énième « Renonçant à toutes les autres » retentit dans la chambre.

Je m'empressai de couper le son.

– Faut que t'arrêtes de mater ce truc. Tu n'es plus sa femme ! dit Violet comme si ce détail m'avait échappé.

J'envisageai d'abord de nier, de prétendre qu'il s'agissait d'un feuilleton ou d'un téléfilm quelconque, mais Violet n'y aurait pas cru car il était minuit passé.

– C'est plus fort que moi, confessai-je. C'est mon film préféré. La cassette du divorce ferait d'ailleurs une super suite.

– Je veux que tu me promettes !

– Promis, murmurai-je.

Promettre quoi, au fait ?

– J'ai vu passer Hitler, enchaîna-t-elle.

Elle faisait allusion à son ex, David, qui s'était récemment laissé pousser un petit carré de poils sous le nez et avait emménagé dans le même quartier qu'elle. Les habitants du Trou-du-cul-du-monde étaient condamnés à se croiser au moins deux fois par jour, car ils n'avaient pour se sustenter que deux cafétérias : le Westway et le Galaxy.

– Je l'ai surpris au Westway. Il portait un cuissard de cycliste et un attaché-case. Je te dis pas le look. Je suis sortie en courant mais je crois qu'il m'a vue.

– Vous retomberez nez à nez tôt ou tard.

– Pas si je fais attention.

Je voyais le rabbin muet débiter son charabia, le marié ébaubi relever le voile à neuf cents dollars de la sublime mariée qui riait comme une idiote et là, de la même façon que je suis immanquablement bluffée par la fin d'*Autant en emporte le vent*, je fus choquée de découvrir que cette jeune femme qu'il s'apprêtait à embrasser n'était autre que moi.

Je raccrochai, montai le son et m'endormis, bercée par les bruits de la foule et des talons de Violet courant comme un défenseur lobé pour attraper le bouquet.

J'avais prévu de faire la grasse matinée, vu que Jérôme n'avait pas besoin de moi avant 12 h 30, mais je fus réveillée par le téléphone. C'était mon ex-mari, qui m'appelait d'un avion. J'avais commis l'erreur de laisser mon numéro à sa secrétaire.

– Je te réveille ?

– Tu n'y penses pas ! répondis-je en divorcée sophistiquée.

– Il n'est que 9 h 15 dans ton fuseau horaire, dit-il d'un ton condescendant, comme si mon fuseau horaire était minable.

– Pour tout te dire, j'ai déjà petit-déjeuné et fait l'amour.

Je débitai cela tout en m'étirant, le sourire aux lèvres, telle Scarlett O'Hara au lendemain d'une nuit agitée avec Rhett. Puis je demandai, froide comme un glaçon :

– T'appelles pour quoi ?

Lui parler me donnait l'impression de manger un plat prémâché.

– Je t'en prie, Liv, sois sympa. Je t'appelle de l'avion.

Retentit alors le signal de double appel. Je mis Jack en attente. L'opérateur téléphonique Sprint voulait me débaucher de chez AT&T. Après avoir pesé le pour et le contre, je décidai de rester avec le second, puis repris mon ex-mari.

– Je ferais mieux de te laisser, grommela-t-il. Ça me coûte sept dollars la minute. Je pensais juste à nous deux, et mon intuition m'a dit d'appeler.

Je ne supportais pas qu'on ait ce genre d'intuitions à mon égard. Encore moins quand la personne se trouvait dans un avion. Ça me donnait la chair de poule.

– Je me porte bien, Jack.

– Et puis, ça te montre que je suis resté un type bien.

Je lui laissai l'entière responsabilité de ces propos.

– Dis-moi, Liv. Tu as un peu réfléchi à ce que tu allais faire sur le plan professionnel ?

– Je m'y colle tout de suite. Ne quitte pas.

Je reposai le combiné à côte de moi sur le lit, et m'efforçai de songer à ma carrière.

– Liv... Liv... l'entendais-je soupirer dans l'écouteur.

Le soir où je l'avais enfin quitté, j'avais poireauté sur le palier du onzième étage en attendant l'ascenseur avec mes désolants bagages et le sombrero rapporté du Mexique. J'étais une touriste dans cet immeuble, une touriste dans cette vie. J'aurais dû prendre une photo. J'y aurais vu tout autre chose que la femme du monde sophistiquée que je croyais être – une femme ayant roulé sa bosse, une divorcée fraîche émoulue. Le sombrero dans une main, un sac-poubelle rempli de chaussures dans l'autre et l'air quelque peu vexé, je m'étais subitement sentie très jeune et très vieille à la fois, tandis que l'autre s'époumonait au milieu du couloir : « Je suis un type bien, Liv ! Je suis un type bien ! Déconne pas, Liv ! Chuis un type bien, tu m'entends ? » Il m'avait suivie jusqu'à l'ascenseur dans son peignoir bleu et ses mules en cuir qui révélaient ses mollets poilus. Arrivée au rez-de-chaussée, je l'entendais encore crier : « Je suis un type bien, Liv ! »

– Me revoilà, dis-je en reprenant l'appareil.

– Ce n'était pas drôle, Liv. J'espère que la comédie ne figure pas parmi tes choix de carrière.

– Qu'est-ce que tu me suggères, alors ? Que dirais-tu d'avocate, spécialité divorce ? Je devrais peut-être m'inscrire en fac de droit...

Cette discussion prenait un tour plus détestable encore que notre mariage.

– Ma foi, tu adores polémiquer et tu es assez rentre-dedans. Une petite New-Yorkaise rentre-dedans.

– Je prends ça pour un compliment.

– Oui, rentre-dedans comme tu es, tu ferais même un parfait agent immobilier.

Voilà qu'il m'insultait, à présent. On s'était tellement moqués de l'agent qui nous avait montré notre appartement, un triste sire prénommé Sandy.

Je raccrochai. J'étais sûre qu'il avait appelé uniquement pour tuer son ennui et essayer le téléphone de l'avion, histoire d'épater son voisin ou sa voisine.

Par la fenêtre, je contemplai la pluie battante, puis j'enfilai un tee-shirt et un caleçon et ouvris la porte d'entrée pour vérifier si personne n'avait le *New York Times* sur son paillasson, ce qui m'aurait permis de consulter les offres d'emploi.

Mais je savais bien que cet immeuble n'était pas du genre à abriter des lecteurs du *Times*. Je filai à l'étage supérieur, où je découvris deux petites bottes en caoutchouc vert alignées avec soin devant une porte. Elles devaient appartenir à un gamin de six ans.

J'étais à deux doigts de pleurer tant elles étaient mignonnes. J'avais envie de les tenir dans mes mains, de retrouver la sensation d'une petite botte en caoutchouc vert bouteille. J'en saisis une, puis l'autre. Je les descendis chez moi et verrouillai la porte. Mon cœur battait la chamade.

Je m'assis par terre, adossée au mur du salon, les bottes d'enfant serrées contre mon cœur. Puis j'y enfilai les mains et leur fis faire quelques pas. Il était grand temps que je m'occupe de ma vie. Je ne pouvais rester éternellement sur la moquette du séjour avec des bottes volées en guise de moufles.

Je m'habillai pour de bon, me brossai les dents, et replaçai les bottes sur leur paillasson. J'attrapai un parapluie et sortis acheter le journal.

6

BLCN VUE SUR FLVE

– Cet après-midi se tient une petite fête à l'occasion du départ en retraite du juge Moody, m'annonça Jérôme. Elle aura lieu ici, dans cet immeuble, et j'aimerais que vous m'accompagniez. Ce sera notre première apparition officielle ensemble. Un peu comme un premier rendez-vous, n'est-ce pas ?

Il regarda droit dans ma direction, d'un air aussi aveugle que fripon. Je n'avais pas mis de tailleur, mais une robe en velours noir et blanc du plus bel effet.

– Je crains que cela ne soit un peu barbant, n'est-ce pas ?

Jérôme avait cette manie toute british de conclure ses phrases par « n'est-ce pas ? », de sorte que, sans avoir rien demandé, vous étiez sans cesse pris à témoin. Avec la plupart des Anglais, il suffisait de secouer ou de hocher la tête, mais avec Jérôme il fallait répondre de vive voix.

Je restai muette.

– N'est-ce pas ? insista-t-il.

– Je ne sais pas. Je n'ai jamais assisté au pot de départ d'un juge, n'est-ce pas ?

– Non, je suppose que non, n'est-ce pas ?

– Non.

Échange typique.

À 17 heures, Jérôme souleva le verre de sa montre et tâta les aiguilles.

– On y va ?

Je me levai et avançai vers la porte. Il m'y rejoignit et me prit le coude. Je me sentais dans la peau d'une infirmière chargée d'emmener un patient à l'autre bout de la clinique pour une série d'examens. Mais je n'avais pas la vocation.

– Du velours ! s'écria Jérôme. Délicieux.

Nous gagnâmes la fête et nous postâmes dans un angle près de l'entrée. Personne ne remarqua notre arrivée, et je n'avais aucune idée de la marche à suivre. Comment un aveugle s'y prenait-il pour se mélanger aux autres ? J'entrepris de décrire la salle :

– Nous nous trouvons dans une sorte de hall, avec de très hauts plafonds, un carrelage mosaïqué déclinant un motif en étoile et des portraits de juges aux murs.

Mon mari avait raison : je pourrais jouer les agents immobiliers. Je parlais déjà comme eux. Chien d'aveugle et agent immobilier faisaient appel aux mêmes compétences. Guider et aboyer.

– Comme vous le voyez, le hall allie le volume d'une salle d'audience à la chaleur et au confort d'une maison de campagne. N'est-ce pas renversant ? À en tomber par terre ? conclus-je en prenant l'accent de Long Island.

– Voulez-vous cesser ! commanda Jérôme. C'est extrêmement agaçant.

– Cet espace possède une magnifique ossature, ajoutai-je.

Un jour que nous visitions un appartement, Jack et moi avions entendu cette phrase dans la bouche d'une vieille dame atteinte d'ostéoporose. Ça m'avait marquée.

– Mais que signifie tout ce charabia ? demanda Jérôme.

– Le sais-je moi-même ? Mon ex-mari me voit bien dans l'immobilier. Qu'en pensez-vous ?

– C'est une idée monstrueuse, n'est-ce pas ? Je n'imagine rien de moins relaxant que de côtoyer un agent immobilier en herbe.

J'étais donc là pour relaxer Monsieur.

– D'un autre côté, reprit-il, je ne doute pas que vous seriez tout à fait charmante dans ce rôle, et puis je suppose qu'il ne requiert pas une grande maîtrise de l'orthographe, n'est-ce pas ?

En effet, cela ne demandait aucune qualification particulière. Pour une New-Yorkaise divorcée, c'était même une sorte de passage obligé. Sauf qu'en général, on avait d'abord fait autre chose ; tous les agents que nous avions croisés avaient connu l'échec ailleurs. L'un venait d'une banque d'affaires, un autre d'un cabinet d'experts-comptables, un troisième avait tenu un bazar baptisé Top'Toc. Je me demandais s'il serait possible de sauter l'étape de la profession antérieure pour passer directement à la case préretraite. Rater son mariage était sans doute un bagage suffisant. Tout compte fait, ce projet n'était pas si mauvais, puisqu'il semblait écrit que j'y viendrais tôt ou tard.

– Pour être franche, j'ai réellement l'intention de suivre des cours dans ce domaine. J'ai gardé un œil sur les perspectives qui s'offraient à moi – comme vrai métier, j'entends –, et cette voie-là me paraît la meilleure.

Je n'aurais pas dû dire « gardé un œil ».

– Tiens donc, dit-il avec stupeur. Vous m'aviez caché cela, n'est-ce pas ?

Sa main retomba le long de sa cuisse. Il se demandait si je plaisantais, mais je l'ignorais moi-même. Ce hall rempli de juges donnait à la fête un caractère solennel, cérémonieux. J'avais l'impression d'avoir prêté serment.

– Mais vous m'avez promis une année, Liv, et vous n'êtes là que depuis un mois.

Et moi, mon mari m'avait promis toute la vie.

– En fait, je débute dans deux semaines.

Je n'avais aucune idée de la date à laquelle j'allais commencer, mais je n'excluais pas que ce soit vrai.

– Je suis content pour vous, dit-il d'un ton amer.

Nous nous tûmes jusqu'à ce qu'un vieil homme, vêtu d'une robe noire ouverte sur une chemise hawaïenne, vienne à notre rencontre.

– Salut Jérôme, c'est Bob Moody.

– Félicitations, Bob ! répondit mon patron. Ça fait longtemps qu'on essaie de se débarrasser de toi, n'est-ce pas ?

– Je suis bien la dernière personne dans cette pièce qui mériterait de partir. Je parais quinze ans de moins que vous tous.

Je me mis à rire. J'adorais l'humour de la magistrature.

– Il dit vrai, Liv ? s'enquit Jérôme.

– Vous êtes tous très vieux à mes yeux, persiflai-je.

Jérôme tendit sa main, très près du corps comme un robot, et le juge Moody la lui serra.

– Eh bien, Bob, c'est une belle journée pour nous tous, n'est-ce pas ? Liv est ma nouvelle lectrice mais aussi, comme je viens de l'apprendre, un futur agent immobilier. N'est-ce pas, ma chère ?

– C'est exact.

– Que demandez-vous à ces jeunes lectrices, au juste ? demanda Moody. Que faites-vous, Liv ?

– Je me le demande encore...

– Elle fait ce que je lui dis ! postillonna Jérôme.

Je levai les yeux au ciel.

– Toutes mes félicitations pour votre départ en retraite, dis-je.

– À vrai dire, je ne suis pas encore parti. Il me reste une dernière et heureuse tâche à accomplir : je m'apprête à célébrer un mariage très particulier. Y viendrez-vous au bras de Liv, Jérôme ?

– J'en serais ravi, mais je doute que notre amie ait très envie d'assister à un mariage en ce moment, n'est-ce pas ?

– C'est gentil, dis-je, mais je ne peux pas.

En fait, je redoutais que cela n'implique de danser avec lui.

– Quoi qu'il en soit, Liv, il faut que je vous présente Andrew Lugar, ajouta le juge Moody. Tenez, je l'aperçois.

– Pourquoi ? m'étonnai-je.

Quand on joue les infirmières, on ne s'attend pas à être présentée aux gens.

– Parce que vous êtes dans l'immobilier, et qu'Andrew est architecte. Aujourd'hui est un grand jour pour lui.

Je venais de dire à Violet que les bébés asiatiques étaient les plus craquants, à quoi elle avait répondu que j'épouserais un architecte nippon. Elle se répandait sans cesse en prédictions complètement fausses, mais elles me perturbaient quand même car j'y repensais sans arrêt.

Andrew Lugar s'avança vers notre groupe. Il n'était pas japonais, quoique petit et vêtu d'un costume noir. Il s'arrêta devant nous, un rien crispé, tout le poids du corps reposant sur un pied.

– De quoi parliez-vous avec ces employés ? lui demanda Moody.

– Ils se demandaient mutuellement s'ils couchaient dès le premier soir, répondit Andrew avant de se tourner vers moi. Vous couchez le premier soir, vous ?

Le juge Moody leva un index réprobateur.

– Enfin, Andrew, où vous a-t-on appris à...

– Objection rejetée, trancha Jérôme. Liv, nous vous écoutons.

– Je couche dès le premier soir uniquement si le type ne me plaît pas et que je n'ai pas envie de le revoir.

– Bien répondu ! commenta Jérôme.

Andrew éclata de rire. Je proposai à mon patron une part de gâteau.

– Merci, mais ce ne serait pas raisonnable, dit-il en tapotant son ventre.

Son ventre n'était pas le cœur du problème. Il aurait dû se tapoter les hanches et les cuisses.

– Moi, ça me tente, intervint Andrew. Et vous ?

– D'accord, répondis-je, m'appliquant à faire croire que ça m'était complètement égal.

Mon père insistait toujours pour que ses mannequins goûtent à leur gâteau d'anniversaire – sans aller le vomir ensuite. Il disait : « Si tu ne manges pas de gâteau le jour de ton anniversaire, tu auras faim tout le reste de l'année. » Ce qui, revu à ma sauce, donnait ceci : « Si tu ne manges pas de gâteau chaque fois que tu en as l'occasion, tu auras faim tout le reste de l'année. »

Jérôme me pressa furtivement le coude.

– Allez-y, Liv.

Je suivis donc l'architecte jusqu'au gâteau. Celui-ci était recouvert de copeaux de sucre vert et de petits drapeaux en plastique, et coiffé d'un golfeur miniature.

– D'où connaissez-vous le juge Moody ? demandai-je.

Il coupa une part rectangulaire qu'il me servit dans une assiette en carton.

– Je devrais peut-être en apporter une au juge Garrett, ajoutai-je.

– Il a dit qu'il n'en voulait pas, rétorqua Andrew. Vous êtes allée sur le balcon ? La vue est splendide.

Nous sortîmes sur la petite terrasse et nous appuyâmes sur la balustrade en fer forgé.

– Que m'avez-vous dit, au sujet de votre rencontre avec le juge Moody ? repris-je.

– C'est mon beau-père.

Mes yeux convergèrent par réflexe sur sa main gauche.

– Vous cherchez une alliance ? demanda-t-il.

– Quoi ? Non, non.

J'étais contente qu'il n'en porte pas et fière d'avoir pensé à vérifier. Si Violet était une scrutatrice de mains gauches avertie, j'oubliais toujours cette précaution élémentaire. Une fois, j'avais passé tout un voyage en avion à causer avec un type qui portait trois anneaux.

– Je me demandais si je pourrais vous appeler pour parler immobilier ? dit-il.

– Quel genre de questions voudriez-vous me poser ?

– Je cherche un loft qui me serve à la fois d'appartement et de bureau.

– Un loft vie/travail, précisai-je.

– C'est ça. J'en ai trouvé un qui me plaisait, mais les chiens étaient interdits. J'ai des chiens. Vous avez des animaux ?

– Non.

– Ah. Donc, vous pensez pouvoir m'aider à trouver un loft ?

Pourquoi tenter d'impressionner un type marié ?

– En fait, je ne suis pas vraiment agent immobilier.

– Vous savez, je ne suis pas vraiment marié.

– Ah bon ?

Je me sentis rougir.

– Je vis avec quelqu'un, c'est tout.

Il était rustre et complètement dépourvu de charme, avec d'affreuses lunettes en écaille qui lui donnaient l'air d'une lesbienne. Il sortit son portefeuille de sa poche revolver et me tendit sa carte.

– Appelez-moi si vous entendez parler de quelque chose.

Puis il m'agrippa la main, que je retirai aussitôt.

– Que feriez-vous si je vous balançais par-dessus le balcon ? demanda-t-il de but en blanc.

– Je ne réponds pas aux questions purement rhétoriques.

– Nous pourrions prendre un verre.

– S'agirait-il d'une menace ?

J'étais un peu perdue, comme si j'avais un temps de retard dans la conversation.

D'un mouvement rapide, il m'empoigna le biceps, me retourna, m'enveloppa dans ses bras et me souleva. Ses rires couvraient mes cris. Il me maintenait décollée du sol, face aux festivités. À travers la porte-fenêtre, je voyais Jérôme en grande conversation avec des hommes plus grands que lui.

– Lâchez-moi ! hurlai-je.

Mais personne ne pouvait m'entendre.

Andrew me fit pivoter côté fleuve. Pressant mes cuisses contre la balustrade, il avança mon tronc dans le vide. Je crus un instant qu'il allait vraiment me jeter du balcon, mais il s'en abstint. Je demeurai immobile, les yeux fermés, les cheveux ramenés sur mon visage par le vent. Glissant ses bras le long de mon corps, il m'éloigna de la rambarde. J'avais le vertige rien qu'à imaginer la chute de mon bracelet.

– Écoutez, si vous n'avez pas l'intention d'aller jusqu'au bout, il est temps que je retrouve le juge Garrett, articulai-je avec calme.

L'abruti me reposa et je regagnai la salle.

Et l'on prétend qu'il est difficile de trouver un homme à New York.

Les jambes tremblantes, je gravis l'escalier de mon immeuble. Impossible de me sortir ce type de la tête. Comment pouvait-on soulever quelqu'un de cette façon ? Comment osait-on me soulever ?

Accompagner Jérôme au pot de départ de Moody m'avait presque paru naturel. Puis il était resté pour assister au mariage que célébrait son collègue, et ça m'avait semblé bizarre de partir sans lui, de me retrouver seule sur le trottoir, à avancer sans une main accrochée à mon coude. Je m'étais habituée à ce que Jérôme m'empoigne le bras comme Henri VIII embrochait des ailes de dinde. Je m'attachais aux gens plus vite que n'importe qui.

À peine eus-je ouvert la porte que le téléphone sonna. Je décrochai et le regrettai aussitôt. C'était Violet. Je n'avais pas envie de lui parler parce qu'on y passait toujours des plombes et que ni elle ni moi n'avions rien d'intéressant à raconter ces temps-ci. Je lui avais dit tout le mal que je pensais de mon ex-mari, et je ne voulais pas évoquer Andrew Lugar, le souleveur de femmes.

De toute manière, je ne pus en placer une. Elle me conta par le menu ses exploits sexuels avec un inconnu rencontré lors d'une fête sur un toit d'immeuble et sous Valium.

– Il était si sexy et européen. Un vrai *mensch* [1], répétait-elle.

Violet employait de grands mots comme *mensch* à tout bout de champ, bien qu'en bonne wasp du Texas elle n'ait aucune idée de leur signification.

– Tu crois qu'il va me rappeler ? demanda-t-elle.

Comment pouvait-elle y croire un instant ? C'était carrément impossible.

– Il appellera, promis-je. C'est tout vu. (Je finis par ajouter :) Tu ne vas jamais croire ce qui vient de m'arriver. Je considère cela comme un nouveau stade dans la déchéance.

– Quoi, quoi ? me pressa-t-elle, friande de toutes les histoires qui débutaient ainsi.

1. Terme argotique, issu du yiddish, désignant un homme bien sous tous rapports. (*N.d.T.*)

– J'ai été soulevée.

Je lui relatai l'incident, puis nous restâmes un long moment muettes au bout du fil, choquées qu'une personne puisse en soulever une autre de cette façon. Ce fut bien mieux que nos conversations habituelles.

7

IDÉAL TRAV./HABIT.

Le lendemain, je me serrai avec un million de Japonais dans l'ascenseur qui menait au sommet de l'Empire State Building. Il pleuvait et la visibilité était faible, mais il en fallait plus pour décourager les touristes. Pour ma part, j'aurais préféré qu'il fasse encore plus gris. J'aimais me trouver isolée là-haut par une couche nuageuse. On sait que New York est là, mais on n'en voit rien.

Je longeai le stand de souvenirs avec ses rangées de King Kong en peluche, et sortis sous le crachin. J'introduisis cinquante cents dans un télescope et visai mon ancien appartement, du temps où mon mari et moi vivions perchés en haut d'un building. Puis j'obliquai d'un mouvement ample vers les touffes de brocolis de Central Park. Je pouvais passer de l'Hudson à l'East River d'un simple coup de poignet.

Quand l'image redevint noire, je remis une pièce, mais ne distinguai cette fois-ci qu'un voile coloré. En décollant mon visage, je découvris un magnifique arc-en-ciel. Autour de moi, la foule s'ébaudit et applaudit comme au 4 Juillet. Je fis de même. Je n'en avais jamais vu auparavant, et je regrettais déjà d'avoir usé mes yeux ailleurs. Seuls les arcs-en-ciel méritent d'être regardés. Je ne connaissais rien de plus beau. Comme si Dieu avait déroulé son écharpe.

– Pourquoi ça fait ça ? demanda un garçonnet à son papa.

J'attendis la réponse, qui hélas ! ne vint pas.

Au bout de quelques minutes, l'arc s'étiola, le sommet tout baveux. Les nuages l'attaquaient. Ça me mit en rogne.

Je vidai mon porte-monnaie dans la fente pour suivre les derniers instants de ce joyau. Quand il eut disparu pour de bon, je découvris dans ma mire une forme familière : celle des rideaux de la porte-fenêtre donnant sur le balcon de mon ancien appartement. Le type de l'agence avait parlé de « balcon Juliette ». J'avisai les rideaux et mes pots de fleurs géants. Je pouvais voir directement dans la chambre de mon mari.

Une fois, nous avions fait l'amour sur le balcon. J'étais ivre, mes jambes flageolaient et la ville tournoyait. Je ne m'étais pas doutée que des touristes japonais suivaient la scène.

Un jour que mon mari était au travail, j'étais sortie sur ce balcon vêtue d'un peignoir blanc pour saluer le petit peuple à la manière de Marilyn. Je me demandais à présent qui avait bien pu me répondre.

Les jumelles s'obscurcirent à nouveau. Je retournai à la boutique de souvenirs pour faire de la monnaie, afin de poursuivre mes observations. Je m'attendais presque à surprendre mon mari à la fenêtre. Je m'attendais presque à m'y surprendre moi-même.

Le lendemain matin, je me précipitai au kiosque à journaux, persuadée de retrouver mon arc-en-ciel à la une des quotidiens. Je pris le *Times*, le *News* et le *Post*, mais ne trouvai rien d'autre qu'une guerre et un sportif interpellé en compagnie d'une prostituée. Écœurée, je me rendis aux pages météo, convaincue qu'il figurerait au moins là. Mais non. L'arc-en-ciel d'hier ne constituait pas une info en ce bas monde.

Je consultai mon horoscope et jetai les journaux à la poubelle. Puis je tentai de me rappeler ce que je venais de lire, sans succès. Complètement évaporé de mon cerveau.

Je ne pouvais me résoudre à retrouver Jérôme. L'idée de le dévisager toute la journée sans qu'il puisse me rendre la pareille me déprimait. J'avançai jusqu'au miroir. Je voulais qu'on me voie aujourd'hui. Quelqu'un, n'importe qui. Je ne demandais pas la lune.

Je passai la matinée à me promener le nez en l'air. Le plafond new-yorkais était haut et bleu. J'étudiai les innombrables fenêtres d'immeubles. Il y avait forcément du boulot pour moi derrière l'une d'elles. Un endroit où je puisse me rendre utile.

À midi, je poussai la porte du Il Cantinori, un restaurant italien de la 10e Rue où mon mari et moi avions nos habitudes.

Le maître d'hôtel me reconnut et m'attribua l'une des meilleures tables près de la devanture. Les baies vitrées étaient grand ouvertes et ma table rasait le trottoir. J'étais moitié dedans, moitié dehors. Moitié ici et moitié partout ailleurs. Les bruits de la rue – travaux publics, alarmes de voitures, klaxons –, mêlés à la petite musique d'ambiance et aux sonneries de portables me donnaient l'impression qu'aucun événement ne pouvait survenir sans que j'en sois immédiatement informée.

Je fus soudain arrachée à mes songes par la cliente d'à côté qui, penchée sur sa soupe, émettait une série d'onomatopées à caractère sexuel.

– Mmmmm, mmmmm, ooooaaaah... grognait-elle.

Elle était seule. Mais je n'étais plus sûre, à la regarder, qu'il s'agisse d'une femme. Des ongles ras. Une épaisse alliance en or. Des derbys marron d'homme.

– Bonjour, je m'appelle Daaaaaale. Comment allez-vous ?

– Bonjour, répondis-je en replongeant dans mon menu.

– Cette soupe est booooonne !

Dale portait un large jean et un bleu de travail rentré dans son pantalon, comme un facteur. Il (elle) était obèse, encore plus rond(e) et joufflu(e) que Jérôme, avec de courts cheveux noirs frisés.

– Cette soupe me replonge en Italie, continua Dale.

Les gros adorent toujours parler de l'Italie.

– L'Italie est un paradis. Sa cuisiiiiine, ses vins ! Les gens sont si élégants. Les femmes se drapent dans de loooooongues capes en laine. C'est tellement beau.

Dale s'interrompit soudain en levant l'index.

– Chut ! Vous entendez ?

Je tendis l'oreille. Je percevais tout et rien à la fois. Je secouai la tête et Dale m'indiqua deux hommes d'affaires.

L'un parlait d'une réunion avec un syndicat de copropriétaires, au sujet d'un appartement qu'il convoitait.

– Ils sont coriaces, disait-il, et sans le feu vert de la copropriété on ne pourra jamais s'installer là-bas.

– Enfile ton plus beau costume ! lança l'autre en riant.

– Non, le vrai problème, répondit le premier, c'est que Jenny joue du violoncelle.

– Vous avez vu ? chuchota Dale tout en trempant son pain dans un fond d'huile d'olive. Les habitants de cette ville n'ont qu'un mot à la bouche : l'immobilier !

Sans me demander mon avis, le maître d'hôtel me servit le plat de pâtes que mon mari et moi préférions. Cela me mit mal à l'aise. J'avais l'impression d'être une vulgaire imitatrice, d'usurper l'identité de l'ancienne Liv. Comme si je m'introduisais par effraction chez mon ex pour reprendre ma place à la table du dîner. Mais je ne voulais pas des vieilles pâtes de mon mari. J'étais la miss Havisham de Dickens, craignant de renverser de la sauce tomate sur ma robe.

Dale aborda les deux hommes en leur tendant sa carte :

– Escusez-moi, messieurs, comment allez-vous ? Je n'ai pas pu m'empêcher d'entendre votre conversation. Je suis sûûûûûre que vous obtiendrez sans mal l'approbation des copropriétaires, mais au cas où ça ne marcherait pas, soyez gentils de m'appeler.

Ils en restèrent bouche bée.

Revenant vers moi, Dale posa une seconde carte sur le bord de ma table.

– Je suis ravie d'avoir fait votre connaissance, dit-il(elle) en me tendant sa main boudinée.

Que je serrai.

Dans l'entrebâillement de sa chemise d'ouvrier, j'aperçus un bout de soutien-gorge blanc. Femme ! en conclus-je. Dale me lança un regard appuyé.

– Je suis sûre qu'on se reverra !

Puis, se rapprochant de mon oreille :

– J'adoooore manger cette soupe quand j'ai mes ragnagnas. *Grazie !* lança-t-elle au serveur, avant de disparaître.

– Non mais t'as vu le monstre ? lâcha le candidat à la copropriété.

La carte de visite titrait : « Agence Immobilière Dale Kilpatrick ».

L'addition s'élevait à près de cinquante dollars. Le maître d'hôtel avait pris la liberté de facturer tout ce qu'il m'avait servi. Il me fallait d'urgence un vrai boulot.

– Bonjoooouuuur, comment allez-vous ? demanda Dale quand je me présentai à son agence. Elle était assise à son bureau, le dos tourné à une étagère soutenant la collection complète des cassettes de développement personnel d'Anthony Robbins.

– Super, répondis-je.

– Supeeeeeeeer ! dit-elle en écho.

Elle me détailla de la tête aux pieds. Je n'avais rien mis de particulier pour l'occasion, seulement un jean, un tee-shirt Chanel N° 5 acheté sur Canal Street et une veste trois-quarts à rayures tennis. Je regrettai de ne pas porter une cape en laine. Non que Dale soit particulièrement bien habillée : elle portait le même uniforme bleu que la veille. Mon malaise tenait plutôt au fait que c'était mon premier entretien *visuel.*

– Puis-je vous poser une question ? Pourquoi voulez-vous devenir agent immobilier ?

– Je suis divorcée. J'ai dû quitter mon appartement. C'était un duplex fabuleux.

– En effet, ça espique tout. Tant de femmes choisissent ce métier pour les mêmes raisons... Que voulez-vous, nous ne voulons pas finir comme ces clochardes bardées de sacs plastique qui ramassent les canettes d'aluminium.

L'homéopathe que j'avais consultée peu avant de quitter mon mari m'avait diagnostiqué un corps bourré d'aluminium. J'étais, d'après elle, la plus métallique de ses patientes : « Je parie que ça sonne quand vous franchissez les portails de sécurité de l'aéroport. – Effectivement, avais-je répondu. »

C'était faux, mais l'idée m'amusait.

– En tout cas, je sais ce que vous ressentez, poursuivit Dale.

Quand j'étais môme, nous vivions dans un immeuble sans ascenseur dans le Queens.

– Mais c'est horrible !

– Non, le problème n'est pas là... Mon père me battait puis m'abandonnait sur le palier. Il y faisait noir et ça sentait la pisse de chat et les ordures. Il m'arrivait de rester à la porte toute la journée, jusque tard dans la nuit. Je n'avais même pas le droit de posséder ma propre clé. C'est pour ça que je me suis tournée vers l'immobilier. Et voilà le résultat !

Elle indiqua un panneau mural où pendaient plusieurs dizaines de clés.

– Quand j'étais enfant, racontai-je à mon tour, nous voyagions beaucoup, d'hôtel en hôtel, et je ne pouvais pas quitter ma chambre. Parfois, je n'étais même pas à l'étage de mes parents !

J'aurais dû taire ces blessures du passé, car Dale ne parut pas excessivement émue. Je devinais, en revanche, ce que ravivait en elle le souvenir de sa réclusion dans le couloir. Le psy qui me suivait dans mon enfance m'avait qualifiée de nomade, en utilisant, pour ma compréhension, l'image d'une tortue sans carapace.

– Bref, conclut Dale, c'est ce qui espique que j'aime m'installer dans mon magnifique bureau au milieu de toutes ces belles choses.

Je promenai mon regard dans la pièce miteuse. C'était un large carré complété d'un cabinet de toilette. Le robinet gouttait. Une demi-cloison orange barrée d'une bande jaune s'avançait sans utilité apparente. Cinq pupitres d'écoliers étaient alignés en colonne, et une table de bridge supportait un ordinateur au milieu de la pièce.

Assise derrière l'un des pupitres, une femme brassait de la paperasse en nous tournant le dos. De la casquette de base-ball vissée sur son crâne dépassaient de longs cheveux peroxydés et abîmés. Elle ne portait pas d'alliance, et m'ignorait ostensiblement.

– Tiens ? fis-je en découvrant un mur entier d'étagères remplies d'un curieux bric-à-brac : vases, lampes, figurines, bouteilles, deux vieux téléphones à cadran, trois ensembles salière-poivrière – un écureuil et une noisette, deux piments rouges, et deux pieds.

On se serait cru dans un dépotoir.

– Ces objets sont à vendre, m'espiqua Dale. Voyez-vous, nous ne sommes pas qu'une simple agence immobilière, mais plus exactement une *galerie* immobilière. D'ailleurs, j'auditionne en ce moment pour trouver un... vous savez... un type qui bosse dans une galerie.

– Un conservateur, quoi.

– Un quoi ?

– Un conservateur. Quelqu'un qui gère les collections.

– C'est comme ça qu'on dit ? Mmmmmm, j'aime ce mot ! Mais je ne lui connaissais pas ce sens-là.

Elle ouvrit un dictionnaire de poche et vérifia l'information.

– « Conservateur : responsable d'un établissement de type musée. » Mais ceci n'est pas tout à fait un musée. Pas encore.

Elle prit ombrage de mon rire nerveux.

– Reste que c'est bien un conservateur que vous cherchez, repris-je.

Dale se mit à divaguer sur les succès futurs de sa galerie d'art.

– Une petite futée comme toi pourrait nous être utile, conclut-elle en me tendant la brochure d'un cours d'immobilier au Pennsylvania Hotel de la 7e Avenue. Il faut être parrainé par une agence pour obtenir sa licence. Quand ils te demanderont qui est ton parrain, donne-leur ma carte de visite.

– Merci, répondis-je, très touchée d'être parrainée comme une petite Africaine au ventre distendu et couvert de mouches. Et mon salaire sera de combien ?

J'entendis la femme blonde grommeler.

– Il n'y a paaaaaas de salaire ! s'écria Dale avec ferveur. La bonne nouvelle, c'est que tu auras un statut d'indépendante. Tu toucheras des commissions ! La plupart des agences ne te reverseraient que vingt pour cent par contrat, mais moi j'ai décidé, pour tes débuts, de t'offrir cinquante !

– Super.

– Supeeeeeeer ! Tu sais, je crois que c'est vraiment ton jour de chance. Tu viens d'intégrer une grande agence. Tu t'y sentiras vite comme un poisson dans l'eau.

– Merci, dis-je, songeant soudain à ne jamais revenir.

– On va se faire des millions...

La blonde renâcla de plus belle.

– Ferme-la, Lorna ! J'allais oublier une dernière chose : nous avons un code vestimentaire.

Je tirai aussitôt sur mon tee-shirt Chanel N°5, qui commençait à révéler mon nombril.

– Habille-toi comme si tu travaillais dans un prestigieux cabinet d'avocats, ou une galerie de Madison Avenue.

Ou une agence-brocante minable, pensai-je.

– Non mais tu t'es vue ? éructa soudain Lorna. Regarde comme t'es fagotée ! On dirait un chauffeur de bus.

Personnellement, j'aurais plutôt penché pour un employé des postes.

– Ou un facteur ! ajouta Lorna comme si elle lisait mes pensées.

– Ça suffit, main'nant ! Tu vas me parler autrement, crois-moi !

– Sans blague, qu'est-ce que ça peut te foutre, comment qu'on s'habille ? On se croirait dans une décharge municipale, ici. Au fait, pour votre information, toutes les agences prennent les débutants à cinquante pour cent.

– Ne vous inquiétez pas pour moi, dis-je.

– Ferme-la ! répéta Dale. Quand je m'habille pour sortir, je peux paraître bien plus féminine que vous toutes. Avec une robe courte et des talons hauts, mmmmmm, je suis vraiment à croquer. Tous les mecs se retournent sur mon passage, figurez-vous. Je pourrais faire plus de conquêtes que vous deux réunies.

– Tu parles ! cracha Lorna.

– Tu me cherches vraiment, hein ?

– Et qu'est-ce que tu vas faire, gros tas de soupe ? Me virer ? Je crois savoir qu'il faut d'abord *payer* une personne avant de la licencier. (Elle se leva.) Allez, ça pue trop, ici. J'me casse.

– Ne fais pas attention à elle, marmonna Dale. Elle est jalouse, c'est tout.

Par la fenêtre derrière le bureau, j'aperçus Lorna qui remontait Greene Street. De ma vie, je n'avais jamais vu quelqu'un marcher aussi vite. Sa tête et ses épaules emmenaient son corps comme si elle était tirée par une laisse invisible. Les gens s'écartaient sur son passage.

– Je m'escuse pour le comportement de mon associée. C'est une personne très désagréable. Je l'accepte ici uniquement parce qu'elle me doit de l'argent. Tu sais utiliser un ordinateur, ma belle ?

– Non, avouai-je.

– Viens, je vais t'apprendre.

Elle me conduisit à la table de bridge et m'installa dans une chaise en bois trop basse.

– Ceci est Le Mac, dit-elle d'un ton solennel.

Le clavier était couvert d'une fine housse plastifiée, comme un canapé de vieille dame. Dale pianota à travers le plastique jusqu'à ce que l'économiseur d'écran – les gratte-ciel de New York sous une pluie d'étoiles – laisse place à une grenouille dans un étang. Elle me montra comment utiliser la souris, et je passai les vingt minutes suivantes à double-cliquer pour déplacer le batracien de nénuphar en nénuphar. Quand je ratais mon coup, il tombait à l'eau avec force éclaboussements. Mais quand je réussissais, il coassait de joie.

– Tu es faite pour ce métier ! s'extasia Dale.

À présent, je sais utiliser un micro-ordinateur, pensai-je. Je n'étais plus obligée de croupir dans la pénombre à déchiffrer pour Jérôme la charge calorique et le taux de lipides inscrits sur un paquet de chips. Je devais admettre que c'était assez grisant. J'avais l'impression de pouvoir décrocher des millions.

Dale s'approcha et se planta dans mon dos. Son after-shave était à vomir. C'est alors qu'entra une grosse femme coiffée d'une longue queue-de-cheval. Elle avait la peau hâlée d'une gitane et les yeux tristes comme un enfant au moment d'aller se coucher.

– Dis bonjour à la gosse, Harri.

– Je m'appelle Liv.

– Enchantée, répondit Harri.

Elle sortit de son cabas un sachet de Doritos, qu'elle vida en un grand tas sur l'un des pupitres.

– Harri est ma compagne, m'informa Dale.

Les deux femmes portaient les mêmes alliances.

– Et Liv est notre nouvelle étoile montante.

– Ah ouais ? commenta Harri.

8

NI CHIENS, NI REQUINS

Pour obtenir ma licence, je devais suivre quarante-cinq heures de cours et réussir deux examens – celui de l'école et celui de l'État. Je m'inscrivis à un stage intensif d'une semaine à raison de neuf heures par jour.

Pourquoi pas ? me disais-je. Déprimée comme je l'étais, rien ne pouvait aggraver mon état. Et quitte à broyer du noir cinq jours durant, autant en sortir diplômée, non ? Les cours débutèrent le jour qui aurait été l'anniversaire de mon mari si nous avions encore été ensemble.

Je tressaillis en pénétrant dans le vestibule du Pennsylvania Hotel. Plein de chiens partout, de toutes les formes et de toutes les tailles. Il me fallut une bonne minute pour comprendre que la Foire canine de Westminster débutait ce jour-là de l'autre côté de la rue, au Madison Square Garden. Le hall s'était transformé en chenil géant. C'était à la fois insolite et excitant, comme lorsqu'un pigeon s'introduit dans un restaurant gastronomique. Mais plus je regardais les chiens, plus ils me semblaient ridicules, tout pelucheux et poudrés, à téter des bouteilles d'eau minérale. Ils étaient plus proches de l'otarie dressée que du chien ordinaire, ressemblaient davantage aux hôtesses de l'aéroport de Saint-Louis qu'à des animaux sexués.

Passé un shihtzu prenant la pose devant un peintre, je me frayai un chemin jusqu'aux ascenseurs, où je m'engouffrai entre quatre terriers Bedlington. Arrivée au neuvième étage, je suivis la flèche d'une affichette manuscrite indiquant : « École Immobilière Empire ».

Une femme obèse et légèrement barbue était postée sur un tabouret devant la porte, une écritoire à pince sur les genoux. Je déclinai mon identité.

– Vous avez six minutes de retard, m'annonça-t-elle avant d'inscrire « – 6 » à côté de mon nom. Vous n'avez droit, en tout et pour tout, qu'à vingt minutes d'absence pendant les cours. Au-delà, vous êtes disqualifiée.

Elle me toisait déjà comme un cas désespéré.

Je m'assis sur la seule chaise libre, au premier rang. La salle était remplie de femmes, de quelques tantes, et d'hommes entre deux âges. Une poignée s'était mise sur son trente et un. Je regrettais déjà le vestibule.

Ma voisine se tourna vers moi et attendit que je lui rende son sourire. Elle était grande, coiffée d'un chapeau orné d'une vraie plume, et ne portait pas d'alliance. Démoralisée d'être assise au premier rang, je me retournai pour voir s'il y avait moyen de reculer un peu.

– L'action se déroule ici, si c'est ce que vous cherchez, dit le professeur en se montrant lui-même du doigt.

C'était un tout petit juif à l'accent new-yorkais. Marié.

– Je parlais à l'instant de marges brutes, m'informa-t-il.

– Mariage brut, répétai-je comme un perroquet.

Il éclata de rire.

– Pas mariage. *Marges.* Marges brutes.

– Désolée.

– Et si on se margeait, tout les deux ? déclama-t-il en mettant un genou à terre.

Je n'en croyais pas mes yeux.

– Non merci, déclinai-je.

– À vrai dire, j'ai déjà un très beau marge. Très brut.

Il tapota un cigare imaginaire et se releva.

J'écrivis « Marges brutes » sur le papier à lettres que j'avais chipé à Jérôme. Lors d'un de nos derniers face-à-face, j'avais enfourné des blocs, des boîtes entières de stylos et une agrafeuse dans un grand sac. Marges brutes. Ces mots avaient la douceur d'une mauvaise bière.

– Brutes, du latin *brutus*... continua le prof.

– Salut, griffonna ma voisine sur son bloc avant de me le montrer.

– Salut, répondis-je sur le mien.

– Je n'écoute rien, poursuivit-elle. Je m'ennuie déjà.

– Moi aussi, répondis-je.

Elle enchaîna sur une dissertation de deux pages. Elle s'appelait Valashenko. Ancien mannequin, elle avait fait la couverture du *Vogue* français à l'âge de vingt et un ans. Un de ses amis, sorte d'ange gardien et psychiatre de son état, l'avait encouragée dans cette voie mais, en proie à une certaine appréhension, elle avait traîné des pieds, jusqu'au jour où une fuite d'eau au plafond de sa penderie avait achevé de la convaincre. Il lui fallait de l'argent et un nouvel appart. Prenant enfin conscience de sa détresse matérielle et morale, elle s'était inscrite aux cours. Elle ne portait qu'une seule lentille de contact, ce qui la rendait quasi aveugle. « Je suis divorcée », coinça-t-elle en bas de la seconde page.

Je soulignai le « Moi aussi » écrit précédemment. Mon CV se réduisait à mon divorce. Ma vie tenait tout entière dans ce mot.

Quand nous sortîmes pour la pause déjeuner, je vis qu'elle avait bien cinquante ans. Elle n'ôtait jamais son chapeau. Elle ne pouvait se décider sur un plat. Elle comptait les billets dans son porte-monnaie.

Les pâtes du jour ne lui plurent guère.

– J'ai mangé aux meilleures tables du monde, m'expliqua-t-elle.

– Rends-les donc à la serveuse.

– Mais je n'ai jamais fait ça. Je ne pense pas en être capable.

Elle tâcha d'avaler une bouchée.

– Laisse, si c'est mauvais.

– Ce n'est pas bon, murmura-t-elle d'un air déconfit.

– Dis-le à la serveuse et commande autre chose, insistai-je, plutôt amusée.

– Mais je ne peux pas !

– Tu veux que je le fasse pour toi ?

Finalement, alors que j'avais presque terminé ma salade d'œufs, elle se résolut à appeler l'employée.

– Je suis vraiment désolée de vous déranger, mademoiselle, mais... (Elle baissa les yeux sur son assiette puis se mit à bafouiller.) Je... Je... Je ne peux pas.

– Mais si, tu en es capable.

– Je ne suis pas contente du tout ! explosa-t-elle.

Je crus qu'elle allait pleurer. Sa maladresse me fascinait. La serveuse prit son assiette et lui rapporta la carte, qu'elle lorgna de son œil valide.

À cet instant, je sus que j'avais toutes les qualités pour réussir dans l'immobilier. Je n'aurais pas hésité à renvoyer un plat en cuisine. Valashenko ne percerait jamais. Pas plus que la plupart de nos camarades de classe. Le type au nœud papillon, la femme qui s'empiffrait de hamburgers et enduisait une par une ses frites de ketchup pendant que nous autres prenions des notes, l'Indien à l'accent anglais qui demandait sans cesse combien de fric il pouvait espérer, la fille du dernier rang qui puait la cigarette et se brossait les cheveux, l'avocat déchu qui rêvait de bétonner le nord de l'État de New York... Une fille, du genre jeune étoile montante comme moi, raconta qu'à l'époque où elle assistait un agent en faisant visiter des appartements dans les tours Zeckendorf, un homme lui avait signifié qu'il ne prendrait le loft que si elle acceptait de plonger avec lui dans la piscine du toit. Elle avait accepté et il n'avait jamais signé. L'anecdote suffit à me convaincre qu'elle non plus ne gagnerait jamais un cent.

Mais moi, si. J'y arriverais même avec *zéro* lentille de contact. Mon mari n'avait pas tort : j'étais une véritable rentre-dedans. Et Dale avait raison : j'étais faite pour ce métier.

Nous regagnâmes la salle avec douze minutes de retard. Ce qui portait mon solde à – 18.

– Nous parlions d'organismes de crédit, indiqua le prof.

– Organismes de crédit, répétai-je en redoublant de prudence.

– Bien ! Un instant j'ai eu peur que vous ne parliez d'orgasmes.

Il rit de sa propre blague. Voilà pourquoi je n'avais jamais aimé l'école : les profs se focalisaient toujours sur moi.

Il nous expliqua ensuite qu'il fallait également être agent diplômé pour vendre des concessions funéraires.

– L'immobilier c'est l'immobilier, quelle que soit la finalité du logement. Peu importe que vous vendiez deux mètres carrés ou deux mille. Ça vous ferait du bien, ajouta-t-il à mon intention, de bosser dans un cimetière. Vous avez l'air tellement morose... Une vraie tête d'enterrement.

Cette remarque me surprit, vu que j'étais venue ici dans un état d'esprit positif. Moi qui pensais afficher une mine épanouie et dynamique...

Je m'imaginai prendre le train tous les matins pour Long Island et l'un de ses cimetières juifs, puis marcher dans la terre avec une longue jupe noire et des bottines à lacets.

– À tout prendre, je préférerais vendre des lofts de plusieurs millions de dollars à Tribeca[1], répliquai-je.

– Et je pense que vous y arriverez, dit-il. Oui, vous y arriverez.

Les quatre jours suivants, j'appris tout un tas de choses sur les baux, le cadastre, la valeur locative, la responsabilité fiduciaire. Ces jolis mots semblaient si prometteurs que chaque définition était un désenchantement. Mais il en venait toujours un nouveau pour me redonner espoir. Les termes marqués au tableau noir ressemblaient à des titres de Fitzgerald. La contrepartie du contrat, les vendeurs et les acheteurs, l'acquéreur de bonne foi, terme et dédit, la servitude implicite, adjudication, rencontre des consentements, usure et renonciation, les arrhes et la caution, la dernière clause, la rupture... N'en jetez plus !

Je ne pouvais m'empêcher de penser que si j'avais connu tout cela quand Jack et moi étions mariés, nous serions peut-être restés ensemble. Nous aurions parlé réclame et stratégie pendant des heures. Je me sentais déjà une tout autre femme.

Assise à côté de Valashenko, je passai quarante-quatre heures et quarante et une minutes et demie à piocher dans des

1. Quartier chic du sud de Manhattan. (*N.d.T.*)

sachets de beignets et de pain de mie, que je transmettais ensuite aux rangs de derrière.

Je me rendis aussi à la foire canine, où je restais debout dans un coin afin de me dégourdir le séant. Il m'avait fallu du temps pour connaître les concurrents, et je m'estimais en devoir d'encourager mes nouveaux amis.

– Tu passes l'examen quand ? écrivis-je à Valashenko.

J'avais décompté les quatre-vingt-dix dernières minutes en cochant mon bloc toutes les trente secondes. J'étais fourbue.

– Mardi prochain, répondit-elle.

– Moi aussi.

Ayant répondu juste aux cent questions de l'examen de sortie, y compris en maths, j'allai passer celui de l'État. Le mardi, je pris place dans une grande salle parmi une bonne centaine de candidats. Valashenko n'était pas là.

Quelques semaines plus tard, je trouvai au courrier une pelure rose attestant ma réussite. Puis je reçus ma licence ainsi qu'une « carte de poche ». J'étais si contente que j'avais envie d'appeler mon mari. Au lieu de quoi j'appelai Dale pour lui annoncer que j'étais prête.

– Supeeeeeeer ! s'exclama-t-elle. J'ai un fichier qui t'attend.

Pour mon premier jour de travail, j'ingurgitai une boîte de petits pois en guise de petit déjeuner et partis chez Dale pour 10 heures. Paralysée derrière mon pupitre, j'appelais Violet chaque fois que ma patronne quittait le bureau.

– Tu veux dire que tu ne sais pas ce qu'on attend de toi ? demanda mon amie.

– Je n'en ai pas la moindre idée. On n'aborde pas ces questions-là en cours.

– Va donc à la pêche, me proposa Dale à son retour.

– Super ! répondis-je comme si je n'attendais que ça.

Mais j'ignorais s'il fallait prendre ces paroles au sens propre ou au sens figuré.

– Supeeeeeeer !

Elle posa deux énormes livres sur mon bureau, et sa main par-dessus comme si c'étaient deux bibles.

– Ceci est un annuaire de copropriété, et ceci un bottin renversé.

Elle était toute fière, comme si elle me présentait une crème renversée maison.

– Choisis l'immeuble que tu aimerais conquérir et appelle tous ses habitants pour leur demander s'ils veulent vendre ou louer leur appartement. C'est comme ça qu'on se fabrique un fichier. Et ça permet souvent d'empocher deux commissions d'un coup : la première quand tu vends *leur* appart, et la seconde quand tu *leur* vends un nouveau logement.

J'ouvris le bottin « renversé ». À mon ancienne adresse figurait bien le nom de mon mari.

Puis je sélectionnai un immeuble sur West Broadway et laissai le même message sur vingt-cinq répondeurs différents. Quand je tombais sur de vrais gens, je raccrochais immédiatement. Ma tâche suivante fut d'apposer mon nom sur un paquet de cartes de visite « provisoires ».

De retour à la maison, je me déshabillai ; un petit pois tomba de mon soutien-gorge. J'avais travaillé toute la journée sans jamais sentir cette chose verte logée entre mes seins. Vous parlez d'une princesse...

Le lendemain matin, je me levai tard et avalai une aspirine pour calmer ma migraine. J'avais retenu du stage qu'en tant qu'agent commercial indépendant, j'étais maîtresse de mes horaires. Et je me sentais vraiment indépendante. Au point que j'étais enfin prête à rapporter la cassette vidéo qui m'avait suivie dans le déménagement : *La Roulotte du plaisir*, avec Lucille Ball et Desi Arnaz [1].

Le jour où je l'avais louée, la jeune employée aux lunettes cinq fois trop grandes m'avait confié qu'elle et moi étions les

1. Époux à la ville, ces deux acteurs étaient les vedettes du célèbre show télévisé *I Love Lucy*. (*N.d.T.*)

seules personnes dans toute l'histoire de la boutique à avoir emprunté ce film. N'ayant pas eu l'occasion, dans le feu de la bataille, de la voir avec mon époux, je l'avais glissée dans mes bagages. Chaque soir je voulais la visionner, mais c'était au-dessus de mes forces. Hormis la cassette de mon mariage, je n'avais, en cinq ans, jamais regardé toute seule une vidéo. Et je ne pouvais visionner *La Roulotte du plaisir* sans les bras de mon mari autour de mes épaules. J'en étais au soixante-septième jour de location. J'étais prête à la restituer.

Un taxi me déposa devant le vidéoclub situé dans l'Upper East Side. Je scrutai nerveusement les lieux, de peur de tomber sur mon mari. Mais que ferait-il ici à midi, un jour de semaine ?

La fille aux lunettes géantes se trouvait derrière le comptoir, à côté d'un crâne-rasé portant un minuscule lorgnon.

– Salut, Liv, dit-elle.

– Salut.

J'extirpai la cassette de mon sac, et elle entra mon nom dans l'ordinateur.

– Mmmmmm, fit-elle en fronçant les sourcils.

J'avais l'impression d'attendre un mauvais résultat d'analyses. Jack aurait dû être là pour me tenir la main.

– Je crois que vous n'êtes plus abonnée chez nous.

– Je suis inscrite au nom de mon mari, expliquai-je.

– Mmmmmm, fit-elle à nouveau tout en frappant sur le clavier. Non, il vous a radiée.

Je n'en croyais pas mes oreilles. Mon regard se planta sur les photos de chiens scotchées au rebord du comptoir, sous une corbeille de Lact'Os. Et dire que je n'avais pas réclamé un seul dollar de pension alimentaire...

– Je suis désolée, commenta la fille, avec l'air déchiré d'une enfant du divorce que l'on va ballotter d'une maison à l'autre. Aimeriez-vous reprendre une carte à votre nom ?

Je fis non de la tête.

– Je doute que cette vidéothèque soit assez grande pour nous deux, déclarai-je en rangeant la cassette dans mon sac.

La fille tendit la main.

– Vous étiez venue rendre *La Roulotte du plaisir*, non ?

– Non, je pense la garder encore un jour ou deux.
Sur ces mots, je sortis.

À mon arrivée au bureau, Dale m'informa que j'étais en retard.

– Je veux te voir ici vers 10 heures, dit-elle. C'est à toi d'ouvrir l'agence et de noter les messages du répondeur.

– Je croyais pourtant être libre de mes horaires.

Elle fit une mine atterrée.

– Nous sommes une petite agence, Liv. Tu dois te mettre dans la peau d'une gagnante, tu dois te battre.

Puis elle me livra l'autre secret pour se constituer un fichier :

– Appelle tous les gens que tu connais et dis-leur que tu es courtière en immobilier. Et commence chaque conversation par : « Bonne nouvelle ! » « Bonne nouvelle : maintenant je suis courtière. »

– Mais je ne suis qu'agent, Dale.

La stage m'avait appris qu'il fallait avoir exercé comme agent pendant au moins deux ans, conclu un certain nombre d'affaires, suivi quatre-vingt-dix heures de cours et passé une autre série d'examens pour devenir courtier.

– On s'en fiche ! Dis-leur que t'es courtière, ça fait mieux. Et que tu travailles pour une grosse boîte. Appelle tes amis et ta famille. Tu n'aurais pas un lien quelconque avec le couturier Peter Kellerman, par hasard ?

Elle parlait de mon père.

– Non, mentis-je.

Je m'installai et considérai la perspective d'appeler mon père. Il me manquait beaucoup, et j'avais lu à la page people du journal qu'il était de passage à New York. Je n'avais pas eu le courage de le contacter depuis ma rupture. Il avait englouti un quart de million de dollars dans mes noces. Cela me remit en mémoire la fois où j'avais vendu des billets de tombola pour la kermesse de l'école à tous les voisins de l'immeuble, puis égaré l'enveloppe contenant trois cent huit billets d'un dollar. J'avais passé plusieurs jours au bord de l'agonie, mais quand j'étais allée lui confesser ma faute, il m'avait fait un gros câlin et signé un chèque de trois cent huit dollars.

Je décidai de l'appeler pour l'informer de mon divorce. Peut-être irait-il tuer Jack ? Je lui dirais que je n'avais gardé de mon mariage qu'une vidéo de location.

Dès que Dale fut sortie, je décrochai le téléphone.

– Salut papa ! m'exclamai-je en résistant à l'envie de l'appeler papounet.

– Salut, Liv ! J'ai téléphoné chez toi, mais ton mari m'a dit que tu étais partie en voyage.

Comment Jack pouvait-il être aussi lâche ?

– Tout va bien, Liv ?

– Il faut que je te parle d'un truc...

Ma robe de mariage, qu'il avait dessinée spécialement pour moi et qui portait sa griffe, reposait encore tiède dans la penderie de mon mari. Le souffle court, je tâchai de rassembler mes forces. Il patienta.

Nous étions muets depuis un moment quand Lorna fit irruption dans l'agence.

– Ça chlingue là-dedans ! dit-elle.

– C'est qui, ça ? demanda mon père au bout du fil.

– Personne.

– Y a vraiment un truc qui pue, insista Lorna.

– Tu m'appelles d'où, Liv ?

Je cherchai un type d'endroit où l'on puisse trouver des gens comme Lorna. Une cafétéria, le métro...

– Du tribunal. Je suis convoquée comme jurée.

– Alors, de quoi s'agit-il ? De quoi voulais-tu me parler ?

Je ne pouvais me résoudre à évoquer Jack. Encore moins à lui avouer que je vivais – et travaillais – dans un cloaque. Quelle tête feraient ses amis s'ils débarquaient à l'agence et découvraient les étagères remplies d'immondices ? Je devrais me constituer un fichier par d'autres biais.

– Je suis triste d'être restée si longtemps sans nouvelles de toi.

– Je suis désolé. Je rentre à Paris ce soir, mais on se revoit dès que je repasse dans le coin, d'accord ?

Mon cœur était serré comme un saucisson.

– Tu me promets que tu vas bien ? demanda-t-il.

Je déglutis un bon coup.

– Ça va. Mais l'autre jour je suis tombée jalouse d'une statue.

Ces mots étaient censés lui faire comprendre que ça ne tournait pas rond.

– Quelle statue ?

– Je sais pas, une statue dans la rue.

– Mais tu as toujours été comme ça, Liv. Jalouse d'objets inanimés. Toute petite, tu étais déjà jalouse de mes modèles. Et tu te souviens de la fois où tu étais jalouse de la dinde ?

À Thanksgiving, tous les enfants avaient pitié de la dinde, sauf moi, qui l'enviais. On louait sa beauté, son aspect appétissant. On la découpait, la servait, la dégustait, et on lui trouvait toujours un goût délicieux. Il lui suffisait de mourir pour rendre toute une famille heureuse. Sa vie avait un sens.

– C'est vrai, admis-je.

– Bon. Alors je t'appelle bientôt ?

– Super. Au fait, comment va maman ?

– Elle va bien.

– Toujours à Nice chez tante Emma ?

– Non, elle est à Londres mais elle part pour Los Angeles ce soir.

– Super !

– Je t'aime, Liv.

– Merci, papa. Moi aussi, je t'aime.

Je raccrochai et m'interrogeai longuement sur moi-même : pourquoi ne m'étais-je pas épanchée sur mon triste sort ? Pourquoi ne l'avais-je pas appelé à la rescousse ? Tout le monde faisait cela. Ses mannequins se ruaient dans ses bras au moindre implant crevé, trouble alimentaire, déboire financier ou mauvais trip d'héroïne. Ces pauvres filles s'agglutinaient autour de lui comme des girafes autour d'un chêne feuillu.

Dale réapparut, et Lorna sauta sur ses jambes pour déclarer :

– Je croyais que les coups de fil personnels étaient interdits.

– Tu as contacté tes parents ? me demanda Dale.

– Pas encore.

– Appelle tout de suite ton père. C'est le meilleur moyen de te faire des clients.

Elle en salivait déjà.

– Mon père est très occupé, vous savez.

– Seigneur, Liv ! Je ne m'attendais pas à devoir te prendre par la main à ce point. Vas-y, appelle-le. C'est quoi son boulot, d'abord ?

– Euh, il est juge.

– Supeeeeeeer !

Elle empoigna mon téléphone et me le colla à l'oreille.

Je composai le numéro.

– Bureau du juge Garrett, que puis-je pour vous ? demanda une voix sexy.

C'était sa nouvelle lectrice. Je me demandai à quoi elle pouvait ressembler, s'il lui avait déjà tâté le visage, et si elle le laissait regagner le métro tout seul. À vrai dire, Jérôme me manquait. Il m'arrivait de penser à lui, d'entendre sa voix fluette. Peut-être qu'il m'en voulait.

– J'aimerais lui parler, s'il vous plaît.

– Puis-je savoir qui le demande ? dit-elle comme pour marquer son territoire.

– Liv Kellerman.

Il y eut un silence.

– Oh ! Il m'a beaucoup parlé de vous, vous savez. Ne quittez pas.

Je l'entendis chuchoter :

– Jérôme, c'est Liv !

Puis je retrouvai mon accent anglais préféré.

– Oui, allô ? C'est vous, Liv ?

Avec lui, n'importe quel coup de fil sonnait comme une communication transatlantique.

– Bonjour...

Mince, comment pouvais-je l'appeler ? « Papa » était impossible. « Jérôme » ou « juge Garrett » exclus.

– ... Votre Honneur.

Dale, qui faisait semblant de ne pas écouter, leva un sourcil.

– Tiens donc, dit Jérôme. « Votre Honneur », n'est-ce pas ? Soit.

– Alors, qu'est-ce qu'on devient ? improvisai-je.

– On fait aller. Disons que vous m'avez, comme qui dirait, laissé le bec dans l'eau en partant précipitamment, mais ma nouvelle lectrice est charmante.

– Alors je ne vous manque pas trop ?

Dale se renfrogna, comme si elle devinait qu'elle perdait son argent.

– Dois-je comprendre que je vous manque, moi ? répondit Jérôme.

Je pouvais presque le voir, affaissé dans son fauteuil comme un paraplégique.

– Moui, peut-être un peu.

– D'accord, je vois. Alors, que me vaut ce plaisir ?

– Eh bien, je viens de réussir l'examen d'agent immobilier.

– Toutes mes félicitations ! C'est ce qu'on appelle un beau succès, n'est-ce pas ? Il vous est déjà poussé un aileron dans le dos, dites-moi ? Oui, j'ai raison, n'est-ce pas ?

– Oui, un aileron, et j'ai aussi une deuxième rangée de dents qui perce.

Dale semblait affligée par la tournure que prenait la discussion.

– J'aimerais laisser à Son Honneur mon numéro professionnel, au cas où l'une de ses connaissances aurait besoin de moi, lâchai-je enfin.

– Tu bosses dans une grande agence ! chuchota Dale.

Je fis oui de la tête.

– Allez-y, je vous écoute, dit Jérôme.

En lui dictant les chiffres j'entendis cliqueter sa machine. Puis il ajouta :

– Dernièrement, j'ai reçu quelqu'un qui cherchait un loft. Qui était-ce, déjà ? Ah, je suis sûr que ça va me revenir...

J'étais persuadée du contraire.

9

SS ASC. – MAIS SENSASS !

Le lendemain matin, Dale me demanda de faire visiter un appart à sa place.

– Ils te retrouveront au pied de l'immeuble, indiqua-t-elle en me tendant les clés.

Quoique ravie d'être appelée à l'extérieur de l'agence, je demeurai sur mes gardes.

– Vous ne pouvez pas vous en charger vous-même ? demandai-je.

– Voyez-vous ça, la môme crache déjà dans la soupe ! Qu'est-ce que ça peut te faire, que je n'aie pas envie d'y aller moi-même ? C'est une grosse faveur que je t'accorde, tu sais. Si tu parviens à le louer, c'est toi qui empoches la commission.

J'étais à présent certaine qu'il y avait un os.

– Je serais ravie de m'en occuper, Dale. Simplement, j'avais prévu de pêcher toute la journée.

– Tu n'as pas le choix. Le proprio ne me laissera pas entrer. On a eu une embrouille. C'est un enfoiré. Un escroc. Je ne peux pas traiter avec lui. Il faut que tu y ailles. Je tiens à caser quelqu'un dans ce loft.

Elle passa derrière moi et me pressa les épaules. Son after-shave me flanqua aussitôt la nausée.

Je me levai et empoignai mon manteau.

– Et dis-leur que nous n'avons absolument rien d'autre. Ils doivent prendre celui-là. S'ils refusent, espique-leur que j'aimerais qu'ils m'espiquent s'ils veulent vraiment déménager, où s'ils ont juste décidé de jouer les gâcheurs de temps. Ils cherchent soi-disant un truc qui sorte de l'ordinaire. Dis-leur que c'est ça ou rien.

Je marchai jusqu'à Watts Street en songeant que j'étais à présent un vrai agent immobilier. Tel était mon métier, si d'aventure on me posait la question.

Je trouvai le jeune couple planté devant l'entrée. Tendu, aux aguets, tenant en laisse deux caniches blancs géants. Un tableau sinistre, comme ces clients dans les cafés du Village dont on devine immédiatement qu'ils ont rendez-vous avec un ou une inconnu(e).

Je me présentai.

– Je suis l'associée de...

Le nom de mon employeuse ne voulait pas sortir. Je refusais d'être associée à Dale de quelque manière que ce soit. Ils me dévisagèrent. La femme portait une énorme toque en fourrure noire façon Buckingham Palace. Elle me serra la main.

– Merci de vous être déplacée. Je m'appelle Cheryl, voici mon mari, James, et ces deux-là sont...

Je ne saisis pas le nom des chiens.

Le mari ressemblait à un potache de lycée privé. Je devinais déjà que seule Cheryl prenait les décisions. James avait encore moins voix au chapitre que les deux chiens.

– On est tout proche de la foire canine, dis-je.

Enfin, à un ou deux kilomètres près...

Le visage de Cheryl s'illumina. Elle retira son couvre-chef, révélant de courts cheveux blonds en épis.

– Prêts à crapahuter ? demandai-je.

– Plaît-il ? fit le mari.

– Dale ne vous a pas prévenus qu'il n'y a pas d'ascenseur ?

Il secoua la tête.

– Combien d'étages ?

– Six, annonçai-je d'un air radieux.

J'ouvris la porte et nous entreprîmes notre ascension, les chiens ouvrant la marche.

– On vient de se marier, m'informa Cheryl. Hier.

Quand nous atteignîmes enfin le sommet, nous contemplâmes d'un œil triste le loft rectangulaire. « C'est très piste de bowling », m'avait avertie Dale.

Même les chiens étaient déçus, qui retournèrent patienter dans l'entrée.

Pendant une demi-heure, le couple énuméra tous les défauts de l'appartement, puis se convainquit qu'aucun n'était rédhibitoire.

– Le loyer est de combien, déjà ?

– Cinq mille.

– Cinq mille par mois pour un appart ? s'étrangla James.

– C'est un loft, rectifiai-je.

– Nous devons nous décider vite fait, expliqua Cheryl. Tout ce que nous possédons est coincé dans le camion de déménagement. On venait de plier bagage quand notre nouveau contrat a été rompu. Et nous ne pouvons nous résoudre à mettre nos affaires au garde-meuble.

Ils dirent qu'ils le prenaient.

À peine rentrée à l'agence, j'appris par téléphone qu'ils avaient changé d'avis.

Je raccrochai et en référai à Dale.

– Sales connards ! Ils ne savent pas ce qu'ils veulent.

Elle me fixa d'un œil sévère en faisant cliquer son stylo. Cela dura cinq bonnes minutes. Puis elle lâcha :

– Rappelle-les.

– Ils n'en veulent pas, Dale.

– Rappelle-les et persuade-les de prendre ce loft. Si tu ne le fais pas, c'est moi qui m'en charge !

J'étais désolée pour la fille aux cheveux en pétard. Surtout si elle devait subir Dale au téléphone. Mais j'étais tout aussi désolée pour le loft. Trop bien pour eux. Je préférais le savoir inhabité, mais disponible pour des gens intéressants, qu'investi par ces tristes gosses de riches et leurs chiens empâtés. Un nouvel appartement était une chose merveilleuse : un symbole d'espoir, comme une sonde spatiale, une jonquille ou un œuf parfait. Aussi mal fichu qu'il soit, celui-ci méritait mieux. Dale rafla un trousseau de clés et sortit en trombe dans ses mocassins d'homme.

Qu'ils prennent l'appart ou non m'était bien égal.
Je les rappelai.
– Je me disais, Cheryl, que vous devriez peut-être reconsidérer votre position.
– On ne sait plus quoi faire, avoua-t-elle.
– Je comprends. C'est très dur...
– Tout va si vite. Trop de changements en si peu de temps.
– Je sais très bien ce que vous ressentez. Je suis divorcée.
– J'en suis navrée.
– Je pensais que nous étions heureux, puis mon mari s'est mis au Prozac et ne m'a plus fait l'amour.
– C'est atroce !
– Oui. Vous avez de la chance : vous n'avez pas à faire ça toute seule.
Ma voix chevrotait.
– Vous avez raison, murmura Cheryl.
Tout compte fait, ils prenaient le loft.
Nous signâmes le bail le soir même à l'agence.
– Il me faudra un chèque pour le premier loyer, plus le dépôt de garantie équivalant à deux mois hors charges, expliquai-je.
– Quinze mille avant même d'avoir emménagé, maugréa James.
– Et un chèque pour ma commission, ajoutai-je.
– Qui est de... ?
Je feignis de chercher ce que j'avais calculé des millions de fois sur mon coin de bureau.
– Voyons voir, cela fera... neuf mille.
J'en garderais la moitié, l'autre serait pour Dale.
– Neuf mille *dollars* ? bredouilla James.
– Non, neuf mille allumettes, lui rétorqua sa femme, ce qui m'évita de le faire à sa place.
– Oui, quinze pour cent de la première année de loyer.
James me tendit le chèque de commission et m'adressa un « merci » des plus retenu. Ils emménageraient le lendemain même. Ils partirent sans tarder pour régler les derniers détails.
De mon côté, je me rendis chez Dean & DeLuca pour leur acheter une corbeille de gourmandises en guise de cadeau

d'emménagement. Je nappai le fond du panier d'un carré de jute et y disposai des pommes, des citrons, des grenades, du raisin, du fromage, du thé, un ours en peluche, une boîte de chocolats en forme de lune, et des cookies en forme de maison. Puis je nouai un ruban autour de l'anse.

Le lendemain soir, Dale m'invita au restaurant pour célébrer mon premier contrat. Lorna était censée nous rejoindre, mais elle ne donna pas signe de vie. Je posai la corbeille à friandises entre nos deux chaises. Je comptais aller l'offrir sitôt le repas terminé. Je commandai une salade.

– Prends donc un steak ! me conseilla Dale.

Mais je m'en tins à la salade, prévoyant secrètement de prendre un second dîner ailleurs, histoire de chasser ma patronne de mon esprit.

Sur la table se trouvait un pot de crayons de couleur. Dale choisit un rouge brique et écrivit « gagnante » sur la nappe en papier. Puis elle traça des flèches dans ma direction.

– De nous trois, c'est toi qui t'es fait le plus de fric ce mois-ci.

Elle nota « Liv », « Lorna » et « Dale » sur la nappe, suivis de nos scores respectifs. Lorna était à « 0 $ », notre patronne aussi, et moi à « 4 000 $ », que Dale entoura d'une nuée d'étoiles.

– Quatre mille, c'est pas mal du tout pour un premier mois.

– En fait, c'est quatre mille cinq cents.

– Mais la maison prélève une taxe de fichier de cinq cents dollars.

– Vous ne m'avez jamais parlé d'une taxe de fichier.

– Vraiment ? Mais pourquoi diable aurais-je omis ce détail ? Je dois être amoureuse ou quelque chose du genre...

Ignorant ce commentaire, je rayai le « 4 000 » et écrivis au crayon doré : « 4 500 ». Je l'encerclai de mes propres étoiles.

– Mais pourquoi t'aurais-je fait un coup pareil ? insista Dale. Je devais avoir la tête ailleurs. Quelqu'un a dû me jeter un sort...

– À n'en pas douter.

– Dis, tu as déjà répondu à une petite annonce ? demanda-t-elle.

– Non.

– J'ai un petit secret à confesser. Voilà, j'ai commencé à correspondre avec une bi-quelque-chose de Brooklyn.

– Et Harri, dans tout ça ?

Je savais qu'elle affabulait. Nous n'aurions jamais dû venir ici, dans cette salle remplie de mannequins. Les gens nous observaient en se demandant si Dale était un homme ou une femme.

– Pourquoi en parlerais-je à Harri ? Quand tu as été mariée douze ans à la même personne, tu as besoin de changement, besoin de rompre ta laisse et de sous-louer de temps en temps. J'aime les filles jeunes. Dix-neuf, vingt et un ans, rien au-dessus de vingt-deux. Ne me regarde pas comme ça, je n'ai rien fait de mal ! Enfin, pour l'instant... Je pensais prendre une chambre au Paramount Hotel et la retrouver là-bas. Tu crois que c'est une bonne idée ? Elle est beaucoup plus jeune que moi...

J'imaginai cette bi-quelque-chose se pointer au Paramount, tomber sur Dale et être bi-déçue.

– Je n'en sais rien, Dale. Pourquoi n'emmèneriez-vous pas Harri au Paramount ?

– Elle est encore plus jeune que toi, poursuivit Dale tout en guettant ma réaction. Tu n'es pas la seule jeunette sur cette terre, tu sais.

– Je ne suis pas si jeune que ça, répliquai-je.

– Tu ne vas jamais me croire, mais figure-toi que j'ai rêvé de toi cette nuit. La môme est dans mes rêves, maint'nant ! Je courais pour te rattraper mais mes jambes étaient coupées au niveau du genou. Cela dit, tu m'encourageais. Tu voulais savoir si j'allais bien. Qu'est-ce que tu penses de ça ?

Que Dale rêve de moi ne laissait rien présager de bon. J'étais toute crispée.

– Les rêves ne veulent rien dire, grognai-je.

– Il faut que je te parle d'un truc. Mon amie Paula me l'a interdit, mais ça m'ôtera un poids.

La serveuse apporta ma salade et le steak de Dale. Je me mis à manger le plus vite possible.

– Tu veux entendre ce que j'ai à te dire ? Je ne sais pas,

c'est peut-être parce que j'ai mes règles en ce moment. Je ferais peut-être mieux de me taire.

Je me levai d'un bond.

– Il faut que j'aille porter ça chez James et Cheryl. Il se fait tard et je tiens à le leur offrir ce soir.

– C'est ma championne ! La gagneuse !

– Merci, Dale.

Je le pensais vraiment. J'avais conclu ma première affaire. Une affaire de location, mais une affaire quand même. J'avais gagné quatre mille cinq cents dollars.

Flanquée de mon panier, je me dirigeai vers l'immeuble de Watts Street. Les rues de Soho étaient vides et lugubres. Je me sentais dans la peau du Petit Chaperon rouge.

L'immeuble était en feu. Les pompiers avaient déployé la grande échelle pour accéder aux fenêtres du dernier étage. Je me plantai de l'autre côté de la rue avec Cheryl, son mari et des dizaines de spectateurs. Le couple avait trouvé les camions de pompiers au retour du supermarché. L'incendie avait tout ravagé : photos, bijoux, ordinateurs, documents professionnels, cartons encore pleins.

Un pompier avança l'hypothèse d'un incendie criminel :

– Sûrement un coup du proprio pour toucher l'assurance. On voit ça tous les jours.

Les deux époux se tenaient enlacés, pétrifiés.

Je posai le panier à leurs pieds.

– Où sont les chiens ? m'inquiétai-je.

Le mari secoua la tête tout en indiquant les fenêtres du dernier étage.

Cheryl était en larmes.

– Je suis navrée, murmurai-je.

– Vous saviez que ça allait se produire ! lança James.

– Jamais de la vie ! répondis-je, choquée par une telle accusation.

Dale m'avait obligée à remettre moi-même les chèques de caution et de loyer au propriétaire. Elle affirmait ne pas supporter ce type. Savait-elle que l'immeuble allait s'embraser ? Elle avait déjà encaissé le troisième chèque...

– Nous voulons récupérer la commission, dit James.

– Il faudra en parler à Dale.

– Allez vous faire foutre !

Il se baissa, agrippa l'ourson du panier et le jeta dans ma direction, ratant de peu mon visage. J'essayai de lui parler calmement, mais il ne cessait de m'insulter. Puis il shoota dans la corbeille.

– Arrête, supplia Cheryl. Arrête !

– Passez demain à l'agence, bredouillai-je avant de tourner les talons.

Qu'aurais-je éprouvé si j'avais tout perdu dans un incendie – mon mari, mon appartement, mes affaires –, au lieu de claquer la porte comme je l'avais fait ? Aucune différence.

En remontant vers MacDougal Street, j'examinai chaque immeuble que je croisais. Tous paraissaient vivants, humains, avec leur propre personnalité. Certains gracieux et pâles, telles des geishas. D'autres cachés derrière des masques de gargouilles. Il y avait les travailleurs aux manches retroussées exhibant leurs tatouages graffités. Ceux aux fenêtres murées, comme Jérôme. Et puis les immeubles tristes, de l'urine ruisselant à leurs pieds comme un filet de larmes.

Je leur adressais quelques mots affectueux. J'aimais mes nouveaux amis les immeubles. Je me sentais des leurs. J'étais faite de parpaings et de béton, ma colonne vertébrale était une conduite en fonte, ma cage thoracique un vieil ascenseur grillagé, mon cœur un radiateur, ma tête un appartement au dernier étage, mes seins des baies vitrées, mes poumons des conduites d'aération, et entre mes jambes se trouvait la chaufferie. Je m'imaginais à la place du pauvre immeuble de Watts Street ravagé par les flammes. C'est lui qui me faisait peine, et non les deux jeunes mariés qui pleurnichaient dans les bras l'un de l'autre.

Mon pédopsychiatre avait vu juste. J'étais une nomade. Mais je n'étais pas une tortue sans carapace. J'étais une carapace affranchie de sa tortue.

– Ça a vraiment brûlé ? demanda Dale le lendemain.

On aurait dit une gamine qui vient de faire une grosse bêtise.

– Ils veulent revoir leur argent, annonçai-je.
– La commission n'est pas remboursable.
– Mais enfin, Dale ! Le proprio incendie leur appart le jour de leur emménagement ! Leurs chiens sont morts !
– Je sais, c'est très fâcheux, dit-elle sans la moindre émotion. Mais nous sommes à New York, Liv, et la commission n'est pas remboursable.
– Ce n'est pas bien, Dale.
– Ah non ? Alors laisse-moi te poser une question : le propriétaire d'une armurerie est-il responsable si un client achète un flingue et descend quelqu'un ? Et la voyagiste, elle est responsable si elle vend un billet d'avion et que celui-ci s'écrase ? Et espique-moi un autre truc : qu'est-ce qui te dit qu'ils ne sont pas eux-mêmes à l'origine de l'incendie ? Ils ont peut-être laissé la cafetière en marche, ou bien leurs chiens ont trouvé le moyen d'allumer le four.
– Je doute que les chiens aient allumé le four ou fait du café, Dale.
– Ce que je dis, c'est qu'on ne sait pas comment ça s'est produit, et que ce n'est pas notre problème. Un bon tuyau, Liv : *tout le monde* veut récupérer sa commission. *Personne* n'aime son appartement après avoir emménagé. Si tu rendais l'argent chaque fois que les gens se plaignent, tu serais sur la paille ! Rendre les commissions n'est pas un métier.
Elle me dégoûtait. Je décidai de lui tenir tête.
– Je pense que nous devrions la rendre tout de même.
– Nous ?
– Oui, nous. Nous devrions rendre les neuf mille dollars.
– Toute la com ? s'écria Dale comme face à une cinglée.
Elle secoua la tête et s'assit à son bureau, songeuse. Soudain, elle leva un doigt.
– Ils sont fumeurs ?
– Non, Dale.
– Vois-tu, il n'est pas dans la politique de la maison de restituer une commission. Mais, après tout, ce que tu fais de ton fric ne regarde que toi. Si tu veux te faire mener en bateau par une paire d'enfants gâtés, ne te gêne pas pour moi !
– J'aurai quand même conclu une affaire.

– Il n'y a pas d'affaire qui tienne tant que tu n'as pas dépensé le pognon, Liv. Mais bon, je suis quand même fière de toi. Déçue, mais fière.

Depuis le début de la conversation, Lorna enchaînait rictus et couinements narquois depuis son bureau.

– En tout cas, dès que tu m'auras versé ma part, j'irai immédiatement la leur rendre, dis-je à Dale avant de demander à Lorna : et toi, tu ferais quoi à ma place ?

– Je ferais quoi ? répéta-t-elle d'un air moqueur. Cette discussion me rend malade. Je ferais quoi ? Pour commencer, je me serais jamais attaquée à un putain de maudit appartement hanté qui pue la mort !

– Laisse la gosse tranquille ! grommela Dale. Elle a eu une dure journée.

Elle m'adressa un grand sourire. Puis le téléphone sonna et elle décrocha.

– Oui, James. Y a-t-il quoi que ce soit que nous puissions faire pour vous aider ? Mais d'abord, je voudrai vous assurer de notre profonde compassion suite à *votre* incendie dans *votre* appartement... Eh bien, je regrette que vous preniez les choses comme ça. Mais laissez-moi vous poser une question : que pouvons-nous faire pour vous aider, Shirley et vous, à reprendre le dessus et à tirer de cette situation quelque chose de positif ?... Comment ?... Oui, c'est ce que j'ai dit : Cheryl et vous.

Dale me sourit à nouveau, se désigna de l'index puis leva le pouce pour me montrer qu'elle contrôlait parfaitement la situation.

– Oui, et nos sincères condoléances pour la perte de vos animaux si chers. Nous aimerions faire tout notre possible pour vous aider à surmonter cette épreuve. Allez-vous devoir chercher un nouvel appartement ?... Peut-être devriez-vous envisager d'acheter plutôt que de louer.

Elle se tut pendant un moment.

– Je vois. J'ai justement sous les yeux le document que vous avez signé, répondit-elle en contemplant le muffin au chocolat posé sur son bureau. Vous savez sans doute que nous pourrions vous poursuivre pour cela, mais un arrangement doit être possible... Je vois... Eh bien, si vous le prenez comme ça. Ça prouve simplement que les vilaines choses n'arrivent qu'aux vilaines personnes ! Au revoir.

Elle raccrocha.

– Il a fait opposition sur tous les chèques ! explosa-t-elle. Ah, les petits merdeux ! Leur maison crame, leurs clebs crèvent, mais ils trouvent le temps d'aller annuler des chèques. Et nous, pendant ce temps, on est là à s'apitoyer sur leur sort, quasiment prêtes à leur rendre ce qu'ils nous doivent. Les gens ne te laissent jamais l'occasion de faire le bien, dans ce métier. La prochaine fois, demande des chèques certifiés !

10

CLOIS. AMOV.

Trois jours plus tard paraissait ma première annonce. Sur Laight Street, l'œil rivé à ma montre, j'attendais mon rendez-vous de 17 heures. Je craignais que le type ne me pose un lapin : au ton de sa voix, j'avais pressenti qu'il ignorait où se trouvait Laight Street, ce qu'était un loft, et ce qu'il voulait en faire. Il prétendait tenir mon numéro du juge Garrett. Dale m'avait fait les gros yeux pendant toute la durée du coup de fil. Je n'étais pas assez « sélective » à son goût.

– Demande-lui combien il gagne ! chuchota-t-elle.

J'ignorai sa remarque. Alors elle claqua des doigts, sa façon habituelle d'attirer mon attention quand j'étais en ligne.

– Demande ! hurla-t-elle.

– Vous et votre femme aurez les fonds nécessaires pour un loft de ce prix ? Il faut prévoir un acompte de vingt-cinq pour cent.

Dale ne savait-elle pas que les gens mentent ?

– Je vous reprends tout de suite, répondit le type. J'ai un autre appel.

Il me mit en attente.

– Oh ! Mais c'est énorme ! lançai-je dans le vide. Vous êtes bien plus que solvable...

Je regardai son nom, que j'avais noté de ma plus belle écriture en haut de la fiche client. Fred Freund.

Fred Freund me reprit.

– Vous vous apprêtiez à me décrire ce loft, dit-il.

Je me reportai en catastrophe à mes notes. Je n'avais pas visité l'appartement. Je ne l'avais même pas vu en photo.

– C'est très grand. Une grande et vaste surface.

Dale avait gribouillé « 300 » au-dessus d'un carré traversé par une ligne droite.

– Trois cents mètres carrés, précisai-je.

Sous le croquis ne figurait qu'un mot : « étrange ».

– Je ne saurais vous le décrire avec précision. Il est unique en son genre, monsieur Freund.

Le type éclata d'un rire théâtral, comme un gosse jouant au vampire. Cela me fit sourire. Je me dépêchai d'achever la conversation.

Bien que Laight Street soit tout près de l'agence, j'avais pris un taxi de peur d'arriver en retard. Il m'avait laissée au milieu des bouchons de Holland Tunnel, et j'avais dû traverser Canal Street par la passerelle. Des centaines de voitures klaxonnaient. Une sculpture, gigantesque nœud d'acier orange, se dressait sans raison au milieu du carrefour. Le type n'allait jamais prendre ce loft, même s'il se pointait. Mon nouveau bipeur sonna. Depuis que Dale me l'avait offert, je devais m'en occuper comme d'un Tamagochi, à presser ses boutons et à changer ses piles sans cesse. Elle m'envoyait invariablement son numéro suivi du 911 pour forcer ma diligence.

Un homme arriva derrière moi et salua.

– Bonjour, répondis-je.

Je n'eus pas droit à : « Désolé pour ce retard. »

– Vous ne me reconnaissez pas ?

Ce n'était pas mon client, Fred Freund. C'était Andrew, le souleveur, l'architecte du pot de départ du juge Moody. Il avait troqué le costume contre un jean, une chemise assortie et une cravate. Un look épouvantable.

– Je crains que non, répondis-je.

Le bon côté de la vie new-yorkaise, c'est qu'on a beau tomber sans cesse sur les mêmes personnes, comme dans la plus petite ville de province, on peut prétendre effrontément ne les avoir jamais rencontrées.

– Vous ne vous souvenez pas de moi, à la fête ?

– Quelle fête ?

Je pouvais encore sentir ses mains sur moi.

– Le pot de Moody, au tribunal. Vous êtes sûre de m'avoir oublié, Liv ? J'avais trouvé cette expérience assez *planante*.

Je priai pour qu'il s'en aille avant l'arrivée de Fred Freund. Pour qu'il ne m'inflige pas une nouvelle scène.

– Mais oui ! m'exclamai-je. Ça me revient, maintenant.

Un ange passa.

– J'attends un client, précisai-je.

– Il est devant vous. Je suis votre nouveau client, Fred Freund.

Il refit son rire de vampire et m'arracha un nouveau sourire. Mon poing serra le trousseau de clés. Était-ce bien prudent de l'emmener là-haut ? En tout cas, il paraissait moins impressionnant sur le plancher des vaches qu'au bord d'une terrasse. Ici, sur ce trottoir, il me dépassait à peine.

Il me regardait d'un air que je connaissais, sans toutefois parvenir à mettre un nom dessus. Un air que j'avais surpris une seule fois dans ma vie, des années plus tôt, peut-être au cinéma. Ah oui, ça me revenait : un air d'adoration.

Dans l'ascenseur, je l'appelai accidentellement Andrew.

– Vous voyez que vous vous souvenez de moi ! triompha-t-il. Franchirez-vous le seuil dans mes bras ?

– Si vous me soulevez, j'appelle les flics.

En entrant dans le loft, je découvris avec horreur, dressée au beau milieu de la pièce, une sorte de hutte maorie en bambou. On y accédait par une petite porte. À vrai dire, il y avait des portes partout. Des dizaines de portes ceinturaient le loft.

Andrew et moi en restâmes cois.

– Cet endroit est infâme, estima-t-il.

– J'aime beaucoup, moi. J'adore cette... structure.

Andrew partit à la découverte du loft, en ouvrant toutes les portes comme un enfant. Elles révélèrent tour à tour des tables de massage, des tapis de shiatsu et des lavabos creusés dans le plancher.

– À votre avis, ça sert à quoi ? demanda-t-il avec intérêt comme face à un gadget érotique. Aux ablutions des nains ?

– À se laver les pieds.

Il se gondola comme si j'avais dit quelque chose de drôle.

– À quoi destineriez-vous votre loft ? demandai-je.

– Je comptais ouvrir un bordel coréen. Le hasard fait bien les choses, n'est-ce pas ?

– Sachez tout de même que les charges sont très faibles, et que l'achat sera fiscalement déductible à hauteur de soixante-douze pour cent.

– Regardez-moi ça ! lança Andrew.

Il avait déjà disparu.

– Par ici !

Une porte s'entrouvrit. Je la franchis et me retrouvai dans un minuscule sauna tout en bois. La cravate d'Andrew était à terre, et sa chemise n'allait pas tarder à la rejoindre. Il versa de l'eau sur des braises qui se mirent à grésiller.

– Mais que faites-vous ?

– C'est trop bon...

Il s'assit sur le banc en séquoia et ferma les yeux, le menton levé comme s'il prenait un bain de soleil. J'avais toujours la main sur la porte.

– Vous êtes dedans ou dehors ? demanda-t-il sans rouvrir les yeux.

– Dedans.

Je m'installai à côté de lui et fus happée par la chaleur de la pièce. Je retirai mes bottines. Puis mon manteau. Bon sang, quel métier ! Je relevai mon pull afin d'aérer mon ventre. Andrew s'étira, puis laissa retomber son bras sur le banc de sorte que nos doigts se frôlèrent. Je me demandai ce qui arriverait si nous faisions l'amour ici.

– Je suis très intéressé, déclara-t-il. Vous faites une sacrée vendeuse.

– Peut-être aimeriez-vous revenir avec votre amie, votre femme... Bref, votre compagne.

– Nous ne sommes pas mariés. Je vous l'ai expliqué au pot. Je vis avec quelqu'un. Mais c'est la fin.

– Si je comprends bien, j'étais sur liste d'attente.

– Allons, Liv, ne gâchez pas ce merveilleux moment. Laissez-moi plutôt vous masser les pieds.

Je ramenai aussitôt ces derniers sous mes fesses.

– Non !

– Allons, je veux juste vous masser les pieds. Quel mal y a-t-il à cela ?

– C'est totalement exclu. Vous avez d'autres questions au sujet du loft ?

– Depuis notre rencontre, je pense à vous tous les jours.

– Mais vous vivez avec quelqu'un, susurrai-je d'une voix ingénue et sexy, telle Marilyn expliquant pourquoi elle rangeait ses culottes au frigo.

– Voyez-vous, Liv, la vie n'est pas toujours si simple, professa-t-il avant de remettre de l'eau sur les braises.

Il avait la peau mate et le torse velu.

– Je peux retirer mon pantalon ? demanda-t-il.

– Non.

Il me sourit et je me sentis soudain dégeler. Fermant les yeux, je m'abandonnai à l'étuve, comme à Los Angeles quand on finit par admettre, malgré soi, que le climat est vraiment agréable. Andrew était Los Angeles, ou un studio, ou une façade d'immeuble détachée. Un aileron factice fendant la surface d'un lac artificiel, sans requin au bout.

Quand j'étais petite, ma psy m'avait dit un jour : « Ton imagination te joue des tours. » J'envisageais mon esprit comme un vilain petit garçon vêtu d'un effrayant costume d'Halloween.

– J'ai un client qui m'attend en bas.

– Vous plaisantez !

On aurait dit qu'il n'avait jamais rien entendu de plus blessant.

– Pas du tout. Ceci n'est pas un rendez-vous galant, d'accord ?

Je me levai et rabaissai mon pull.

– Un rendez-vous galant, répéta-t-il avec emphase. Ça doit être ça, en effet.

Je n'aurais jamais dû employer cette expression.

– Écoutez, Liv, je sais que vous venez de quitter votre mari, et moi je vis toujours avec... quelqu'un.

– Quelqu'un ?

– Mais il se produit parfois des choses contre lesquelles on ne peut lutter. Je suis follement, éperdument amoureux de vous depuis notre première rencontre.

Je me rassis. Reconnaissons-le, j'étais flattée. Cela dit, même les clodos rassemblés autour des tables d'échecs de Washington Square Park me flattaient. Il m'en fallait très peu. Malgré tout, je me demandai si Andrew pouvait être dans le vrai. Savait-il quelque chose que j'ignorais ? Peut-être l'amour dépêchait-il une émissaire en robe noire, munie d'une faux aux coups fatals ? Andrew semblait si remué.

– Alors qu'est-ce que vous proposez ? dis-je.

– Quoi ?

Un éclair de terreur traversa son visage.

– Tu veux m'embrasser ? lui demandai-je tout de go.

– Non !

– Comment ça, non ?

J'empoignai mon manteau, mes chaussures et, par mégarde, sa cravate de tantouse.

– Non, Liv, je ne veux pas t'embrasser tant que je n'ai pas réglé le reste.

– De quoi tu parles ?

– De Jordan.

Ses yeux obliquèrent d'un air honteux vers son sac de sport, comme si sa copine se trouvait dedans, découpée en rondelles.

– Jordan ? Ce n'est pas un nom d'homme ?

– Je trouve ça plutôt sexy, répondit-il en souriant.

– Tu dois t'en aller, maintenant.

– Je ne vais nulle part.

– J'ai rendez-vous avec un deuxième client.

– Je vous attendrai ici.

De retour dans la rue, je pris conscience que je n'avais pas songé à mon mari depuis plus d'une heure. Ce constat m'attrista. D'ici peu, notre mariage ne pèserait pas plus lourd qu'une banale histoire d'une nuit.

Je m'adossai au mur et attendis ma cliente, une dénommée Jean Small. Elle m'avait semblé peureuse au téléphone, comme si quelqu'un lui soufflait à l'oreille les questions à poser. Quand je lui demandai ce qu'elle faisait dans la vie, elle répondit qu'elle souhaitait ouvrir une galerie d'art. Il faudrait la présenter à Dale, me dis-je. Elle venait d'hériter d'un million de dollars, ce qu'elle m'annonça d'une voix blanche, comme si on lui avait transmis une maladie incurable.

– C'est super ! lançai-je.

– Mais c'est une énorme responsabilité, gémit-elle.

Je bénis Jean Small pour son retard. Il me fallait un instant de répit pour penser à Andrew. Un type en jean et tee-shirt m'observait à quelques mètres de là. Une sacoche de coursier en bandoulière, il portait un cardigan bleu et d'énormes baskets crasseuses. Le genre de type que j'évite à tout prix. Chaque fois qu'il me regardait, je détournais les yeux avec une moue de dégoût. Les coursiers à moto sont la pire engeance de New York. Plus violents que les flics. Plus haïs que les agents immobiliers. Il n'y a qu'une seule façon de tomber plus bas : vendre des abonnements à un club de gym. Mais pourquoi restait-il planté là ?

– Vous attendez quelqu'un ? me demanda-t-il d'une voix bizarre.

– Oui, répondis-je sèchement.

– Dans ce cas, nous nous attendons peut-être l'une l'autre.

– Je ne crois pas, non. J'attends une femme.

– Je suis Jean Small.

Il ouvrit un petit calepin.

– Vous êtes Liv ?

– Oui... marmonnai-je, un peu perdue.

Je compris que c'était bien une femme. Elle avait juste l'apparence d'un homme.

– Pardon, je suis confuse... Par ici, je vous prie.

– J'espère que ce loft sera assez grand, dit Jean. Je souhaite y installer une galerie, mais également y vivre. Il me faut plusieurs chambres, au cas où je voudrais un bébé.

Un *bébé* ? Elle avait bien dit « bébé » ? Il y a des gens qui ne doutent de rien.

– Vous verrez, il y a plein de chambres, la rassurai-je. Vous êtes mariée ?

– Non.

– Vous avez un... ami ?

– Non. Mais il se pourrait que je veuille un enfant.
Elle disait cela avec l'assurance de Miss America.
– Bien sûr, dis-je.
À côté de Jean, Dale ressemblait à Marilyn Monroe.
– Alors nous sommes où, à présent ? demanda ma cliente en parcourant une liste d'adresses sur son calepin. Depuis que cet argent m'est tombé du ciel, je suis dans un tel état de stress !
Nous pénétrâmes dans le loft et avisâmes la hutte.
– Qu'est-ce que c'est ? demanda Jean.
Je décidai d'appeler un chat un chat :
– Une hutte maorie. N'est-elle pas magnifique ?
– Je ne sais pas...
– Mais si, croyez-moi.
– Tout de même, ça fait beaucoup de fric à sortir d'un coup.
– Je sais. C'est un loft superbe.
Elle ouvrit la porte menant à la salle de pédicurie.
– Ça sert à quoi ? demanda-t-elle en indiquant les vasques.
– Ce sont des lave-pieds, dis-je sur le ton de l'évidence, comme si chaque loft en était muni.
La porte suivante était celle du sauna. Je pris les devants :
– Voilà, je pense que vous avez fait le tour.
– Et cette pièce-ci ?
– Un petit sauna. Mais il vaut mieux le laisser fermé.
Devant sa mine sceptique, j'ajoutai :
– La chaleur s'échappe.
– Très bien.
Nous fîmes demi-tour.
– Salut ! lança soudain Andrew dans mon dos.
Nous sursautâmes toutes les deux. Nous nous retournâmes et le vîmes devant la porte du sauna. Il s'était finalement permis de retirer son pantalon. Une serviette blanche frappée du yin et du yang lui enveloppait la taille. Je me demandais où il l'avait trouvée.
– Bienvenue dans mon loft. Je suis Fred Freund, le propriétaire.
Il tendit sa main à Jean, qui la serra.
– Pourriez-vous me montrer la cuisine ? demanda-t-elle.

– Mais bien sûr. Suivez-moi.

Il se mit à errer dans la pièce.

– La voilà ! dit-il en indiquant un minibar et un micro-ondes posé sur une étagère. Je vous prépare quelque chose ?

– Non merci. Ça vous embête si je refais un tour ?

Elle se promena en ouvrant toutes les portes.

– Tu ferais mieux de partir, glissai-je à Andrew dès que Jean fut hors de vue.

– Tu es la plus belle femme de ce loft, tu sais.

– Ferme-la !

– Je plaisante. Tu es la plus belle femme qui m'ait jamais accompagné dans un sauna.

– Rhabille-toi.

– Je veux prendre soin de tes pieds...

– Mais tu ne veux pas m'embrasser.

– Mais si, j'en ai envie. Ce n'est pas raisonnable pour le moment, c'est tout.

– Je t'en prie, habille-toi et va-t-en. Cette situation est anti-professionnelle au possible.

– Ce serait mal si je t'embrassais, continua-t-il sur sa lancée.

Sur ce, il m'embrassa. Avec douceur et timidité, les yeux ouverts. Ça ne lui ressemblait guère. Je m'étais attendue à autre chose. Sa serviette saillait sur le devant.

Quand Jean revint, Andrew attrapa un sachet de pop-corn dans la corbeille de l'étagère et l'enfourna dans le micro-ondes.

– Eh bien, merci, dit Jean. C'est très intéressant, mais je doute que ça puisse fonctionner. Et puis, ça coûte un max.

– Vous avez sûrement raison.

– À moins que je revienne avec un architecte. Et mon avocat.

– Aucun problème, acquiesçai-je en la reconduisant vers la porte.

Je ne pouvais la regarder une seconde de plus.

– Vous aurez peut-être d'autres appartements à me proposer. Mon comptable me conseille d'acheter sans tarder pour bénéficier des abattements fiscaux. Oui, le temps semble venu de quitter mon studio, conclut-elle à regret, comme Jackie Kennedy quittant la Maison-Blanche.

– Volontiers, super, je vous rappelle, dis-je avant de claquer la porte. (La sonnerie du micro-ondes trilla.) Andrew !

On aurait dit que je répétais ce nom depuis des années.

– Oui, chérie ? répondit-il tendrement.

– Il est grand temps que tu t'en ailles.

– On se revoit quand ?

– Je ne pense pas que ce soit une bonne idée.

– Mais je tiens à retrouver ce loft.

– Ma cliente vient de l'acheter.

– Je ne partirai que si tu acceptes de sortir avec moi.

– Pas tant que tu vivras avec... quelqu'un.

– D'accord, je m'en vais. Mais on se reverra, crois-moi, et tu seras bien obligée de me faire confiance. Je vais t'appeler, tu sais...

Il se rhabilla sans faire d'histoires et prit l'ascenseur en picorant son pop-corn. En quittant l'immeuble, je fus presque étonnée de ne pas le trouver sur le trottoir.

Je retournai à l'agence, que j'ouvris avec ma clé. Le téléphone sonnait et ni Dale ni Lorna n'étaient dans les parages. Je décrochai.

– Liv Kellerman.

– Bonjour, répondit un homme. J'appelle au sujet d'une annonce pour un loft de trois cents mètres carrés sur Laight Street. J'aimerais le visiter.

Il avait une voix magnifique. Profonde et puissante comme celle d'un acteur.

– Quel est votre nom ?

– Ving Rhames.

– Vraiment ? répondis-je avec défiance.

C'était du Andrew tout craché. Il n'y avait que lui pour inventer un nom pareil.

– Vous ne seriez pas Fred Freund, par hasard ?

– Ben, non.

– C'est un curieux prénom que vous avez là, dites-moi.

– Euh... oui, si on veut. Serait-il possible de voir ce loft ?

– Ving, Ving, Ving... Vingy.

– Je vous demande pardon ?

– Et que faites-vous dans la vie, monsieur Ving ?

– C'est Ving Rhames, corrigea-t-il humblement. Je suis acteur. Ma fiancée et moi souhaitons quitter Los Angeles. Je commence un tournage le mois prochain à New York.

– Mais bien sûr, Ving, je vous crois sur parole. On ne vous a jamais dit que vous embrassiez comme un dieu ?

– On se connaît ?

– Je crois bien que oui.

– Il y a un problème, mademoiselle ?

– Oui, Ving, il y a un gros problème. Vous vivez avec quelqu'un.

– Oui, je vis avec ma copine.

– Et tant que vous ne l'aurez pas quittée, nous ne nous reverrons plus.

Sur quoi je raccrochai.

J'avais beau dire, je me sentais déjà un peu amoureuse. Je quittai l'agence et hélai un taxi. Je pris place à l'arrière et le chauffeur enclencha son compteur, ce qui lança l'habituelle annonce publicitaire récitée par une star : « Salut, ici le couturier Peter Kellerman. » La voix de mon propre père, ici dans ce taxi ! « Si je vous dis : accessoire indispensable avec n'importe quelle tenue ?... Gagné ! La ceinture de sécurité ! Alors, pensez à vous attacher, et on se retrouve au Tonys. »

Je n'en croyais pas mes oreilles. Le chauffeur de taxi entendait la voix de mon père plus souvent que moi. J'aurais peut-être dû lui commander une cassette personnalisée : « Salut, Liv, ici ton père, le couturier Peter Kellerman. N'oublie pas de te brosser les dents avant de te coucher, verrouille la porte d'entrée, ne sors jamais avec un homme maqué, bonne nuit, fais de beaux rêves, et on se retrouve au Tonys. »

– Oui, papouille, on se retrouve au Tonys, murmurai-je.

CLOIS. AMOV.

Le lendemain, je me rendis directement à la rubrique people du *Post*. Emmy Awards : l'acteur lauréat Ving Rhames était hier en ville pour chercher un appartement. « On trouve des agents immobiliers vraiment dérangés à New York », déclare M. Rhames.

11

2 SDB 1/2

Le jour de la séparation, mon mari m'avait dit :

– À mes yeux, tu es toujours aussi belle. Ce matin, en me réveillant, je t'ai regardée blottie sous la couette, et j'ai prié pour que tu restes endormie, pour que tu ne dises rien.

Je ruminais ces paroles tout en me préparant pour mon rendez-vous avec Andrew Lugar.

Soudain, je regrettais de m'être maquillée. Quand j'étais petite, mon père me fardait souvent. Hissée sur le billot de la cuisine, j'ouvrais et fermais à sa demande les yeux et la bouche, tandis qu'il me chatouillait avec des pinceaux souples et relevait mes traits à l'aide de crayons qu'il rangeait dans une mallette en plastique vert. Il travaillait vite, et me laissait parfois choisir la longueur de mes cils ou la couleur de mes lèvres.

– Je veux voir, je veux voir ! trépignais-je en cherchant du coin de l'œil mon reflet dans la bouilloire chromée.

Il finissait par me présenter un miroir, qu'il maintenait braqué sur moi aussi longtemps que je le souhaitais. La bouche peinte comme une gitane, je me sentais vivante. Les joues roses comme celles d'un patineur sur glace, je me sentais fraîche et alerte. Je redécouvrais mes traits, je me percevais mieux. Mon odorat, ma vue, mon goût ressuscitaient. Je n'étais plus cette masse informe et pâle que je voyais en temps normal. Puis ma mère rentrait et me frottait le visage avec un gant de toilette.

Un jour, cette dernière déclara que j'avais passé l'âge d'être maquillée par mon père.

– C'est un comble ! répliquai-je avec toute la virulence d'une pré-ado. Trop vieille pour le maquillage ? On aura vraiment tout entendu !

Je n'étais même pas certaine de sortir avec Andrew. Je changeai les draps et refis le lit. Puis je m'y glissai et contemplai les reliefs de mon nouvel édredon, que j'avais acheté pour son nom : Vienne. Je me tournai ensuite sur le flanc et tâchai d'imaginer la sensation d'un homme pressé contre mon dos. Miam.

Je m'habillai et dévalai les marches dès que sonna l'interphone. Mais ce n'était pas Andrew. C'était un livreur de repas chinois qui avait essayé toutes les touches et partait à l'assaut de l'escalier avec son vélo dans une main, ses colis dans l'autre. Je m'assis sur le pas de l'immeuble.

Il était encore tôt, si bien que j'eus le temps de tester différentes positions : accoudée en arrière, les mains sur les genoux, etc. Mais après que plusieurs passants se furent retournés, je craignis soudain d'être aussi disgracieuse que la statue aux huit poitrines surplombant Soho. Alors je me précipitai au Caffe Reggio, de l'autre côté de la rue ; je demandai au serveur, Mick, si d'après lui je n'avais pas trop forcé sur le maquillage.

La salle étant mal éclairée, Mick me ramena dehors afin de m'examiner à la lumière du jour.

– Tu es très bien, affirma-t-il.

Mais vu qu'il sentait la bière, je décidai de me forger mon propre avis devant la glace des toilettes.

Les WC du Caffe Reggio étaient minuscules et sombres ; la saleté se dérobait au regard, mais pas aux narines. On y était plus à l'étroit que dans les toilettes d'un Boeing.

Je me remémorai un certain voyage en avion, que mon mari avait passé plongé dans un roman d'Elmore Leonard. Complètement absorbé par sa lecture, il était resté plusieurs heures d'affilée sans relever la tête ni prononcer un mot, riant tout seul de temps à autre. Je ne l'avais jamais vu comme ça.

– Voudra-t-il du café ou du thé ? m'avait demandé l'hôtesse.

Le bouquin terminé, il s'était extasié :

– L'héroïne de ce bouquin est sensationnelle ! Je l'adore.

– Il fallait l'épouser, alors.

– Bon sang, Liv, tu vas quand même pas être jalouse d'un personnage de fiction ! C'est une héroïne de roman. Elle n'existe même pas !

Je me serais bien vue en grande espionne blonde de polar.

– Jalouse, moi ? Ne sois pas stupide, Jack...

Je brûlais de réduire en confettis la bimbo de la couverture. Je la haïssais.

– Tu débloques, ajoutai-je.

– Je n'ai même pas le droit d'ouvrir un livre, maugréa-t-il. Elle m'interdit de bouquiner...

Il se tourna vers le type qui feuilletait le journal de l'autre côté de l'allée.

– Vous, au moins, on vous laisse lire en paix !

Non content de me rendre jalouse, voilà qu'il m'humiliait en première classe ! Au moment de quitter l'avion, il avait abandonné le roman dans la poche à magazines.

L'obscurité des toilettes du Reggio voilait mon reflet dans la glace. Sans réfléchir, je m'appuyai sur le rebord du lavabo. Mes paumes rencontrèrent l'émail le plus souillé de tout New York. Je me rétractai aussitôt, et ce faisant ma main droite renversa quelque chose. M'accroupissant pour sonder le carrelage noir, je finis pas retrouver l'objet. Je ne sus d'abord de quoi il s'agissait. Une pièce du lavabo, un élément de plomberie ? Je me relevai et découvris, entre mes dix doigts, un pistolet.

Quelqu'un tambourina à la porte en criant :

– Sortez de là, bande de junkies !

– Une seconde ! répondis-je.

J'enfournai l'arme dans mon sac à main et retournai attendre Andrew en bas de chez moi.

Se balader avec un flingue est une sensation unique. Je veillais à garder la main dessus, à travers l'épaisseur de mon sac. Je surveillais mes mouvements. Je le couvais comme une maman kangourou. J'ignorais s'il était chargé, s'il était volé, s'il venait de servir, ou même si c'était un vrai. Il était petit, noir, d'aspect tout à fait sérieux. Tout ce qu'il y avait de plus vrai.

Andrew était perché sur la plus haute marche, en train d'étudier les noms de l'interphone.

– Salut, lançai-je.

– Salut ! Laisse-moi te regarder un peu.

Il descendit et m'empoigna les épaules à bout de bras, un peu à la manière d'une grand-mère.

– Tu es sublime. Je t'offre un café ?

Radin, avec ça.

– Là-bas ? proposa-t-il en désignant le Caffe Reggio.

Nous y entrâmes et prîmes une table près de la porte.

– Bonjour ! Qu'est-ce que je vous sers ? demanda Mick en me lançant un clin d'œil avant de toiser Andrew.

Ce dernier commanda un café allongé et moi un chocolat chaud, espérant que Mick prendrait l'initiative de le napper de crème chantilly.

– Alors ? attaqua Andrew.

– Alors ? répétai-je.

– J'ai un truc à te dire.

– J'ai aussi un truc à te dire.

– Ah bon ? Je t'écoute.

– Je suis vraiment ce qu'il y a de pire pour entamer une liaison, déclarai-je avec fermeté.

J'étais très fière d'avoir dit ça.

– C'est dommage, répondit-il, parce que moi je suis fou de toi et je ne pense qu'à toi. Je ne sais plus quoi faire... (Son ton était grave, sincère.) Mais je sais que ce n'est pas ton problème.

Un bruit de craquement surgit au fond du restaurant, interrompant toutes les conversations. Puis le vieux plafond en aluminium commença à ployer légèrement, incitant ceux qui se trouvaient en dessous à fuir sur les côtés. Deux couples et un groupe de trois filles transférèrent vestes, tasses et assiettes vers les tables voisines de la nôtre. Un torrent d'eau jaillit du plafond. On se serait cru sur le *Titanic,* avec tous les passagers se ruant à un bout du navire.

– La vache... susurra Mick.

Le plafond métallisé se courba, se courba encore, puis une énorme masse blanche s'écrasa au sol comme un dirigeable crevé. Une antique baignoire, occupée par une jeune fille nue et trempée se tenant la tête entre les mains, atterrit entre deux tables et cassa ses quatre pattes en fer forgé. Le bruit de l'impact résonna dans la salle comme un big band déchaîné.

La fille était mince et brune, les cheveux maintenus en chignon par une barrette. Elle avait à peu près mon âge. Je l'avais déjà croisée dans ce café. Hormis une plaie au-dessus de l'oreille, elle semblait indemne.

Dans un premier temps, personne ne réagit. Comme si ce genre de choses se produisait quotidiennement. À New York, les esprits s'adaptent très vite.

Mick appela les pompiers.

– Oui, dit-il d'un ton aguerri, nous signalons un incident relativement sérieux. De type chute de baignoire.

– Personne n'aurait... une serviette ? demanda la fille.

– C'est une belle baignoire, commenta un type.

Je remarquai le vernis à ongles rouge sur les pattes sectionnées. L'homme offrit à la victime sa canadienne, et Mick un tee-shirt à l'effigie du Caffe Reggio, qu'elle tenta d'enfiler en se tortillant.

– Ne bougez pas, lui conseilla l'homme.

– Je savais que ça allait arriver, gémit-elle. Ils ont viré ma douche pour installer cette maudite baignoire.

– Elle est choquée, estima une dame tout en sucrant son thé, avant de reprendre sa discussion avec son amie.

– Ouais, sacrée chute, lui répondit Mick. Pas le genre de truc auquel on s'attend quand on s'amuse avec son canard.

Ils se mirent à rire.

– C'est un endroit sympa, dit Andrew.

J'avais bien vu qu'il s'était rincé l'œil sur la poitrine de la fille. Comme tous les autres, du reste.

– Pourrions-nous avoir l'addition ? demanda la dame qui avait diagnostiqué l'état de choc.

– Je suis à vous dans un instant, répondit Mick.

– Il devrait nous en faire grâce, jugea l'amie de la dame.

– C'est un point de vue qui se défend, admit le serveur. (Il posa néanmoins le ticket sur leur table, puis se tourna vers Andrew et moi.) Vous vous amusez bien, les amis ? Ça devient les chutes du Niagara, ici. Très romantique, non ?

Les deux dames se levèrent et partirent sans payer. Un étudiant de New York University qui noircissait un cahier commanda un second café.

– Je pourrais avoir un cookie ? demanda la fille depuis sa baignoire.

– Je ne sais pas. J'ai bien peur qu'ils ne soient changés en éponges. Mais je vais voir ça.

De l'eau ruisselait sur la vitrine réfrigérée. Mick fit coulisser le panneau de verre, disposa à l'aide d'une pince à sucre un assortiment de biscuits italiens dans une assiette et la tendit à la fille.

– Je vous apporte un chocolat chaud. Ça vous réchauffera.

– Vous devriez peut-être demander s'il y a un médecin dans la salle, suggérai-je.

– Ce n'est pas un médecin qu'il vous faut, mais un architecte, lança Andrew.

En prenant soin de ne pas salir ses mocassins à glands, il s'approcha de la baignoire où se trouvait toujours la fille, et examina le trou au plafond. Il y avait du bois, du zinc et du plâtre dans tous les sens. La fille leva également la tête.

– Ils auraient dû renforcer le sol avec des poutres à rigole, lui expliqua-t-il.

Puis il ajouta quelques mots qui échappèrent à mon oreille, mais qui la firent beaucoup rire.

– Ce n'est pas un architecte qu'il vous faut, mais un avocat, renchérit Mick.

Andrew revint s'asseoir. Nous regardâmes les secouristes monter la fille dans l'ambulance. L'homme qui avait offert sa canadienne voulut la récupérer.

Puis nous prîmes congé de Mick.

– Désolé pour ce happening, les amis.

Andrew me raccompagna en bas de mon immeuble.

– Tu t'es bien amusée ? demanda-t-il. Moi, j'ai passé une super soirée.

– Je vois cet incident comme un présage, murmurai-je.

– Oui, le présage qu'on devrait se déshabiller et prendre un bain ensemble au plus vite.

– Alors, on fait quoi ?

– J'ai cru comprendre qu'on flirtait, répondit-il en souriant.

Autrement dit, il faudrait au moins un restau-ciné pour devenir amants.

– Je peux t'appeler ? demanda-t-il.

– Je ne préfère pas, Andrew.

– Je prends ça pour un oui. Il suffira d'un peu d'organisation.

Il m'embrassa. Puis ôta ses lunettes et m'embrassa de plus belle. Me souvenant que je portais un flingue, je posai mon sac à terre. Andrew m'embrassait avec fougue et passion. Il me dépassait à peine de quelques centimètres, ce qui me procurait un sentiment de force et d'égalité. Je lui rendis tous ses baisers.

– Je dois sortir mes chiens, s'excusa-t-il. Je t'appelle quand je rentre.

Il m'embrassa une dernière fois, en mordillant ma lèvre inférieure. Je le regardai s'éloigner jusqu'au métro.

Un petit garçon en poussette passa sur le trottoir. Il portait un pull orné d'une souris et de petits cœurs. On aurait dit Cupidon sur son char. Il fit mine de me tuer avec un pistolet en plastique.

– Pan ! Pan ! piailla-t-il en pointant l'arme dans ma direction.

Sa mère n'y prêtait pas attention.

– Pan ! Pan ! continua-t-il.

Je dévoilai le bout de mon flingue et le braquai sur lui.

– Pan ! Pan ! ripostai-je.

Surpris, le bambin rigola.

Puis j'enfonçai furtivement le canon dans ma bouche, comme une sucette. Il m'imita aussitôt. Sa mère baissa alors les yeux et parut gênée. Je rangeai mon arme en catastrophe. Elle me vit et m'adressa un sourire.

De retour dans mes pénates, je m'affalai sur le lit et visai toutes sortes d'objets en fermant un œil. Je brûlais de tirer sur quelque chose, mais je ne voulais pas ameuter tout l'immeuble. Il me fallait un silencieux. Je déambulai dans l'appartement avec le flingue à la main, puis je le posai sur le rebord de la fenêtre et essayai de regarder la télé. Non, je ne pouvais pas le laisser là.

J'ouvris mon coffre à bijoux et nichai l'arme au milieu des présents de mon mari. Mais l'engin était bien trop beau pour cette boîte. Il éclipsait aussi bien les pierres et perles précieuses que ma bague de fiançailles de remplacement. Peu avant notre mariage, j'avais, lors d'une mémorable prise de bec, jeté l'originale par la vitre d'une voiture lancée à fond. Jack m'en avait racheté une encore plus jolie. Mais à côté du flingue, on aurait dit le cadeau surprise d'un paquet de céréales.

Violet appela pour s'enquérir de mon rendez-vous avec Andrew.

– Il est monté chez toi ?

– Non, répondis-je.

– Il t'a soulevée, ce coup-ci ?

– Non plus.

Je lui racontai l'épisode de la baigneuse tombée du ciel.

– Elle était vraiment obèse ?

Cette question me laissa perplexe.

– Je veux connaître tous les détails, Liv. Allons dîner quelque part.

– J'hésite à sortir. Il y a ce flingue dans ma chambre...

Je lui confiai toute l'histoire, et la sentis prise d'un nouvel accès de jalousie.

– C'est trop génial ! répétait-elle à l'envi.

– Oui, on éprouve une sensation indescriptible.

– Bon, rendez-vous au Life Café dans vingt minutes. Et apporte le flingue !

En attendant Violet, je songeai que j'étais peut-être destinée au suicide. À midi, le macaron de bonne aventure servi avec l'apéro m'annonçait : « Vous recevrez sous peu une lettre ou un message de la plus haute importance. » Quelques heures plus tard, je trouvais le pistolet.

J'avais envie de pleurer. Ou, plus exactement, mon visage en avait envie. Mes joues étaient douces et fraîches au toucher, tel le calme annonçant la tempête.

J'entrepris de recenser mentalement le pour et le contre d'un tel projet. Avantages du suicide : aucun risque de se remarier pour re-divorcer ensuite ; fini les réveillons de la Saint-Sylvestre ; adieu la frustration sexuelle, les soutifs hors de prix fusillés par une baleine qui lâche, les réveils matinaux, les Dale et les Violet...

Cette dernière apparut, sa chevelure blonde bariolée de mèches brunes et framboise. Elle était méconnaissable.

– Jolis reflets, la complimentai-je.

– De quoi tu parles ?

– De ta nouvelle couleur.

– Je n'ai pas touché à mes cheveux, se défendit-elle. Ils ont toujours été comme ça.

Je ne pouvais m'en détacher les yeux.

– Alors, il est où ? demanda-t-elle à mi-voix.

– Je ne vais quand même pas le brandir devant tout le monde.

– Il faudra que tu me le prêtes, murmura-t-elle.

Cette idée ne m'enchantait guère. Violet était réputée pour sa violence au travail. C'était la serveuse la plus hostile qui soit, sans cesse à ébouillanter les clients avec leur soupe ou à lâcher des couteaux à viande sur leurs cuisses.

– Que voudrais-tu en faire ? demandai-je.

– Je veux juste le ranger dans mon tablier. Quand je plonge la main pour chercher une paille ou une sucrette, je veux le sentir sous mes doigts.

La connaissant, au bout de deux verres elle l'aurait confié au premier venu.

– C'est très dangereux, tu sais.

– Je t'en supplie, montre-le-moi. Suis-moi aux toilettes.

Elle s'éclipsa avant que j'aie pu dire un mot. Je décidai de rester assise. Je n'avais plus du tout envie de montrer l'engin à Violet, tout comme je détestais lui décrire la taille et la forme de celui de mon ex-mari. J'aurais dû le laisser chez moi. Je pensai tout à coup aux empreintes digitales. Le pistolet en était recouvert, des miennes et de celles de son précédent propriétaire. Allons, me dis-je, cesse un peu tes enfantillages. Je mis le sac à mon épaule et partis aux toilettes.

Je sortis délicatement l'objet.

– Voici la bête, annonçai-je.

– Il est chargé ?

– Aucune idée.

Violet l'examina sans le toucher. Elle semblait pétrifiée.

– Tu ferais mieux de le rapporter, dit-elle.

– Le rapporter où ?

– Je sais pas moi, au poste de police.

– Ouais, t'as raison, répondis-je en le rangeant. C'est ce que je vais faire.

Quelques instants plus tard, comme je m'apprêtais à traverser la rue, Mick sortit du Caffe Reggio.

– Tu connais la nouvelle ? demanda-t-il. Un crétin de flic a laissé son pétard aux chiottes et quelqu'un est parti avec. Il l'avait retiré de son étui pour chier. Vachement rassurant, hein ?

– Sais-tu qui l'a ramassé ?

– Pas moi, hélas ! Je te jure, si t'avais vu la tête du flic... Il aurait donné n'importe quoi pour le récupérer. Et je me serais bien gardé de le lui rendre, pour le simple plaisir de voir sa tronche de déterré. « Euh, personne n'aurait trouvé un pistolet, par hasard ? »

– Il était mignon ?

Et si c'était le prince charmant venu chercher le bon fourreau ?

– Pourquoi ? s'étonna Mick. Tu sortirais avec un flic, toi ?

Il marquait un point.

– Jamais de la vie ! Quel genre de malade aimerait se promener avec un flingue ?

12

CHAUFF. CENTRAL

Seule au bureau le lendemain, je sortis le pistolet. Il était carré et composé en majeure partie d'ébonite, avec le mot « Glock » imprimé sur la crosse. J'étais soufflée par sa légèreté. Je le posai sur le pèse-lettre. Sept cent cinquante grammes. J'aurais pu envoyer des faire-part à la famille et aux amis : bienvenue à Glock, un beau bébé de zéro kilo sept.

La gâchette était doublée d'une seconde languette en plastique, saillant comme une nageoire. À quoi pouvait-elle bien servir ? Je rangeai le flingue dans le compartiment zippé de mon sac à main et sortis pour rencontrer un nouveau client.

Je m'arrêtai en chemin pour prendre un thé glacé dans un bar, mais j'eus du mal à passer commande car je refusais obstinément de prononcer le mot *grandissimo*. Si les New-Yorkais veulent répéter *venti* et *grandissimo* à tout bout de champ comme des imbéciles, grand bien leur fasse. Sans moi.

– Un thé glacé XL, demandai-je.

– On n'a pas XL, répondit le barman.

Il travaillait en rollers.

– Ce que vous avez de plus grand, alors.

– *Grande*, *gigante* ou *grandissimo* ?

– Le plus grand.

– *Grandissimo* ? articula-t-il lentement.

De guerre lasse, je hochai la tête.

– Un thé glacé *grandissimo* ! insista-t-il en posant le verre sur le zinc.

Je cherchai mon argent dans mon sac.

Un Noir replet, visiblement clochard, entra et longea le comptoir en lorgnant les bocaux de *biscotti.* Il commanda un café court et piocha une liasse de serviettes en papier. Puis, dès que le barman fut parti rouler ailleurs, il déroba le contenu de la chope à pourboire Daffy Duck – un billet de cinq dollars – et le glissa sous son paquet de serviettes. Ses gestes étaient lents et maladroits, mais le billet se fraya malgré tout un chemin jusqu'à sa poche.

Le jeune barman avait des auréoles sous les bras. Il servit le clodo et se vit répondre :

– J'ai demandé un *grande.*

– Oh, pardon, dit le garçon en remportant la tasse.

J'attrapai un stylo posé sur le comptoir et écrivis sur une serviette : « Ce clodo a piqué 5 $ dans la chope », puis traçai une flèche en direction du coupable.

Le clodo paya son café avec le billet volé, récupéra sa monnaie, et jeta dans la chope une pièce de cinq cents qui rebondit bruyamment. Au retour du garçon, je le hélai et lui montrai ma serviette. Au lieu de la prendre, il plissa les paupières et déchiffra laborieusement mon message en remuant les lèvres.

– Ah, émit-il avant d'inspecter la chope.

Le voleur n'avait pas bougé, qui continuait d'effeuiller la pile de serviettes.

Le serveur se propulsa en une foulée au niveau du clodo. Je posai deux dollars sur le comptoir et m'apprêtai à partir.

– Eh mec, lança le garçon, il y avait cinq dollars dans la cagnotte à pourboires.

– C'est peut-être elle qui les a pris, répondit le coupable en me montrant du doigt.

– Ah ouais ? J'en doute fort, répliqua l'autre en exhibant ma missive.

– Salope ! hurla le clodo. T'es qu'une salope !

– Comme si votre opinion sur moi m'intéressait.

– Occupe-toi de tes fesses, salope !

J'ouvris mon sac et sortis le Glock.

– Oh merde !

Le clodo détala comme un lapin.

Je rangeai l'arme illico. La brandir ainsi m'avait tétanisée. Tout le contraire d'une sensation de sécurité. Un vertige terrifiant.

Quand j'étais môme, j'avais voulu impressionner mon père en me risquant toute seule sur les montagnes russes. Malgré ses réticences, il avait cédé, en me qualifiant de « dure à cuire » d'une voix attendrie. Mais à peine le convoi s'était-il ébranlé que j'avais fondu en larmes. Je sentais mon visage se déformer sous la pression, mon cœur se soulever. Au moment où je pensais vraiment rendre l'âme, le train s'était arrêté. Mon père avait payé le machiniste pour qu'il achève le tour quelques secondes après le départ. Sous les huées des autres passagers, je m'étais enroulée à son cou comme un petit singe.

Je m'éloignai du café en hâte. Lorsque je ralentis la cadence, j'aperçus un objet splendide couché contre un mur : un piano d'enfant, amputé de ses pieds. Il était bleu cobalt, orné de roses chinoises jaunes, mauves et rouges. Je le soulevai et enfonçai les touches. Il était assez lourd mais il fonctionnait encore. Je jouai un air appris lors de mes leçons de piano : *Yankee Doodle*. Puis je le calai sous mon bras telle une mallette, et partis à mon rendez-vous sur White Street avec mon nouveau flingue et mon nouveau piano.

Noah Bausch, le client, m'avait précédée. Les mains sur les hanches, il étudiait le haut de la façade. Il portait un short et un bouc. Plus les gens sont riches, plus ils sont négligés... Nous attendîmes ensemble son épouse et sa fille. Dernièrement, j'avais passé beaucoup de temps à attendre les femmes et les bébés d'hommes mariés.

Je gardai mon piano sous le bras, dans une posture volontairement dépourvue de toute sensualité. J'essayais de paraître intéressée sans donner l'impression de draguer. Je ne voulais pas me mettre les épouses à dos, et j'avais de gros progrès à accomplir en la matière, car jusqu'ici je m'étais surtout mis les maris à dos en draguant leurs femmes, suite à quoi tout le monde finissait brouillé.

Je tentais de retrouver cette expression neutre que j'arborais autrefois quand je faisais du baby-sitting. Baby-sitter et agent immobilier sont, à ma connaissance, les seuls boulots où le sex-appeal est banni.

– Alors, vous êtes écrivain ? m'enquis-je d'un ton désinvolte.

– Tout à fait ! Et vous, vous jouez du piano.

– Seulement en amateur.

– Moi, je suis vraiment écrivain. J'écris surtout des nouvelles. J'adore ce format.

Je brûlais de lui demander ce qu'il pensait du fameux adage concernant les nouvellistes : petit récit, petit... ?

– C'est super, ça ! J'adore les nouvelles, mentis-je.

J'évitai de lui demander s'il avait été publié.

– Et votre femme ?

– C'est un agent littéraire très en vue.

– Le vôtre ? demandai-je.

– Hélas non. Cela lui poserait soi-disant un problème de déontologie.

Je devinai à son aigreur qu'il n'avait pas d'agent du tout.

– Mais j'imagine, poursuivit-il, que la déontologie n'occupe pas une place centrale dans votre branche d'activité.

– Non, c'est vrai.

Il consulta sa montre.

– Bon sang, elle arrive toujours en retard.

– Je ne suis pas en retard, dit l'intéressée en surgissant dans son dos.

Elle était plus grande que lui et anorexique, avec d'énormes cernes sous les yeux.

– Où est Flannery ? demanda-t-il d'un ton accusateur, comme si elle venait de perdre l'enfant.

– J'ai persuadé Lala de rester plus tard, rétorqua-t-elle. (Elle me tendit la main.) Hello, je suis Audrey Bausch, annonça-t-elle avec grandiloquence.

Je changeai mon piano de bras et lui serrai la main.

– Comme ce piano est chou ! C'est pour Flannery ? Elle en sera folle !

– Euh, non. C'est pour... (Aucun nom ne me vint à l'esprit.) ...mon usage personnel.

– Ah, fit-elle d'un air faussement gêné.

– Votre fille porte un prénom très intéressant, dites-moi.

– C'est en hommage à l'écrivain Flannery O'Connor, expliqua fièrement Noah Bausch.

Il croyait peut-être que cela servirait ses nouvelles. Mais ta Flannery ne te mènera nulle part, pensai-je.

– Tu sais, Aud, tout le monde n'a pas envie de pourrir notre fille de cadeaux, décocha-t-il.

– D'accord, d'accord. Mais vu que le dernier agent immobilier lui avait offert une dînette, je me disais que...

– Je t'en prie, on ne va pas encore se disputer !

Le pire, c'est que le comportement de Noah me faisait, plus que tout autre chose, regretter mon mari. Un couple qui s'engueulait me rendait bien plus jalouse que celui qui se tenait la main dans la chambre principale, échangeait des œillades complices par-dessus la baignoire en marbre, ou s'embrassait à la dérobée dans l'ascenseur. Les empoignades me manquaient terriblement. Je brûlais de me joindre à ces deux-là comme une débauchée lubrique.

– Qu'est-ce que tu fabriquais ? demanda Noah à sa femme.

– Je suis allée chez le dentiste.

– Ça tombe bien, intervins-je. J'en cherche un, justement. Vous êtes satisfaits du vôtre ?

J'aurais mieux fait de me taire : j'avais l'air de quoi, à ne pas avoir de dentiste ?

– Le nôtre est formidable, dit Audrey Bausch.

– Je ne le trouve pas terrible, opposa son mari.

Je repris mon masque de baby-sitter.

– Je vous montre l'appartement ?

Le seul point d'entente entre les époux Bausch fut leur aversion pour ce loft. J'avais manifestement omis de leur signaler le plafond en aluminium, or leur sophrologue les avait mis en garde contre les effets cancérigènes d'une telle structure ; l'aluminium ne respirait pas, de sorte que toutes les mauvaises vibrations restaient prisonnières des parois et ricochaient comme des balles perdues. Le couple fit front dans sa haine de l'alu.

– Je suis vraiment désolée, dis-je.

Le lendemain, je pris rendez-vous chez le dentiste des Bausch, le Dr Blum. Je lui expliquai au téléphone que j'avais laissé son prédécesseur à mon mari dans le partage du divorce. Aucune fraise, aucun grattoir ayant visité la bouche de Jack, même stérilisés, ne devaient approcher la mienne. Le Dr Blum dit qu'il comprenait et proposa de me recevoir tout de suite.

Je me retrouvai dans un minuscule cabinet en rez-de-chaussée, dans Washington Square West. Allongée dans le fauteuil, la bouche grand ouverte, j'évitais de regarder les gigantesques narines du praticien. Renversant les yeux au maximum, jusqu'à atteindre l'horizontale, j'eus la surprise de distinguer la rue. Les vitres n'étaient pas voilées, au grand bonheur des badauds.

– Heureusement que vous n'êtes pas gynécologue, marmonnai-je, la bouche pleine de ses doigts.

Libre aux Bausch de consulter un dentiste au rabais. Celui de mon mari avait une assistante plantureuse qui nous régalait de sarcasmes sur son petit ami.

Un passant nous observa. Puis un deuxième. Et pourquoi cet imbécile n'installait-il pas son fauteuil en plein milieu de Washington Square Park, tant qu'on y était ? Il aurait aussi bien pu me détartrer sous la grande arche. Tous les piétons s'amusaient du spectacle, ravis de ne pas être à ma place. Je ne m'étais jamais sentie aussi exposée, dans tous les sens du terme. C'était encore pire que de faire du stepper à la fenêtre d'un club de gym. J'étais sûre que le passant suivant serait mon mari.

Mais le passant suivant ne fut pas mon mari. C'était Dale. Flânant dans une tenue de safari kaki, elle stoppa net en me reconnaissant. Je fis semblant de ne pas la voir, malgré ses grands gestes frénétiques.

– C'est un ami à vous ? demanda le Dr Blum.

Je fis non de la tête.

– J'attire tous les tarés du coin, confia-t-il. Ma femme est partie avec les rideaux, du coup j'attire tous les cinglés tels que celui qui nous observe en ce moment. À la maison, c'est les pigeons, et ici les cinglés !

– J'ai aussi les deux, marmonnai-je.

– Mmm. Il semble que nous ayons de nombreuses expériences en commun.

Je doutais d'avoir les mêmes expériences qu'un vieux dentiste chauve.

La grande bouche de Dale articula les mots : « Je t'attends ici », puis elle pointa successivement trois choses : elle-même, moi, et le point précis qu'elle occupait sur le trottoir.

– Elle a eu le front d'essayer de me revendre mes propres stores, alors que je les avais déjà payés, poursuivit le dentiste. Elle les considérait comme les siens au prétexte qu'elle les avait ajustés elle-même. Elle proposait de me les laisser pour quatre mille dollars. Ce qui revenait à les payer deux fois !

Ah, si seulement j'avais emporté les rideaux beaux à crever qui décoraient le salon de mon mari. Sauf que mon nouveau plafond était moitié moins haut que le précédent ; mes fenêtres auraient eu l'air de petits garçons noyés dans les pyjamas de leur père. Soudain, ces rideaux me manquaient plus que tout. Je voulais m'y enrouler, y batifoler pendant des heures en jouant les Scarlett. Mon mari n'y était même pas attaché. Il se réveillait furibond dès que le moindre rai de lumière osait s'introduire dans la pièce sans son autorisation expresse.

Mme Blum avait été bien inspirée.

– J'aimerais vous revoir avant votre prochain détartrage, dans six mois.

Les poils de ses phalanges bombaient ses gants en latex. J'hésitai.

– Crachez, dit-il.

– J'ai un fiancé, lâchai-je d'une traite.

Dit comme ça, je faillis y croire moi-même. Une image d'homme se formait dans ma tête, mais je ne pouvais l'identifier à coup sûr.

– Vous ne disiez pas être séparée depuis peu ?

– Mais si, répondis-je d'un grand sourire.

J'éprouvais soudain une étrange sensation de félicité. J'étais persuadée d'avoir un petit ami. J'étais juste incapable de le visualiser. Puis je compris qu'il s'agissait d'Andrew, et mon sourire s'envola.

– Vous savez où me trouver, conclut le Dr Blum.

– Exactement. Je vous ferai signe en passant dans la rue.

Dale resta prostrée comme un nain de jardin jusqu'à la fin de la séance, de sorte que je ne pus me dérober.

– Supeeeeer ! dit-elle. Comment vas-tu ? Tu n'as rien de prévu dans l'heure qui suit ?

Je manquai de vitesse sur ce coup-là.

– Quelle chance de te rencontrer par hasard ! Ce doit être le destin, je ne vois que ça. Tu te souviens comment tu te plaignais de ton appart ?

Non, je n'avais pas souvenir de ça.

– L'odeur, le trou dans la cuisine, le sol tellement penché que tous tes verres roulent par terre...

Finalement, j'avais peut-être mentionné un ou deux détails.

– Eh bien, figure-toi qu'un appartement se libère dans mon immeuble ! Au même étage, la porte voisine de la nôtre ! On peut devenir voisines !

– Combien ?

– Seulement mille huit par mois.

– C'est plus que ce que je paie en ce moment.

– Mais tu en as les moyens. Tu vas gagner beaucoup d'argent en travaillant pour moi. Et puis, il faut des sources de motivation, dans ce métier. C'est dans la nécessité qu'on se fait le plus de fric.

– Tu ne préfères pas toucher une commission en le louant à quelqu'un d'autre ?

– Règle numéro un dans l'immobilier : ne chie pas dans la soupe. Allez viens ! On saute dans le métro. J'habite à Chelsea.

Nous fîmes d'abord une halte pour que Dale s'achète une part de pizza, puis nous réussîmes à prendre le métro dans la mauvaise direction. Deux New-Yorkaises de naissance, agents immobiliers, connaissant le réseau de transports en commun sur le bout des doigts, passant leur temps à orienter les piétons égarés, deux personnes qui oseraient presque traverser Central Park la nuit, qui savaient situer chaque pâté de maisons, chaque rue, chaque allée, et qui partaient dans le mauvais sens, droit sur Brooklyn.

Nous quittâmes la rame à la station Chambers, gravîmes un escalier et redescendîmes sur le bon quai, avant de nous affaler sur un banc, séparées par une minuscule bande de bois.

– Comme c'est eskitant, roucoula Dale. J'ai l'impression de voir la vie sous un jour complètement nouveau.

– Super.

– *Tu* es super, Liv.

Le métro arriva, et nous montâmes chacune par une porte différente.

– Si tu prends l'appartement, nous pourrons voyager ensemble tous les jours, observa ma patronne.

Pendant tout le trajet, je ne cessai de chercher un lieu où ma présence serait requise. N'importe quelle excuse pour fausser compagnie à Dale. Il devait bien exister un boulot qui ne vous oblige pas à voyager avec le patron.

Nous pénétrâmes dans le vestibule miteux d'un vieil immeuble décrépit.

– Il n'y a pas d'ascenseur ? demandai-je.

– Tu m'as bien regardée ?

Nous nous engouffrâmes dans un minuscule ascenseur poussif dont la porte était munie d'une fenêtre ronde semblable à un hublot. Nous commençâmes par descendre au lieu de monter, ce qui noircit le hublot comme si nous plongions sous l'eau, puis nous nous élevâmes péniblement jusqu'au quatrième étage.

– Je te montre d'abord l'appartement vacant ? proposa Dale.

Elle tourna la clé dans la serrure. Comment pourrais-je vivre dans un appartement dont ma voisine Dale posséderait la clé ? Grâce à mon flingue, peut-être. Nous avançâmes dans une petite pièce carrée attenante à une seconde petite pièce carrée. L'une était peinte en blanc, l'autre en noir. On aurait l'impression de vivre dans un domino.

– Voici la cuisine, dit Dale en indiquant le côté noir.

La moitié blanche était traversée en son centre par un poteau.

– Génial. J'adore les poteaux.

– Je sais que ce tuyau a de quoi intriguer, mais il y a de la place autour.

– Non, ça tombe vraiment bien, parce que je suis strip-teaseuse à mes heures perdues, et j'avais besoin d'un poteau pour m'entraîner chez moi.

– Aucun endroit n'est parfait, récita Dale comme si elle s'adressait à une cliente lambda.

L'emplacement du poteau interdisait l'installation d'un lit. On pouvait disposer autour un canapé et deux fauteuils, mais pas un lit.

– Sérieusement, c'est parfait, parce qu'il se trouve que j'ai un lit en forme de doughnut. Je n'aurai qu'à le scier en deux pour faire passer le poteau au centre du trou.

– Attention ! cria Dale quand je voulus y appuyer ma main. C'est le tuyau du chauffage. Il n'est pas isolé, alors tu risques de te brûler.

– C'est pas de chance, ça. J'ai toujours rêvé de hisser le drapeau américain en plein milieu de ma chambre, mais là il risquerait de prendre feu.

– Ça va, j'ai compris. Je voulais te donner ta chance, mais tu sembles décidée à me faire perdre mon temps. Je pensais que ce serait chouette d'être voisines, c'est tout.

– Quelle est la hauteur du plafond ?

– Trois mètres vingt, répondit-elle comme si ça pouvait m'intéresser.

– Trois mètres vingt ? C'est marrant, ça. Parce que même avec une perche de trois mètres vingt je refuserais de toucher cet appart, or c'est exactement ce que nous avons ici.

– Ça va, n'en rajoute pas.

– Tu as aussi un poteau, chez toi ?

– Viens, je vais te montrer.

– Harri ! On est rentrées ! lança Dale en ouvrant sa porte.

Je la suivis dans un couloir étroit et sombre menant à un minuscule séjour.

Harri était allongée sur un divan face à un gros téléviseur. Son grand tee-shirt blanc proclamait « Poussez-vous de là, je fais du shopping » en capitales noires. Elle serrait un vieux morceau de flanelle – son doudou, probablement. La télé diffusait le film pour enfants *Freaky Friday*, avec la jeune Jodie Foster.

– Regarde, Harri. J'ai ramené la vedette.

– Salut, Liv, répondit Harri sans décoller les yeux du poste.

– Je t'ai demandé de mettre un drap sur le canapé quand tu voulais y passer la journée ! grogna Dale.

– Eh, on n'est pas dans ton bureau, répliqua Harri. Ici, t'es plus la chef. Je fais ce que je veux. Si j'ai envie de chier sur le sofa, c'est moi que ça regarde.

– Vous payez combien par mois ? demandai-je.

À New York, une telle question n'a rien d'inconvenant. Il serait même choquant de ne pas la poser. Demander à quelqu'un le montant de son loyer est une coutume très new-yorkaise. C'est aussi une coutume à Los Angeles, mais ce sont des New-Yorkais expatriés qui l'y ont introduite.

– Seulement quatre cents dollars, répondit gaiement Dale. Cet appart est dans la famille de Harri depuis des années. Nous avons choisi d'y rester, ce qui nous permet, avec l'argent ainsi économisé, de passer tous les ans un mois en Italie. J'allais d'ailleurs te proposer d'être de la partie.

Je ris comme s'il s'agissait d'une blague.

– Je suis sérieuse ! Tu devrais venir. Vois-tu, j'aimerais que nous dépassions le stade de la simple relation employeur-employée. Nous pourrions devenir une véritable équipe.

– Je peux utiliser les toilettes ? demandai-je.

Je n'osais prendre le canapé...

– Bien sûr. Harri, montre à la môme où se trouve le petit coin.

– C'est là, grommela Harri en pointant son pouce par-dessus son épaule.

– Merci, je trouverai.

La lunette des toilettes émit une bruit visqueux sous mon poids. Une étagère entière de chouettes en porcelaine me dévisageaient et, suspendu à la porte, un séchoir en fil d'acier supportait un lot de serviettes hygiéniques géantes pour flux abondant.

L'appart de Dale était pire que le mien. Elle s'asseyait sur ce trône tous les matins puis passait le reste de la journée à montrer des salles de bains en marbre, avec la déférence d'une domestique. Des salles de bains équipées de jacuzzis, de téléviseurs muraux, de lumières tamisées, de doubles vasques, avec des bocaux de poissons rouges, des flacons de Chanel et de Kiehl's, d'épaisses bougies parfumées, des sels de bain, des gommages au gingembre, des savons de Provence...

– Pourquoi tu l'as ramenée ici ? entendis-je chuchoter Harri.

– Je lui montrais l'appartement d'à côté.

– Tu espérais que je serais absente ?

– J'avoue que tu fais tout pour, répondit Dale.

– J'aimerais que tu fasses preuve d'un minimum de discrétion, Dale.

– T'es folle, ou quoi ? C'est mon employée.

Agent commercial indépendant, rectifiai-je dans ma tête. Soudain, je trouvai un prétexte pour partir sur-le-champ. Un truc imparable.

– Je dois y aller, annonçai-je en sortant des toilettes.

– Pourquoi ? questionna Dale d'un air méfiant.

C'est là que je sortis mon excuse :

– Parce que j'en ai envie.

Harri pouffa. Elle se leva du canapé et me reconduisit à la porte.

De retour dans la rue, j'examinai l'immeuble de Dale. La façade était ornementée, mais sitôt passé l'angle on découvrait qu'il s'agissait en fait d'un vieux bâtiment ouvrier. On y avait simplement plaqué un masque. Mon immeuble n'était pas mieux, mais au moins il était franc. Un escalier de secours barrait mes fenêtres comme une cicatrice sur un torse, mais ce n'était pas du toc. Les gens finissent tous par ressembler à leur immeuble, comme d'autres à leur chien.

Au passage clouté, deux garçons attendaient avec moi que le feu passe au rouge. Ils devaient avoir dix-sept ans, et portaient des jeans aussi bouffants que des jupes. Ils suivirent du regard deux filles qui s'éloignaient.

– Putain, y a d'l'a meuf ici !

– J'ai pas vu leur tronche.

– T'as pas besoin de voir leur tronche. Elles finissent toutes à quatre pattes, de toute façon. T'as juste besoin d'aimer leur nuque.

Ils rirent, et l'espace d'une minute je me rappelai ce que j'aimais chez les hommes.

13

PTRS & MOUL.

Retrouver mon appartement, son odeur et son dénivelé fut une délivrance. J'ôtai mes chaussures à la force du mollet. Mon intérieur était une vraie porcherie ; des bouts de papier et de cellophane se collaient à mes pieds. Mais au moins j'avais pour voisine une prostituée crackomane, et non Dale.

Je me laissai tomber sur le lit et songeai aux rideaux de mon mari. J'avais sûrement bien fait de ne pas les prendre. Je me demandais toutefois si les femmes qu'il ramenait à la maison les remarquaient.

Le téléphone sonna.

– Allô ?

– Comment va ma future femme ?

Andrew. Je commençais à me demander quand il allait appeler.

– Qui est à l'appareil ?

– C'est moi, dit-il.

J'entendais de l'eau couler à l'autre bout de la ligne.

– Tu m'appelles de ta douche ? J'en déduis que ta copine est là.

– Mais non. Je fais la vaisselle. J'ai dîné d'une patate au four. Comment s'est passée ta journée ?

– Je suis allée chez le dentiste, lui répondis-je comme Mme Bausch à son mari.

– Ça n'a pas l'air d'être la grande forme.

– Si, si.

Comment le savait-il ? J'étais moi-même incapable de discerner la grande de la petite.

– Qu'est-ce qui ne va pas, chérie ?

– Mon appartement me manque. Mes fenêtres me manquent. Ma vue imprenable me manque. Ma moquette me manque.

– Oh, mon pauvre bébé... Et ton ex, il te manque ?

– Non. Mes rideaux me manquent.

– Ça en dit long sur ton mariage.

Andrew m'écouta décrire mon ancien home pendant une bonne heure. Je passai tout en revue, et il se montra d'une patience exemplaire, me questionnant même sur les moulures, l'éclairage et les poutres.

– Je connaissais cet immeuble, il était superbe, dit-il gravement, comme lorsqu'on cherche ses mots pour honorer un défunt.

Ça faisait du bien de parler. C'était comme un travail de deuil. Il devrait y avoir des obsèques pour les appartements. Des avis dans la rubrique nécrologique du *New York Times*. Des associations du souvenir.

L'eau continuait de couler.

– Ça fait beaucoup de vaisselle pour une seule patate, observai-je.

Le lendemain soir, je venais de rentrer quand l'interphone sonna. Andrew, de nouveau. Je repoussai en catastrophe mon bazar dans le placard. Des bouts de papier débordaient des battants à claire-voie, telles des griffes d'ours. Les mêmes griffes que je guettais petite, la nuit, dans le filet de lumière sous la porte de ma chambre.

Andrew était en nage d'avoir monté quatre énormes sacs-poubelle. Il portait un pantalon noir, un col roulé noir, et un béret basque noir des plus comique, avec le petit haricot dressé en son centre comme une mini-érection. La lisière du chapeau plaquait une frange sur son front.

– Quoi ? dit-il.

– Très classe !

Il ôta son couvre-chef et fila à la cuisine pour se mirer dans la seule glace en pied de l'appartement, histoire de s'assurer qu'il ne lui était rien arrivé en chemin. Il s'aspergea le visage et les cheveux dans l'évier et s'essuya avec un torchon.

Il emprunta ma brosse et se recoiffa par petites touches rapides et régulières, comme un boxeur à l'échauffement. Je le regardai, médusée. Puis, sans complexes, il examina ses dents dans la glace.

– Qu'est-ce que tu fabriques ? finis-je par demander.

– Je tiens à être impeccable pour toi. (Il retourna au salon, où je le suivis.) Alors, tu n'ouvres pas ?

Je regardai dans l'un des sacs. Des mètres entiers de soie dorée.

– Tiens, c'est exactement comme les...

Il sortit sous mes yeux les rideaux de mon mari. Il avait fait toutes les pièces de l'appart.

– Tu voulais aussi les tringles ? Je peux y refaire un saut, tu sais.

– Mais comment as-tu... ?

– Peu importe. J'ai mes petits secrets. Je suis *architecte.*

À l'entendre, cela équivalait à président des États-Unis.

– Je ne pouvais te rapporter les fenêtres ni la vue, mais au moins tu récupères les rideaux. Et j'ai un autre petit souvenir pour toi.

Il déroula de son sac marin une bande de moquette en laine claire.

– Je l'ai découpée sous le canapé du salon. Ton mari ne remarquera rien à son retour. Mais t'imagines, le jour où il voudra déplacer les meubles ? Ah, je donnerais n'importe quoi pour voir ça...

Je serrai la chute de moquette contre moi. À l'âge de onze ans, j'avais été incapable de choisir celle de ma chambre. J'aimais le rose, mais aussi le rouge, le bleu et le jaune. Me voyant au supplice, mon père opta pour des carrés multicolores qu'il assembla comme un patchwork.

– Désormais tu auras ta moquette au bord de ton lit, et tu

te sentiras heureuse quand tu poseras les pieds par terre. On essaye ?

Il entra dans la chambre et disposa son larcin, qui couvrait pratiquement tout l'espace entre le mur et le lit.

– Et que comptes-tu faire des tentures ? Les suspendre ou réclamer une rançon ?

Il colla le téléphone à son oreille et fit semblant de braquer un pistolet sur la tête des rideaux.

– Écoute, mec. Écoute attentivement ce que j'vais t'dire. On détient tes rideaux, et si tu veux les r'voir un jour, j'te conseille de faire c'qu'on t'dit. Pour te prouver qu'on les a, écoute un peu. Dites quelque chose ! hurla-t-il aux rideaux.

Il leur tendit le combiné et les fit froufrouter.

– Alors, qu'ess'tu dis d'ça, gros malin ? T'as entendu ? On les tient et on les tient bien.

Puis il joua mon mari rentrant à la maison et découvrant les fenêtres nues.

– Tiens, tiens, tiens... murmura-t-il d'un air songeur.

Les jambes écartées, il posa une main sur sa taille et se gratta le front de l'autre.

– Il y a comme quelque chose de changé...

Je me mis à rire. À rire si fort que c'en était presque douloureux. On ne pouvait plus arrêter Andrew. Des larmes me coulaient sur les joues, et je peinais à reprendre mon souffle. De telles crises se comptent sur les doigts de la main dans l'existence d'une femme. Andrew poursuivit son numéro jusqu'à ce que je le supplie de se taire.

J'appréhendais de faire l'amour avec Andrew. Depuis mes fiançailles, je n'avais connu que Jack, et depuis ma séparation, mon contact charnel le plus abouti avec un homme se résumait aux mains de Dale sur mes épaules.

La chambre tournoyait comme si j'étais soûle. Je m'agrippai à Andrew, et il n'ôta sa bouche de mon visage que pour me mordre les oreilles.

– Je n'ai pas de préservatifs, dis-je.

– Alors, on s'en passera.

– On ne peut pas faire ça sans protection.
– C'est bon, j'en ai.
– Tu as apporté les tiens ?
– Tu croyais peut-être que j'allais entrer chez un type par effraction, piquer ses foutus rideaux, et venir te les offrir sans avoir pensé à acheter des capotes ?

Quand ce fut terminé je retins mon souffle, m'attendant à pleurer. Lors de ma première nuit d'amour avec mon mari, j'avais éclaté en sanglots et m'étais enfermée dans la salle de bains pendant une heure. Il m'avait glissé une série de petits mots rigolos sous la porte, mais mes larmes n'en avaient que redoublé. Je constatai toutefois que le sexe avec Andrew n'entamait en rien mon moral.

– J'ai perdu une boucle d'oreille, découvris-je en massant mon lobe endolori.
– Je sais, je l'ai avalée. Je suis vraiment désolé.

À vrai dire, je trouvais cela excitant. J'avais déjà envie de lui servir l'autre.

– Ce diamant pourrait nourrir tout un village, tu sais.
– C'est étonnant, répondit Andrew, parce que ça ne m'a pas du tout calé.
– Tu vas devoir explorer tes selles jusqu'à ce que tu le retrouves.
– Et si tu t'en chargeais à ma place ?
– Je doute que ta copine apprécie de me voir débarquer chaque matin pour fouiner dans ta merde.

En un sens, il me plaisait d'imaginer mes diamants logés dans les excréments d'Andrew. Quand mon mari me les avait offerts au Rainbow Room de Rockfeller Plaza, je n'aurais jamais pensé qu'ils finiraient dans les intestins d'un autre.

– Il va falloir que tu m'héberges le temps que ça sorte, conclut Andrew.

M'arrachant à ses bras, je me levai pour examiner mon oreille dans le miroir. Elle était rouge et endolorie, mais entière. Quant à la moquette kidnappée, elle avait sous mes pieds la texture du sable fin. Douce, chaude, rassurante et bienveillante.

Andrew me ramena sur le lit et nous échangeâmes des rafales de baisers enfiévrés, comme si sa copine attendait derrière la porte et que nos jours étaient comptés. Andrew vivait avec quelqu'un, certes, mais moi je divorçais. D'une certaine façon, cela revenait au même.

– Ta copine ne va pas se demander pourquoi tu as découché ?

– Elle croit que je surveille les chiens d'une amie à University Place. En réalité, je ne commence que ce soir. J'y resterai toute une semaine. On la passe ensemble ?

– Toute une semaine...

En base chien, cela faisait sept semaines entières.

– J'adore ton odeur, murmura-t-il. J'adore notre sexe.

– Le *nôtre*, répétai-je sur le ton de Mme Bausch évoquant son dentiste. Moi aussi je l'adore. Sauf les morsures.

– Je sais bien, mais c'est plus fort que moi.

Il me grimpa dessus et remonta la couette.

Les hommes que je fréquentais étaient tous ceinture noire d'un art martial quelconque ; je me retrouvais invariablement à virevolter dans tous les sens. Je ne faisais pourtant rien de particulier pour les attirer. Ce devait être le destin. Comme pour Violet, qui sans le vouloir était sortie avec six David de suite.

Manque de pot, Andrew aimait aussi me mordre. Ses dents venaient régulièrement croquer le lobe, voire le contour charnu de mon oreille. Il serrait les mâchoires, relâchait légèrement, puis serrait de plus belle. Si je résistais, il plantait ses crocs plus fort et me martelait les tympans à coups d'onomatopées idiotes, de celles que l'on emploie devant un gosse pour imiter un monstre glouton. *Niam niam niam.*

Mon répondeur s'enclencha. D'une voix rocailleuse de petit matin, Dale m'informait que Harri et elle partaient à Venise sans moi, et qu'elle me confiait la boutique pendant quatre semaines. Avec une seule affaire à mon actif, j'étais déjà promue à la tête de l'agence. « Notre avion décolle de JFK à 19 heures. » Elle m'indiqua la compagnie et le numéro du vol. « Si jamais tu changeais d'avis, appelle-moi. Ou retrouve-nous à l'aéroport. Je t'ai gardé un billet. » Dans les fantasmes de

Dale, je devais sûrement courir dans le terminal en criant : « Je t'aime, Dale ! Ne pars pas sans moi ! »

– Tu comptes les rejoindre ? demanda Andrew.

– J'ai des chiens à garder, lui rappelai-je. Je dois veiller à ce que tu ne les mordes pas.

Andrew revint sur moi et nous pratiquâmes *notre* sexe. Il prit mon lobe entre ses dents mais évita de me mordre. Je me détendis un peu. Je suis en train de baiser, me dis-je, et mes soucis s'envolèrent d'un coup.

Tout engourdis, nous sortîmes pour avaler un morceau. Je suggérai des crêpes chez Les Deux Gamins, mais Andrew préférait la pizza. Nous nous retrouvâmes accoudés à une petite table haute, nos triangles à la main. La croûte était si délicieuse que je n'osais déglutir. Je n'avais jamais rien goûté de semblable. Sans parler de l'origan sur ma langue, et des couleurs, et du carillon des cloches de l'église en face ! C'était la première fois que je remarquais cet édifice.

Mon oreille était écarlate et enflée, comme si l'on y avait planté une American Beauty [1]. Mais j'en étais très fière. J'avais l'impression que tout le monde pouvait voir *notre sexe.*

De retour dans la rue, Andrew me prit la main.

– Imagine qu'un ami ou un collègue de Jordan nous surprenne, dis-je.

Je ne l'avais encore jamais appelée par son prénom.

– Ça m'est égal.

Puis mes yeux se posèrent sur son jean. C'était le mien. Il portait mon jean !

Je stoppai net.

– Que se passe-t-il, Liv ?

– C'est mon jean que tu portes là ?

– Non.

– Si, c'est mon jean. Tu m'a pris mon jean ? !

– Oui, chérie, et alors ?

Comment était-ce possible ? Il était beaucoup plus gros que moi. Et plus grand, fût-ce d'un chouia. J'étais mortifiée. Je

1. Variété de roses rouges. (*N.d.T.*)

refusais de faire un pas de plus avec un homme qui portait mon jean. Mon jean aurait dû se refuser à sa silhouette de tonneau. Jamais un homme ne s'était montré aussi cruel.

– Tu sais, c'est le plus large que je possède, expliquai-je sans grande conviction. Comment t'as fait pour rentrer dedans ?

– C'est passé comme une lettre à la poste.

– Impossible !

J'aurais voulu qu'il me le rende sur-le-champ et se pointe devant sa copine en caleçon.

– J'en fus le premier étonné, dit-il avant d'éclater de rire.

Comment pourrait-il me trouver attirante après une telle expérience ? Il m'embrassa, pourtant, et frotta mon jean contre moi. Spectacle inédit : mon jean couvrant une érection.

– Je vais le garder toute la semaine, décida Andrew.

14

TT EN FENÊTRES

Il était temps de se mettre au travail. Dale partie, j'avais une agence immobilière à faire tourner. Je n'allais pas chômer. Je m'assis dans le fauteuil de la patronne et suivis par la vitre un ballet de moineaux ayant élu domicile dans le poteau creux d'un feu de signalisation – le nec plus ultra en matière d'immobilier ornithologique à New York.

Lorna fit son entrée.

– Y a un truc qui pue !

– Je t'assure que non, Lorna.

– Et moi, je te dis que si. Et maintenant que c'est moi la responsable, on va bosser la fenêtre ouverte.

Elle sortit un joint de son sac et l'alluma.

– À vrai dire, Lorna, c'est à moi que Dale a confié l'agence, et tu ne devrais pas fumer d'herbe dans les locaux.

– Et pourquoi ce serait toi la responsable ? Tu n'as jamais conclu une seule affaire.

– C'est faux.

– La tour infernale ne compte pas.

– Là n'est pas la question, Lorna. C'est à moi que Dale a confié l'agence, et j'apprécierais que tu ne fumes pas pendant les horaires de travail.

Lorna continua de tirer sur son joint.

– Je sais pourquoi elle t'a demandé de la remplacer, reprit-elle. C'est parce que vous couchez ensemble.

Elle lâcha un rire hystérique.

J'étais ébahie, non par sa remarque, mais parce que je ne l'avais jamais vue rire auparavant. Le téléphone de Dale sonna, et nous bondîmes toutes deux pour répondre. Mauvaise perdante, Lorna hurla : « Crève, pouffiasse ! » et partit en claquant la porte.

L'appel venait d'une dénommée Juliet Flagg, qui avait aperçu le panneau accroché à la fenêtre derrière le bureau de Dale. Cette dernière m'avait obligée à le confectionner moi-même – « Galerie immobilière Dale Kilpatrick », écrit en lettres tordues sur une planche rose fluo. La cliente me demandait de venir estimer la valeur de son loft sur Liberty Street.

Je m'y rendis en taxi. Juliet Flagg m'ouvrit dans une robe de mariée que j'avais repérée dans la vitrine de Morgane Le Fay, au premier carrefour après l'agence. Son visage était encadré de longs cheveux roux aux extrémités crénelées comme les dents d'une citrouille de Halloween.

Je restai figée sur le seuil.

– Entrez donc, j'ai très peu de temps.

Elle se retourna et je lui emboîtai le pas. Un tissu blanc extrafin révélait le raffinement du corset et la structure de la crinoline. Équilibre parfait entre le tendre et le ferme, à l'image d'une boule de glace sur un cornet.

– Alors, qu'en pensez-vous ? demanda Juliet.

– Je n'en ai jamais vu d'aussi belle, avouai-je avec un brin de culpabilité vis-à-vis de mon père.

– Je suis ravie qu'elle vous plaise, mais je parlais du loft. Je viens de l'acheter, ce matin même. La robe, j'entends. Et c'est là que j'ai vu votre écriteau. J'avais déjà contacté une autre agence pour procéder à l'estimation, mais la fille m'a paru un peu bizarre, alors j'ai préféré demander un second avis. J'ai peur que tout cela ne soit un peu précipité.

L'esprit de compétition s'empara de moi. Je sortis mon agenda en cuir et commençai à prendre des notes dans la section baptisée « exclusivités ». L'idée de me faire doubler par un autre agent m'était insupportable.

– Ma consœur est déjà passée ? demandai-je.

– Non, mais elle sera là d'un moment à l'autre.

– Vous devriez vous en débarrasser.

– Mais elle est en route. Je ne peux pas lui fermer la porte au nez.

– Je parlais de la robe. Il ne faudrait pas qu'elle s'abîme, dis-je avec l'aménité d'un courtier aguerri.

J'étais bien décidée à rafler cette affaire.

– Enlever ma robe ? Mais je viens de l'enfiler. On a lacé mon corset dans la boutique. Le mariage est à 14 heures, c'est-à-dire dans moins d'une heure. Il n'y a pas une minute à perdre.

Le loft était situé dans un ancien immeuble de bureaux. Les sols étaient en mosaïque de marbre, et Juliet disposait dans son entrée d'une trappe à courrier cuivrée à l'ancienne. On pouvait poster des lettres de chez soi ! La salle de bains était boisée comme un chalet, et la cabine de douche occupait l'angle formé par deux murs de verre, ce qui permettait de se laver en observant la circulation douze étages plus bas.

– Surprenant, n'est-ce pas ? Mais l'immeuble d'en face héberge une entreprise. Par conséquent, si vous prenez votre douche avant 9 heures ou après 17 heures, il n'y a qu'elles pour vous voir, expliqua Juliet en indiquant les gargouilles. Alors ? Je peux en espérer combien, d'après vous ?

Je n'en avais pas la moindre idée. Même mon père aurait aimé cet appartement. C'était un vrai paradis. Tout ce que je savais, c'est que tôt ou tard Juliet se mordrait les doigts d'avoir vendu. Elle aurait l'air fin, une fois divorcée et contrainte de poster son courrier dans la rue comme Madame Tout-le-monde. Elle regretterait son geste chaque fois qu'elle se doucherait entre quatre murs opaques.

Étais-je avant tout femme ou agent immobilier ? Si j'étais d'abord une femme, je me devais de l'empêcher de commettre l'erreur de sa vie.

Pour autant, il fallait bien lui répondre quelque chose.

– Six cent mille, hasardai-je.

– Vous ne voulez pas connaître le montant des charges ?

Je n'avais pas pensé à ça.

– Bien sûr, dis-je d'un ton désinvolte, comme si mon

savoir-faire me dispensait de paramètres aussi mineurs. Je vous écoute.

– C'est très élevé. Deux mille deux par mois.

– Ah oui, c'est effectivement très cher.

– Mais vous n'avez même pas vu la terrasse.

Les terrasses en toit étaient de pures merveilles. Il en restait très peu qui n'arboraient pas le drapeau arc-en-ciel de la communauté gay. Les homos avaient conquis les plus belles surfaces extérieures de la ville. Ils avaient les meilleurs goûts et les meilleurs salaires.

– J'aime vraiment cet endroit, commenta Juliet. (Sa voix vibrait de cette passion que seuls les appartements suscitent.) J'espère que je ne fais pas une bêtise.

J'ignorais si elle parlait du mariage ou de la vente. À voir la tristesse de son regard, j'avais l'impression de l'euthanasier. Abandonner un loft pareil pour un homme tenait du meurtre et/ou du suicide.

Et si je me rendais à la cérémonie pour m'opposer à leur union ? Je pouvais m'assigner pour mission, en tant que presque divorcée, de m'opposer à tous les mariages. Je pouvais me rendre chaque matin à l'hôtel de ville et objecter toute la journée durant. Si quelqu'un tentait de m'attraper, je lui jetterais du riz au visage avant de prendre la fuite. Mon costume consisterait en un simple chapeau Peter Kellerman à voilette. J'empêcherais des centaines de mariages chaque semaine. Puis un jour l'Objecteur solitaire se ferait arrêter, et mon mari se sentirait obligé de payer ma caution. Il me dirait quelque chose du style : « Liv, combien de fois t'ai-je répété que si tu aimais tant objecter, il fallait devenir avocate ? » Je serais traduite devant le juge Garrett qui déclarerait : « D'abord vous oubliez un « n » à « ordonnance », ensuite vous devenez agent immobilier, et maintenant ceci ! »

Juliet paraissait ennuyée.

– Je sais que ça va vous surprendre, mais je ne peux pas...

– Vous ne devriez pas vendre, lâchai-je.

– Quoi ? Non, j'allais vous demander de m'égaliser les cheveux. Sans réfléchir, je les ai raccourcis toute seule ce matin mais je sais que c'est un désastre. J'ai confiance en vous.

Elle me tendit une paire de ciseaux.

Autrefois, la grand-mère d'un petit ami Italien m'avait forcée à lui couper les cheveux. Ils étaient gris et raides comme une planche, et ses ciseaux ne valaient rien. Mes protestations furent sans effet : je dus poursuivre le massacre, qui prit l'aspect d'une ribambelle de stalactites. En découvrant le résultat la vieille m'avait lancé : « Soyez maudite ! » en faisant mine de me planter les ciseaux dans le cœur.

– Je ne suis pas douée pour ça, répondis-je à Juliet.

– Je vous en prie, je ne peux pas me marier avec cette tête-là !

– Je ne saurais pas le faire, insistai-je. Allez donc au Tortolla Salon. C'est à quelques blocs d'ici, sur Franklin Street. Tom vous prendra immédiatement si je lui dis que c'est une urgence.

J'entendais encore Tom me raconter qu'il se méfiait des femmes qui se coupaient les cheveux toutes seules, car la plupart s'avéraient des maniaques dégénérées.

– S'il vous plaît, essayez quand même. Je dois rester ici pour recevoir l'autre agent.

J'en déduisis que si je ne jouais pas les coiffeuses, ma rivale s'en chargerait.

– Qui est cet autre agent ? demandai-je.

– Une certaine Washenko, ou un nom de ce genre.

– Valashenko ? Mais je la connais !

J'étais heureuse d'apprendre qu'elle avait enfin réussi l'examen. Cela dit, je ne me sentais pas excessivement menacée. Elle était sans doute aussi empotée que moi avec une paire de ciseaux.

– Elle n'est pas très bonne, ajoutai-je.

Comment osais-je médire sur cette pauvre Valashenko ? Je devenais aussi méchante que Dale.

– Ah bon ?

– C'est une nullarde. Vous devriez vraiment aller chez Tom. Là, tout de suite. Je vais l'appeler.

Elle palpa nerveusement les mèches de son dos.

– Vous avez peut-être raison.

Je sortis de mon sac un mandat vierge. Tout en lettres capitales, il stipulait que la Galerie immobilière Dale Kilpatrick jouissait, pour une durée d'un an, d'un droit de vente exclusif sur l'appartement.

– Un an ? s'étonna Juliet. J'espérais qu'il serait vendu au retour de mon voyage de noces.

– Je suis sûre que ce sera le cas. Dès que je regagne l'agence, je consulte nos fichiers informatiques pour affiner mon estimation, puis je lance aussitôt l'annonce. Il me faudra simplement un jeu de clés et un numéro de téléphone pour vous communiquer les offres.

Elle partait le soir même, pour une durée de trois semaines.

– Je vous appelle dès que j'arrive à l'hôtel, promit-elle.

Elle signa, et nous prîmes l'ascenseur ensemble. Puis elle monta dans une limousine.

– J'ai le trac, dit-elle par la vitre baissée.

– Tout va bien se passer, Juliet.

– Je sais, c'est loft de ma vie.

Je pouffai de rire.

– Vous voulez dire : l'homme de votre vie ?

– Oui, c'est ce que j'ai dit : l'homme de ma vie.

Je donnai au chauffeur l'adresse de Tortolla et les saluai de la main. La limousine s'ébranla. Puis je me souvins que le salon était fermé le lundi. Je me mis à paniquer.

– Attendez ! criai-je. (La voiture s'éloignait.) Attendez ! Attendez !

Je parvins à la rattraper au feu rouge.

Juliet baissa de nouveau sa vitre.

– Tout compte fait, dis-je d'une voix haletante, je peux vous les couper moi-même. Après réflexion, vous n'aurez pas le temps d'aller jusque chez Tom. Je vais vous le faire tout de suite.

– Je ne sais pas trop...

– S'il vous plaît, j'y tiens.

Le chauffeur rangea la voiture sur le côté et Juliet sortit de son sac une trousse de manucure en croco. Je l'aidai à s'extraire de la limousine et me plaçai derrière elle, serrant d'une main tremblante de minuscules ciseaux dorés. Prenant exemple sur Tom, je pinçai une mèche entre deux doigts à deux centimètres des pointes, donnai un coup de ciseaux, puis recommençai. Des poils roux tombèrent en pluie sur sa robe blanche, que j'époussetai vigoureusement.

– Voilà !

Elle remonta dans la voiture et disparut.

Quand j'étais petite, mon psy m'avait dit une chose qui me marquerait à jamais : « Tu sais, Liv, si tu avais été prisonnière d'un camp de concentration, tu aurais survécu.

– Et comment ? demandai-je.

– En trouvant le moyen de te rendre utile. »

Cet échange remontait à quinze ans, mais il me perturbait encore.

L'instant d'après, Valashenko et son feutre violet apparurent. Elle s'arrêta en me voyant.

– Salut, Liv.

– Valashenko !

Je la trouvai vieillie et fatiguée. En fait, elle ressemblait à un chameau. Ses yeux avaient grossi et son visage était comme recouvert d'une seconde couche de peau. Quant à ses cheveux... On aurait dit que je les avais coupés moi-même. J'osais à peine la regarder.

– Tu as une mine splendide, mentis-je.

– Disons que j'ai connu quelques moments difficiles, mais j'ai fini par décrocher ma licence, et je m'apprête à emporter ma première exclusivité. Si je ne gagne pas d'argent rapidement, je me demande ce que je vais devenir.

Je devinai qu'elle ne portait toujours qu'une seule lentille de contact.

– Ta famille ne pourrait pas t'aider ?

– Tu parles ! Elle ne lèvera pas le petit doigt pour moi. J'ai grandi chez les juifs hassidiques, tu sais. Quand je suis devenue mannequin, ils ont décrété sept jours de deuil. Pour eux, je suis morte il y a trente-cinq ans.

– Et si je t'invitais à déjeuner la semaine prochaine ?

– Ce serait formidable. Vraiment, tu es la seule personne gentille que je connaisse dans ce métier.

Elle se pencha pour me faire la bise puis se dirigea vers

l'immeuble de Juliet. J'avais toujours mon mandat signé à la main. Je regardai Valashenko sonner à l'interphone et rajuster son chapeau devant le reflet de la porte vitrée. Elle sonna une deuxième fois. Puis une troisième. Je tournai les talons et disparus au premier carrefour.

Mais j'avais ma conscience pour moi. J'étais forcément plus compétente que Valashenko pour vendre ce loft, et j'avais un devoir d'honnêteté vis-à-vis de sa propriétaire. Si Juliet tenait vraiment à commettre l'erreur de s'en débarrasser, le moins que je pouvais faire était de lui en obtenir le meilleur prix. J'accélérai le pas, dopée par mes nouvelles responsabilités.

Je tenais ma propre exclusivité ! J'avais l'impression de pédaler dans le vide tant j'avais hâte de retrouver le bureau. Et ces maudits piétons en travers de mon chemin... Ils avaient tous le dos voûté. De vraies tortues. New York sombrait dans une torpeur à la limite du surplace. Je rêvais d'une ville où l'on marcherait d'un pas alerte. Hong Kong, par exemple, où les hommes ne passaient pas leur temps à reluquer les filles tout en dribblant machinalement un ballon de basket.

Je retrouvai Lorna assise à son pupitre, un joint aux lèvres. Son manque de professionnalisme me sidérait.

– Y a un truc qui pue, lâchai-je.

– Ah ! Qu'est-ce que je disais ! Ça vient d'où, à ton avis ?

– De ton herbe.

– Le pétard sert justement à recouvrir l'odeur.

– D'après toi, Lorna, combien peut valoir un loft sur Liberty Street avec deux chambres et une terrasse en toit ?

– Quelle surface ?

– Environ cent cinquante mètres carrés.

– Bon, on va arrondir à deux cents. Et les charges ?

– Plutôt élevées, dis-je pour faire celle qui connaît son affaire. Deux mille deux cents par mois.

– Mais pourquoi tu me demandes ça ?

– Par simple curiosité.

– Eh bien débrouille-toi, ma grande. Je suis pas ta babysitter.

– Tant pis, je consulterai les fichiers de l'ordinateur.

Elle s'esclaffa :

– Elle est bonne celle-là ! Des fichiers sur la bécane ! Non mais tu te crois où, là ? Chez Corcoran ?

Les grandes agences comme Corcoran, Halstead, Feathered Nest, Smoothe Transitions ou Douglas Elliman disposaient de milliers de fichiers dans leur banque de données. Mais celle de Dale se limitait au didacticiel de la souris.

Le téléphone sonna, et Lorna prit sa revanche sur le matin. C'était Dale qui appelait de Venise.

– Ouais, ouais, ouais... répondit Lorna. *Ciao* toi aussi. Est-ce que tu pourrais dire à ta nouvelle employée chérie que je ne suis pas là pour faire son boulot ?

– Demande-lui qui est la responsable, soufflai-je.

– À qui as-tu confié l'agence, Dale ? À moi ou à ta nouvelle amante ?... Très bien... Écoute, je peux pas passer la journée au téléphone, je dois tâcher d'avancer un peu dans mon propre travail, comme ça je pourrai m'offrir des voyages de feignasse en Italie.

Elle raccrocha aussi sec. Elle tira une dernière bouffée de son joint, enfila les bretelles de son sac à dos, et se dirigea vers la porte.

– Eh bien ? demandai-je.

– On est toutes les deux responsables, lâcha-t-elle avant de claquer la porte.

Curieusement, je commençais à apprécier cette fille. Je la préférais même à Violet. Elle avait au moins le mérite de la franchise. Sa méchanceté avait un côté rassurant, comme l'eau brunâtre que recrachait mon évier. Avec elle, on savait tout de suite à quoi s'en tenir : c'était mauvais, un point c'est tout.

J'avais même été tentée de lui montrer mon flingue.

Dale rappela aussitôt.

– Salut, c'est Daaaaaale. Comment vas-tu ?

– Je croyais être responsable de l'agence.

– Bien sûr que tu l'es. Mais comment voulais-tu que j'annonce ça à Lorna ? Elle a beaucoup d'ancienneté. Sois compréhensive, bon sang !

– Si je veux.

– Je te manque ? demanda-t-elle subitement.

Je ne répondis rien.

– C'était pour rire. Harri et moi passons de merveilleuses vacances. Comment vont les affaires ?

– J'ai une bonne nouvelle à t'annoncer.

Je lui racontai mon exclusivité.

– Supeeeeeer ! Tu es l'empereur qui transforme en or tout ce qu'il touche ! (Elle baissa la voix.) Liv, j'aimerais tant que tu sois là...

– Moi aussi. Au fait, c'est le roi Midas qui transforme les objets en or. L'empereur, c'est celui qui a des habits neufs dans un conte d'Andersen. Mais pour en revenir à l'appart, il fait cent cinquante mètres carrés et...

– Sérieusement, viens à Venise. Harri repart plus tôt, nous ne serons que toi et moi.

– Désolée, mais je dois faire tourner l'agence. Comment estime-t-on le prix d'un appartement ?

– Je prendrai en charge toutes les dépenses. Venise est une si belle ville... Bella, beeeeeeella.

Je compris qu'elle ne m'aiderait pas.

– Écoute, gamine, je crois que j'ai un peu le béguin pour toi.

Au secours !

– Voilà, c'est dit, soupira-t-elle...

– Mais je ne suis pas gay, Dale.

– Je sais bien, je sais bien...

– J'aime les hommes, affirmai-je en esquissant nerveusement un phallus sur mon bloc-notes.

– Oui, je sais.

– Mais attention, je suis très flattée. Extrêmement flattée. Et je te respecte énormément en tant que femme d'affaires.

– Je sais que tu peux avoir tous les hommes que tu veux, répondit-elle avec amertume. Tu devrais prendre un bon papa gâteau, un vieil Italien.

– Alors tu vas me renvoyer ? demandai-je sur le ton de la plaisanterie.

– T'es folle ou quoi ? Je t'aime.

Elle raccrocha.

Je restai pétrifiée derrière mon bureau. J'allais être virée, c'était couru d'avance. Mais après tout, aucune exclusivité au monde ne méritait que je subisse Dale au téléphone. Je tâchai de l'oublier en me concentrant sur ma première nuit de dog-sitting avec Andrew.

Ce dernier appela l'instant d'après.

– Tu comptes venir ce soir ?

– Oui, répondis-je. (Je fus soudain prise d'un doute. Je pensais lui avoir donné une réponse ferme.) Tu souhaites toujours que je vienne ?

– Évidemment. Mais je craignais que tu n'aies changé d'avis, vu que tu as laissé mes trois messages sans réponse.

Je ris.

– Lorna ne prend pas les messages, Andrew.

Il faudrait que je touche deux mots à Dale au sujet du répondeur. Je remarquai les trois papillons « en votre absence » que Lorna avait posés sur mon bureau. Le premier disait : « Je suis pas ta secrétaire, bordel. » Le deuxième : « Ton copain a une voix de loser. » Et le troisième : « Fais quelque chose, merde ! »

– Dépêche-toi d'arriver, murmura Andrew. Les fifilles et moi sommes impatients de te voir.

– Tu me donnes l'adresse ?

L'immeuble s'appelait le Cedarton et se trouvait à l'angle de la 10e Rue et de University Place. Andrew me pressa de plus belle :

– J'ai hâte d'être demain pour me réveiller dans tes bras.

D'un bout à l'autre du trajet, je ne pensai qu'au sexe. Le matin même j'avais eu ma dose. La sensation du sexe, la sensation d'Andrew couvait encore entre mes jambes. J'étais comme une femme toute fière de son nouveau boudoir ; elle se sentait plus riche, plus féminine et pulpeuse. Je me savais transfigurée, car j'attirais les sifflets de tous les clodos que je croisais, ainsi que d'un type dans une Jeep noire avec la musique à fond. Si je me trouvais assez quelconque, les hommes de cette ville étaient visiblement d'un autre avis.

15

3 CH. STYLE 80'S – DERNIERS JOURS

Andrew m'accueillit flanqué des deux chiennes. Il me fit visiter l'appartement que nous allions occuper jusqu'au week-end. Il écarta la petite barrière Fisher-Price qui bloquait l'accès au salon.

– Ton amie a un bébé ? demandai-je.

– C'est pour les chiens.

Je m'assis sur le canapé et les fifilles m'y rejoignirent d'un bond, ravies d'y être enfin admises.

– Qui habite ici ?

Andrew avait peut-être des maîtresses aux quatre coins de New York.

– Mon amie Lauren.

– Et pourquoi surveilles-tu ses chiennes ? demandai-je d'un air innocent.

– J'ai trouvé la petite abandonnée dans une rue. Mais elle ne s'entendait pas avec mon chien, Ajax, alors Lauren a accepté de la recueillir à condition que je vienne la garder de temps à autre.

J'ignorais toujours qui était cette Lauren.

La pièce était remplie de meubles extravagants sortis tout droit d'un tableau de Dalí. Formes hypertrophiées, hauts dossiers, une pendule molle, et un sofa en velours du style bar branché de Soho.

– Elle a vraiment le sens de la déco, tu ne trouves pas ?

Non, je ne trouvais pas. Allait-il passer la nuit à complimenter cette femme ?

– C'est pas un chouette appart, ça ?

Non plus. Et je ne comprenais pas qu'un architecte puisse apprécier cet endroit.

– Mouais, pas mal, répondis-je.

Au pied du lit de la chambre se trouvait un vélo d'appartement. Je voyais le genre : grande et mince, faisant sa gym pendant les coupures de pub.

Andrew me jeta sur le lit et me grimpa dessus.

– Je pensais que nous irions au restau pour célébrer mon exclu, dis-je.

– On est justement en train de la célébrer. Félicitations, susurra-t-il à mon oreille. Je suis fier de toi.

Je ne supportais pas qu'un homme se prétende fier de moi. Celui-ci ne me connaissait même pas. Sa fierté aurait nécessité un minimum d'implication de sa part. Or, il ne pouvait se targuer de m'avoir porté neuf mois dans son ventre ni d'avoir financé mes études. Un peu plus, et il allait réclamer un pourcentage sur mes commissions !

– Tu m'as terriblement manqué, murmura-t-il.

– Tu as pensé à prendre des capotes ?

– On devrait en trouver ici.

Il tendit la main par-dessus ma tête et ouvrit un minuscule tiroir intégré à la tête du lit. Il en sortit un préservatif.

– Tu as aussi fouillé dans ses tiroirs à culottes ?

– Qu'est-ce que tu crois ? Je suis un homme, Liv. Je ne pourrais pas rester seul dans l'appartement d'une femme sans étudier son trousseau.

– Son trousseau ?

Il rit.

– Et alors ? demandai-je.

– Très sympa.

– Elle porte de la soie ?

– Non, du coton, mais très sympa quand même.

Le coton n'a rien de sympa, pensai-je. Je portais de la soie, moi.

L'une des deux chiennes, la grande, se nicha sous le lit.

Je compris soudain que garder des chiens avec Andrew était en deçà de mes attentes. Nous n'étions pas dans son appartement. Ni dans son lit. Ce n'étaient même pas ses chiens. Un intérieur en dit long sur son occupant. On voit ses magazines, sa vaisselle empilée dans l'évier. On remarque s'il fait son lit le matin, s'il utilise un filtre à eau Brita, s'il préfère le savon ou le gel douche. On repère ses CD, ses bouquins, ses céréales, son économiseur d'écran. S'il a encadré la photo de sa mère.

Mon métier consistait à visiter des appartements à longueur de journée. Je connaissais mieux le domicile et les chiens de parfaits étrangers que ceux d'Andrew. D'ici à la retraite, j'aurais arpenté tout le parc immobilier de New York, sauf les quelques mètres carrés d'Andrew. On ne pouvait cerner un individu sans avoir vu où il vivait.

Tout ce que je savais, c'est qu'il possédait une horloge rustique. Je l'avais entendue sonner pendant que nous étions au téléphone. Mais où était-elle située ? Au salon, dans la salle à manger, dans le couloir, dans l'entrée ? Près de la cuisine, en tout cas. Lui appartenait-elle ou bien à sa copine ? Je l'imaginais facilement : massive, marron, avec des chiffres romains. Je n'aime pas les horloges rustiques. C'est l'objet le plus déprimant au monde. Autant punaiser une affiche disant : « Le temps file, chaque seconde qui passe vous rapproche de la tombe, et cette horloge vous survivra les doigts dans le nez. »

Inerte, je me laissai déshabiller par les mains pressées d'Andrew. Puis il enfila le préservatif de son amie Lauren et me pénétra.

– Où se trouve ton horloge rustique ? demandai-je.

– Dans ta chatte. Et elle va lâcher les douze coups de minuit.

– Sérieusement, elle est où ?

– Je sais pas, dans le couloir qui mène à la cuisine.

Le lit se mit à grincer. La chienne quitta sa planque pour se réfugier dans l'autre chambre.

– Tu fais de drôles de bruits quand tu jouis, commenta Andrew.

– Mais je n'ai pas joui.

– Oh que si !

– Pas du tout. Je n'y ai même pas pensé.

– Tu as joui en disant : « Oy vay ! [1] »
– Écoute, bonhomme. Primo, je n'ai pas joui. Deuzio, je n'ai pas dit : « Oy vay ! » Je n'ai jamais employé ces mots de ma vie.
– Je peux t'assurer que tu as dit « oy ». Peut-être pas « vay », mais tu as répété « oy » à plusieurs reprises. (Il imita une vieille femme juive en plein orgasme :) Oy... Oy... Oy vay !
– Je n'ai jamais dit « oy ».
– Ne sois pas gênée. Tout ce qui sort de ta gorge me ravit. J'ai adoré tes « oy ». Tu es une superbe juive.
– Je t'interdis de m'appeler comme ça !
– Mais pourquoi ?
Personne ne m'avait jamais qualifiée de juive ; les chauffeurs de taxi me croyaient tous italienne ou indienne. Je pris soudain conscience qu'Andrew était mon premier petit ami juif, et cette particularité était, à vrai dire, loin de me déplaire. J'éprouvais un sentiment d'intense intimité, comme celle d'un couple de hassidim qui, dans la foulée du mariage, accède enfin à l'alcôve. Oui, j'avais l'impression de vivre ma première fois. Nous ne formions plus qu'un, comme le kebab sur sa broche.
S'appuyant sur un coude, Andrew longea mes sourcils du bout du doigt.
Étendue sur ce lit, avec son visage si proche du mien, je tombai amoureuse de ses traits. Il paraissait moins hideux qu'auparavant. Ses pommettes renflées – comme si la main invisible de sa grand-mère lui pressait constamment les joues – devenaient appétissantes, comme des fruits que l'on rêverait de mordre à pleines dents. Ses yeux exprimaient à la fois la peur, la fatigue, la douleur et la joie. Son front lui donnait l'air intelligent. Et ses cheveux, un petit côté adulte responsable. Quant à ses lèvres adorables, elle semblaient tellement juives, à prononcer le mot « oy » en boucle.
– Serais-tu un mensch ? lui demandai-je.

1. Exclamation yiddish de stupeur ou de lamentation. (*N.d.T.*)

Jadis, ma psy m'avait conseillé d'épouser un mensch quand je serais grande. Je pensais alors qu'il s'agissait d'une nationalité, comme les Suédois, les Californiens ou les Baptistes. De retour à la maison, j'avais ouvert un atlas et demandé à mon père où habitaient les Mensch. « Dans l'Upper West Side », avait-il répondu.

– Non, je n'ai rien d'un mensch, nia Andrew d'un sourire.

– Peut-être que si.

– Bon, je te propose un marché : je ne te traite pas de juive et tu ne me traites pas de mensch.

– Mais « mensch » n'a rien d'offensant. Tu sais ce que ça veut dire, au moins ?

– Empoté. Mauviette. Petite bite.

– Ça désigne les bons pères de famille.

Il sortit un nouveau préservatif du tiroir et m'escalada de plus belle. Nous baisâmes pendant un long moment, sa bouche sur mon oreille. Je songeais au mensch qui s'agitait en moi.

Et je me souvins du jour où j'étais allée à la poste pour acheter des timbres-cœur destinés à mes faire-part de mariage. Noyée dans les préparatifs, je n'avais qu'une seule certitude : il nous fallait des timbres-cœur. À mes yeux, ceux-ci officialisaient bien mieux notre union que la publication des bans, la cérémonie ou même les alliances. Comme je faisais la queue au guichet, un bel homme m'avait souri et je lui avais rendu la politesse. Nous étions séparés par plusieurs personnes dans cette longue file serpentine, mais nous avions continué à nous faire de l'œil. J'étais amoureuse de mon fiancé et j'étais venue acheter des timbres-cœur, pourtant il me paraissait tout à fait envisageable de partir avec cet homme sur-le-champ, en conservant les timbres pour une prochaine occasion. Puis une vieille dame s'était présentée au guichet en demandant :

– C'est combien, pour envoyer une lettre ?

– Le même tarif que la semaine dernière, avait répondu l'employé. Peut-être désirerez-vous plus d'un timbre, cette fois-ci ?

– Oh non, jeune homme. J'ignore combien de temps il me reste à vivre.

L'existence m'avait soudain paru si courte que j'avais immédiatement cessé de sourire au type, en me disant : « J'aime Jack, alors autant le choisir lui, puisque nous ignorons tous combien de temps il nous reste à vivre. »

Mais mon mariage avait connu une mort prématurée, je lui avais survécu, j'étais aujourd'hui avec Andrew et c'était un mensch. Il me faisait jouir. Je m'écoutai à l'œuvre. Jamais je n'avais ressenti une telle fusion. J'écartai brusquement la tête pour libérer mon oreille, puis enfouis mon visage dans son torse et me mis à pleurer.

– Qu'est-ce qui t'arrive ? demanda-t-il.

Je ne l'expliquais pas moi-même. Peut-être était-ce le contrecoup de m'être offerte. L'apaisement. Ou, au contraire, la tension. Ma psy – toujours la même – m'avait appris qu'il n'y a pas deux personnes qui pleurent pour les mêmes raisons. Comme pour les flocons de neige.

– Oy Oy Oy, soupirai-je.

– Ça fait une éternité que j'ai pas baisé comme ça, fanfaronna Andrew. T'as vu ça ? Deux fois coup sur coup !

– Tu es un mensch, répondis-je, le visage baigné de larmes. Et je ferais peut-être mieux de rentrer.

– S'il te plaît, reste avec moi toute la nuit, Liv. Reste avec moi toute la semaine.

Nous sortîmes promener les chiennes, et nous assîmes sur un banc de l'aire canine du Washington Square Park, main dans la main, tétant à tour de rôle une grande bouteille d'eau minérale.

16

FRIGO DESIGN

Arrivée au bureau de bon matin, je commençai par interroger le répondeur. Il y avait, entre autres, un message pour Lorna. Je le recopiai sur un papillon puis effaçai la bande.

– Alors, c'est quoi ce plouc qui a pas arrêté d'appeler hier ? demanda ma collègue en arrivant. Ton mec ?

Sa voix était pleine de dégoût.

– Peut-être, répondis-je.

– Il me faut un joint. Je suis allée voir mon ami Mario à l'hôpital. Il ne lui reste que trois globules blancs. Il trippe sur toutes les infirmières, il leur pince les miches et tout le bordel... Du jour au lendemain il s'est mis à aimer les filles. Le sida l'a rendu hétéro. On a enfin trouvé le remède à l'homosexualité : la démence ! Il se souvient même pas d'avoir été pédé. Ça l'a guéri. (Elle se mit à rire.) C'est dingue, quand on y pense. Son mec est furax.

– C'est amusant, commentai-je.

Lorna passait son temps à dénombrer les globules blancs de ses amis.

– Alors, il fait quoi dans la vie ? demanda Lorna.

– Qui ça ?

– Ton plouc.

Les femmes, quel que soit le degré de haine qui les oppose, sont toujours assez proches pour évoquer leurs jules respectifs.

– Il vit avec une femme, confiai-je.

– Et alors ?

Elle prit son paquet de cigarettes, en sortit un joint et l'alluma. Je décidai de ne pas relever.

– Alors ce n'est pas vraiment mon petit ami. On doit cesser de se voir.

– Pourquoi ? Il est pas marié. On s'en fout s'il vit avec une autre débile. Elle a pas l'exclusivité, sans blague. De toute façon, c'est tous des pédés.

– Tu penses que je devrais le garder ? demandai-je.

– Qu'est-ce que j'en sais, moi ? Ça fait longtemps que j'ai quitté le collège. Qu'est-il arrivé à ton oreille ?

– C'est le sexe.

– Il te saute par l'oreille ? Tu devrais lui expliquer que c'est pas comme ça qu'on fait. Sa bite doit être tellement petite que c'est la seule partie de ton corps qui soit suffisamment étroite...

– Eh, Lorna, tu as un message, dis-je en brandissant le papillon comme un biscuit pour chien.

– Et alors ?

– Alors j'ai pensé qu'on pourrait conclure un pacte : je te transmets tes messages et tu me transmets les miens.

– Attends, Liv... C'est une agence immobilière, ici, pas une carterie pour petites filles. T'es pas chez le fleuriste, putain ! On fait pas dans le caritatif de boy-scout de mes deux, d'accord ? Tu te crois où, sans blague ? On vend pas des barbes à papa mais des apparts à Manhattan !

– Tu proposes quoi, dans ce cas ?

– C'est d'accord, soupira-t-elle.

Je posai délicatement le message sur son bureau, en le défroissant un peu.

Puis j'appelai toutes les agences du bas de Manhattan pour diffuser mon exclu. J'avais appris, en cours, le principe des fichiers croisés. L'association Groupement Secteur Sud était un vaste réseau de partage d'annonces entre professionnels. Un confrère pouvait ainsi m'envoyer ses clients, en échange de quoi je lui reversais la moitié de ma commission si ceux-ci se portaient acquéreurs de mes produits. De même que je pourrais confier, lorsque j'en aurais, mes propres poulains à d'autres. On appelait cela le co-courtage. Bien que la Galerie immobilière Dale Kilpatrick soit inconnue du milieu, je pus décrire le loft à une dizaine de secrétaires, avant de leur laisser mes numéros de téléphone et de fax.

Dans l'heure suivante, dix-sept agences m'appelèrent pour obtenir un rendez-vous à leurs clients. Les pages de mon agenda se remplirent. Et plusieurs descriptions et plans d'appartements d'affluer sur mon fax. Je faisais mon entrée dans le monde.

Je me rassis à mon pupitre et planchai sur l'accroche de ma première annonce pour le *New York Times*. Je couchai sur mon bloc : « Financial District. LOFT DE MA VIE à saisir ! 200 m^2 + toit/terr. Dép. courrier ds entrée. Dche insolite. » Lorna y jeta un œil et remplaça Financial District par Tribeca.

– « Départ courrier dans l'entrée » ? s'étonna-t-elle. Ça fait ridicule.

Je rayai cette mention.

– Merci, dis-je.

– Et puis tu devrais mettre de la glace sur ton oreille. Putain, je dois même faire l'infirmière ! maugréa-t-elle avant de disparaître.

Je détachai ma barrette pour dissimuler mon lobe, puis appelai Noah Bausch.

– Bonne nouvelle ! lançai-je avant d'expliquer que je lui réservais la primeur d'un loft sensationnel.

– Dans quel coin ? demanda-t-il, intéressé.

– Liberty Street.

– Liberty Street ? (On aurait dit que j'avais mentionné quelque sortie vers le New Jersey, et non un quartier rupin.) C'est où, ça ?

Je devinais que ses neurones tournaient à puissance maximale.

– Dans le sud de Tribeca. Tribeca est le quartier où se trouve Nobu, le sushi-bar de Robert de Niro.

– Je sais, mais Liberty est beaucoup plus au sud.

– C'est à quelques blocs de Nobu.

– Et les taxis vont jusque là-bas ?

– Bien entendu. Le marché progresse vers le sud, vous savez.

À m'écouter, le « marché » était une colonne de gitans.

Nous passâmes quarante-cinq minutes à ergoter pour savoir si Liberty Street se trouvait officiellement à Tribeca ou non.

– Disons, Tribeca-Wall Street, concédai-je.

– Si vous pouviez remonter le loft d'une quinzaine de blocs vers le nord, ce serait parfait.

– Hélas ! C'est matériellement impossible, répondis-je comme à un enfant retardé. L'immeuble est somptueux, vous savez.

– Mais il ne se trouve pas à Tribeca.

– Alors il est où, d'après vous ?

– Chinatown-marché aux poissons.

Excédée, je me jurai de ne pas montrer un centimètre carré du loft à cette tête à claques. J'étais malade rien qu'à l'imaginer en train de rédiger ses ineptes nouvelles faulkneriennes dans une chambre aménagée en bureau, contemplant rêveusement les gargouilles d'en face entre deux phrases pompeuses à la troisième personne, se penchant à nouveau sur son vieux cahier chicos en papier sulfurisé – car Monsieur est bien trop littéraire pour s'abaisser au traitement de texte, et aucune de ses vingt-six Underwood ne fonctionne –, puis se renversant dans son fauteuil en cuir avec une telle satisfaction qu'il bascule en arrière et se fracasse le crâne sur le sol en marbre.

– Ce n'est pas grave si vous n'êtes pas preneur. Je tenais simplement à vous aviser le premier.

Sur les dix-sept clients dépêchés par d'autres agences, quatorze se manifestèrent, et deux firent une offre. À chaque visite, j'ajustais le prix en fonction des échos de mes confrères, jusqu'à arrêter la somme de sept cent cinquante mille dollars. J'étais sidérée par la facilité de l'exercice ; campée dans l'entrée, il me suffisait d'agiter mes clés ou de regarder ma montre pour signifier qu'une foule d'acheteurs potentiels attendaient leur tour.

Quand mon annonce parut dans le *Times*, cinquante-deux personnes appelèrent au sujet du Loft de ma Vie, dont Noah Bausch.

– Pourquoi ne m'avez-vous rien dit sur ce loft ? demanda-t-il.

– Mais je vous en ai parlé. C'est celui que vous situiez dans Chinatown.

– Eh bien, nous aimerions le voir.

– Désolée, mais j'ai déjà reçu plusieurs propositions. Vous auriez pourtant pu être le premier. Quel dommage... C'est trop bête, ajoutai-je. C'est vraiment trop bête. À part ça, comment avancent vos nouvelles ?

– Bien, répondit-il d'une voix souffreteuse.

Ce week-end-là, je montrai le loft à *mes* clients, c'est-à-dire ceux qui répondaient à l'annonce du *Times*. Un couple de jeunes fiancés fit une offre.

– Quel âge avez-vous ? demandai-je au garçon.

Je lui donnais à peine seize ans.

– Vingt-six, répondit-il.

Il me tendit sa carte de visite. Premier vice-président de Salomon Brothers. Incroyable. Ses parents, les Zeisloft, ainsi que ceux de sa promise, les Mead, étaient tous là et tous architectes.

– Mon petit ami est architecte, confiai-je.

– Je pourrais mettre ma collection ici, dit la fiancée.

Cette fille était totalement dépourvue de charme.

– Que collectionnez-vous donc ? demandai-je, avec ce regard d'intense curiosité qui m'avait tant servi dans les dîners d'affaires de mon mari.

Des masques africains ? Des kilims tibétains ? Des urnes grecques ?

– Des boules à neige, annonça-t-elle fièrement. J'en possède plus de mille.

– C'est formidable ! m'exclamai-je, allant jusqu'à l'applaudir.

J'imaginai mon loft infesté d'un millier de boules à neige, et regrettai aussitôt ma question.

– On va s'acheter un réfrigérateur transparent, ajouta-t-elle. Avec des plateaux rotatifs, comme les vitrines à pâtisseries des restaurants.

Le frigo de Juliet était pourtant très bien. Et qui aurait envie, à peine levé, de pourchasser une brique de lait sur un tourniquet ? Le mien ne fonctionnait même pas. Il était massif et arrondi comme un minibus de hippies. Puisqu'il n'y avait rien à en tirer, j'y rangeais des vêtements. Les chaussures sur les clayettes du haut, les pulls en dessous, les chaussettes dans la porte, la lingerie dans les bacs à viande et à légumes. En revanche, la partie freezer était encore opérationnelle, ce qui me faisait un chouette combiné armoire-congélo.

Je m'apercevais que les gens se souciaient davantage du frigo que de tout le reste. Cet appareil primait sur les charges, la hauteur de plafond, ou même la carte scolaire.

Les deux familles d'architectes m'emmenèrent dîner au Montrachet, où ils portèrent le loft aux nues. Je fis des maths sur le papier toilette des WC. En vendant à ces gens-là et non à des clients extérieurs, l'intégralité de la commission reviendrait à l'agence. Ce qui ferait six pour cent, au lieu de trois, à partager avec Dale. Trente-neuf mille divisé par deux égal dix-neuf mille cinq cents dollars chacune. J'attendais fébrilement le coup de fil de Juliet, pour qu'elle me donne son feu vert et que je puisse commencer la paperasserie juridico-administrative.

Quand j'eus regagné la table, le serveur me suggéra le pigeon. Je me tâtai. Mon père disait toujours : « Quand on a peur des rats, il faut en manger. » Je songeai aux pigeons qui roucoulaient à gorge déployée dans le conduit d'aération longeant mes fenêtres. En goûter un altérerait peut-être mon jugement quant à leur manie de me réveiller chaque matin. Maintenant que j'étais agent immobilier, j'étais peut-être capable de manger du pigeon. Une courtière digne de ce nom doit savoir consommer l'oiseau fétiche de sa ville.

– Je vous écoute, dit le serveur.

Avalant de travers, je pulvérisai une gorgée de vin rouge sur la nappe blanche.

– Je suis vraiment désolée, m'excusai-je.

Ils me regardèrent tous d'un air navré.

Dix-neuf mille cinq cents dollars, pensai-je.

Je me dégonflai et commandai un steak. Je me demandais si Andrew avait déjà sorti les chiens.

– À Liv ! lança M. Mead en levant son verre. Pour avoir trouvé à nos petits un parfait nid d'amour.

– Merci.

Je croisai les doigts pour qu'il n'arrive rien. Un incendie, par exemple.

– Vous devez à présent vendre notre appartement, ajouta M. Mead sous le regard complice de son épouse.

– Quoi ? dit la fille.

– Nous souhaitons vendre l'appartement pour acheter un immeuble, expliqua-t-il. Et nous aimerions que Liv s'en charge.

Je souris et tâchai de réagir de manière calme et professionnelle. Sa proposition signifiait trois affaires d'affilée. Voilà donc ce qu'on appelait un triple salto, ou un grand chelem, ou un truc de ce genre. Bref, quel que soit le terme consacré, j'allais rafler trois commissions. Les trois contrats défilèrent dans ma tête comme les icônes d'une machine à sous. Ainsi que les paniers de bienvenue que j'aurais à garnir de boules à neige et de bouteilles de Dom Pérignon. Voire de ma photo dans un cadre Cartier. Et si je m'offrais en sus ma propre corbeille ? Je laissai le serveur remplir mon verre. Lorna allait crever de jalousie. J'avais hâte de voir sa tête quand elle apprendrait la nouvelle.

– Votre cabinet propose aussi des maisons de ville ? s'enquit M. Mead.

– Bien sûr. C'est une autre de mes spécialités. Je pourrais vous en montrer de magnifiques.

Ce n'était pas un mensonge. J'en connaissais effectivement un rayon. Ma pédopsy exerçait autrefois dans une maison de ville. J'avais possédé une maison de ville Barbie. Un lointain parent, qui était opposé à la coutume du lapin de Pâques pour les enfants juifs, m'avait offert une maison de ville en chocolat. En classe de quatrième, j'avais conclu avec Darren Sullivan dans la maison de ville de son père, sur le lit de son père, devant une vidéo porno de son père intitulée *Sex World*, sorte de remake X de la série *l'Île fantastique*. Le décor de ma vie était une succession de maisons de ville. J'en savais sûrement plus qu'il ne fallait à leur sujet.

Je finis mon sorbet à l'orange et mes langues de chat, puis embrassai tout ce petit monde sur le trottoir. Je me sentais en famille.

Au Cedarton, Andrew m'attendait dans la cuisine devant un bol de corn flakes au lait de soja.

Ce serait notre dernière nuit à surveiller les chiens. Ma gorge se noua, comme si nous n'allions jamais nous revoir après ça. J'ignorais ce qu'il adviendrait de notre relation. Reprendrait-on le rythme des coups de fil pendant sa vaisselle et des cinq à sept occasionnels ? Je me demandais également si sa copine lui manquait. S'ils allaient célébrer leurs retrouvailles au lit. Si elle allait lui préparer un bon petit plat. Je n'avais jamais cuisiné pour Andrew. J'avais dégusté un steak au Montrachet pendant qu'il se repaissait de céréales au faux lait grisâtre.

– Où étais-tu ? demanda-t-il d'un air soupçonneux.

Il faut un certain culot pour poser une telle question quand on vit avec une autre.

– J'ai vendu le loft et mes clients m'ont invitée au Montrachet.

– Et qu'as-tu mangé ? dit-il avec des yeux de cocker.

– Un steak.

– Un steak ! répéta-t-il, abasourdi, comme si j'avais goûté la queue d'un autre. Demain, tu vas couler un sacré bronze.

– Ne sois pas vulgaire, Andrew.

Les types qui parlaient de couler un bronze n'étaient pas vraiment mon genre.

– Tu les as promenées ? demandai-je au sujet des chiennes.

– Oui. Elles aussi ont coulé de sacrés bronzes.

– Il me vient une idée, Andrew. Pourquoi rester ici alors que j'ai les clés d'un endroit beaucoup mieux ?

– J'ai pas envie de bouger.

– Allez, insistai-je en le tirant par la manche.

Je lui indiquai l'adresse.

– C'est à dix minutes en taxi, grand maximum. Il faut que tu voies la terrasse en toit.

– J'ai dit non.

Il se leva et fila dans la chambre.

Je le suivis. L'appartement de Lauren, avec son salon défendu et ses appareils de gym, me sortait par les yeux.

– Je crois que je vais rentrer, décrétai-je.

– Ça m'étonnerait.

Il me jeta sur le lit et happa mon oreille gauche. Je ripostai d'un fort coup de genou qui, sans lui faire bien mal, le repoussa juste assez pour que je puisse me libérer. J'empoignai mon sac.

– Salut ! lançai-je avant de dévaler les huit étages d'escaliers plutôt que d'attendre l'ascenseur.

Cette précaution s'avéra toutefois inutile, puisque Andrew ne prit pas la peine de me poursuivre. Arrivée dans la rue, je me sentis la reine des pommes. J'étais coutumière de ces éclats, au vieux temps de mon célibat. Quand je sortais en furie, j'espérais que le type allait me rattraper, me prendre dans ses bras malgré ma résistance, et m'embrasser en s'excusant le plus sincèrement du monde pour m'avoir contrariée. En règle générale, cependant, je pleurais toute seule sur un banc puis revenais à celui que j'avais fui, pour le retrouver endormi comme un bienheureux, en train de terminer son assiette, ou absorbé par la fin du film, le bras calé sur le dossier de mon siège vide.

Je me plantai sous la marquise du Cedarton, hésitant entre remonter et faire demi-tour. Andrew et les chiennes me manquaient déjà. Bon sang, qu'est-ce qui m'avait pris ? Il ne quitterait jamais sa copine, à présent. J'espérais encore le voir accourir. Les portes de l'ascenseur s'ouvrirent dans le hall, mais personne n'en sortit. Je me souvins de ma pire déconvenue d'enfant : partie dormir chez une copine, j'avais appelé mes parents au milieu de la nuit pour qu'ils viennent me chercher.

Et puis, après tout, j'avais peut-être bien fait de le renvoyer dans les bras de sa petite amie. Je valais mieux que ça. Je méritais un homme qui ne parle pas de couler un bronze, qui me coure après dans la rue et vive seul dans son propre appartement – avec ses propres préservatifs. Un célibataire qui ne morde pas. Je méritais aussi un frigo rempli de bouffe, et non de fringues, de même qu'un loft comme celui de Juliet.

Je marchai pendant plus d'une heure jusqu'à Liberty Street. C'était quasiment Brooklyn. J'ouvris le loft avec mon trousseau estampillé LMV – Loft de ma Vie. Le prof d'immobilier m'avais appris à ne jamais laisser d'adresse sur l'étiquette d'un porte-clés.

J'allumai toutes les lampes et caressai la trappe à courrier comme l'on touche du bois. J'interrogeai à distance mon répondeur. Andrew n'avait pas appelé. J'ouvris la grande penderie et ses tiroirs sur mesure. Je n'avais jamais rien vu d'aussi parfait. Juliet avait, à l'aide d'un marqueur noir, assigné un emplacement à chaque type de pantalon : « fuseaux », « corsaires », « caleçons ». Suivaient les rubriques « shorts », « bikinis » et un énigmatique « cigares », puis venaient les tee-shirts, rangés en « v », « ras-du-cou » et « débardeurs ». La lingerie avait aussi ses tiroirs dissociés. Andrew se serait régalé.

Je me déshabillai et entrai dans la salle de bains. Je contemplai la douche, avec ses murs de verre. Depuis les colonnes en marbre sculpté, une douce lumière blanche illuminait les gargouilles, et des néons vacillaient dans les bureaux vides d'en face. J'adorais cette salle de bains. Je ne pourrais jamais m'en lasser.

J'ouvris le robinet, pris mon courage à deux mains et pénétrai dans la cabine. C'était comme sauter par la fenêtre, mais sans tomber. Je me pressai toute entière contre la paroi de verre surplombant la rue, tel un enfant qui colle son visage à la vitre du bus de ramassage scolaire. Mon nez, mes seins, mon ventre et mon pubis mouillés s'aplatirent. J'étais Spiderman. Je me forçai à regarder en bas. La rue était déserte. Puis un taxi apparut et s'arrêta ; en sortirent un chien, un homme, puis un autre chien. C'était Andrew, avec son sac marin et ses baskets blanches qui brillaient dans le noir.

Il leva les yeux et je me reculai aussitôt. Il n'avait pas eu le temps de me voir. Se souviendrait-il, au moment de choisir une touche sur l'interphone, que le loft se trouvait sous les combles ? Je pris une serviette sur l'étagère marquée « draps de bain » et me l'enroulai autour du corps. Deux tours complets.

Andrew trouva le bon bouton. Son adorable petit crâne apparut sur le moniteur de contrôle situé dans l'entrée.

– Oui ? Qui est là ? demandai-je.

– L'hôpital Bellevue. Nous venons chercher une schizophrène en fuite.

– Il n'y a pas de schizophrène, ici.

J'entendis d'autres personnes répondre. Il avait dû sonner chez tout le monde.

– C'est Fred Freund.

– Ce nom-là ne me dit rien.

Il souleva une chienne et rapprocha sa gueule de la caméra.

– Grand méchant loup ! grogna-t-il.

Je ris. C'était lui, le grand méchant loup. Je lui ouvris puis attendis, enveloppée dans mon drap, l'arrivée de l'ascenseur.

– Je vais te faire faire le tour, dis-je.

– Contente-toi de me montrer la chambre.

– La visite commence ici, annonçai-je en ouvrant la penderie de Juliet. Voici d'abord le trousseau de Madame.

Je le guidai à travers tout l'appartement.

– Devine un peu ce qu'ils vont mettre ici, soupirai-je en indiquant les étagères de la salle à manger.

– Je sais pas.

– Un millier de boules à neige.

– Des boules à neige ? Des boules *de* neige, tu veux dire ?

– Non, non, des boules *à* neige. (Je fis semblant de secouer l'objet.) Le gadget souvenir.

– Les trucs qu'on trouve à l'aéroport, là ? Oh Seigneur ! Une seule serait déjà de trop.

Les chiennes étaient vautrées sur le canapé, aux anges. Elles ne bougèrent pas quand Andrew et moi enfilâmes l'escalier en colimaçon menant à la terrasse. La vue était féerique. Si Andrew avait été aveugle, il m'aurait fallu toute une nuit pour la décrire. Il arracha ma serviette et l'étendit sur les lattes en bois.

– J'ai froid, grognai-je, nue comme un ver.

Il ôta son col roulé, que j'enfilai avant de le rejoindre sur la serviette. Allongés sur le dos, nous contemplâmes les satellites, les hélicoptères, et l'ange doré du Municipal Building. C'était la première fois que j'éprouvais du plaisir à camper.

Nous redescendîmes et empruntâmes le lit de Juliet, avec une chienne au bout et l'autre en dessous.

– Tu sais, Andrew, j'ai enfin l'impression d'être chez moi.

– C'est parce qu'on est ensemble.

Non, cela tenait surtout au loft. Pour la première fois depuis ma séparation, je me couchais sans regretter l'appart de mon mari.

– J'arrive pas à me dire qu'on sera séparés la nuit prochaine, se lamenta Andrew.

– Ouais, c'est trop bête, répondis-je nonchalamment. Mes lobes pourront souffler.

– Bientôt, nous serons toujours ensemble. Promis.

– Mais oui, mais oui.

Je m'endormis, impatiente de voir la mine d'Andrew quand il entrerait dans la douche.

Trois semaines plus tard, Juliet Flagg rentra de lune de miel et nous conclûmes la vente. Le prêt était signé, les lettres de recommandation classées – malgré leur jeune âge, les deux acheteurs étaient diplômés d'Harvard –, les parents s'étaient portés caution, et j'avais remis au syndicat de copropriété un dossier impeccable, en douze exemplaires. Je les avais glissés dans des chemises en carton glacé vert, achetées avec mes deniers car Dale ne disposait de rien de tel dans sa boutique. On y trouvait des cendriers et toutes sortes de babioles, une douzaine de vieux verres à limonade, des mixers des années cinquante, des radios en Bakélite, des cassettes de développement personnel et un vrai petit musée du kitsch, mais pas la moindre enveloppe ou chemise.

J'avais aussi retenu une offre de huit cent mille dollars pour l'appartement des architectes, avec son four Vulcan, ses petites portes arrondies, ses fauteuils en cuir en forme de gants de base-ball géants, et sa forêt d'arbustes sur roulettes qui camouflait l'entrée de service. Ils aimaient la maison de ville que je leur avais montrée sur Harrison Street, en face d'Independence Plaza, et j'avais encore quatorze adresses en réserve.

17

KITCHEN. VIDE

Ce soir-là, Andrew appela pour m'avertir que Jordan et lui avaient eu une violente dispute et qu'il allait dormir chez moi. En arrivant, il lança :

– Tu sais, ce serait vraiment bien s'il y avait à manger, dans cette maison.

– Pourquoi ? m'étonnai-je.

Je m'étais habituée à vivre les placards vides. J'avais accès à la plus grande cuisine du monde : New York. J'ouvris la fenêtre et me penchai au-dessus de MacDougal Street.

– Ouvre les yeux, et tu trouveras toute la nourriture que tu souhaites.

– En fait, j'aurais aimé que tu me prépares quelque chose.

– Comme quoi ?

– Comme un sandwich au fromage, pardi. Et puis ça nous ferait faire des économies.

– Dis-moi, Andrew, te considères-tu comme un être radin ?

– Non, seulement comme un type fiscalement responsable.

Je me rendis chez l'épicier du coin et achetai un petit pot de mayonnaise, un pain de mie, des tranches de cheddar en emballages individuels et une grosse tomate. J'en eus pour quatorze dollars quatre-vingt-dix-neuf. Je remontai à l'appartement et étalai mes provisions sur la table de la cuisine. Une feuille d'essuie-tout en guise d'assiette, je confectionnai le sandwich au fromage d'Andrew. Je le lui servis découpé en deux triangles égaux.

– Je te remercie, dit-il.

– Alors, parle-moi un peu de cette dispute.

Avait-il annoncé à Jordan qu'il la quittait ? Lui avait-il parlé de moi ? Ce serait alors le début d'une longue nuit blanche. Nous planifierions tout, le moment de son départ, son discours d'adieu, ce qu'il emporterait et ce qu'elle garderait. Il lui laisserait un chien sur deux – et l'horloge rustique. Nous trouverions un endroit pour ranger ses vêtements. Je libérerais quelques étagères. Il faudrait aussi faire de la place pour son bureau et sa table à dessin.

– Quelle dispute ? demanda-t-il.

– Ta dispute avec Jordan.

– Ah, oui. C'était quelque chose. En partant, j'ai trouvé les nouveaux voisins du dessous transis de peur sur le palier.

– Ils pouvaient vous entendre ?

Il ricana.

– Mais tout l'immeuble pouvait nous entendre, Liv ! On se hurlait dessus.

– Vraiment ?

Il ouvrit de grands yeux, comme face à une cinglée.

– Tu ne t'es jamais disputée, ou quoi ?

Je trouvais sa remarque un brin vexante. Me croyait-il incapable d'élever la voix ? Moi aussi, j'avais sûrement terrorisé mes voisins en m'engueulant avec mon mari.

– Je pense que tu devrais partir au plus vite, Andrew. Quitter Jordan, j'entends.

– On ne part pas sur une unique dispute, Liv.

– Pardon, j'ignorais que c'était la première. J'avais cru comprendre que tu vivais une relation frustrante, oppressante et lamentable. Une relation conflictuelle.

Quand j'étais petite, ma psy avait appliqué cette expression à mes parents. « Qu'est-ce que ça veut dire ? avais-je demandé.

– Je t'explique. Si ta maman mourait, ton papa se sentirait comment, d'après toi ?

– Heureux ?

– C'est exact. Et si ton papa mourait, ta maman se sentirait... ?

– Heureuse ?

– Ben voilà. »

– Ce n'est pas une relation, mais une rel-à-chier, reprit Andrew. Je dis simplement qu'on ne quitte pas une femme pour une pauvre bagarre. Je crains que ce ne soit pas aussi simple. Il faut me laisser du temps, Liv. Sois patiente. Je suis plus lent que la moyenne pour ce genre de choses. Il y a une certaine façon de procéder, et partir au premier coup de gueule n'en fait pas partie.

Il finit son sandwich.

– Tu en veux un autre ? proposai-je.

Il secoua la tête.

– Non merci, mais c'était fameux.

Ne disposant pas d'un frigo en état de marche, je dus jeter le reste de fromage, de pain et de mayonnaise. Toute la tomate était passée dans le sandwich.

Nous allâmes nous coucher.

– J'aimerais que les choses soient différentes, soupirai-je.

– Quelles choses ?

– J'aimerais être grande. Et puis, j'aimerais ne pas à avoir à t'imaginer au lit avec ta copine.

– À vrai dire, on ne dort pas ensemble. J'ai un futon dans mon bureau.

Depuis le début, Andrew ne m'avait pratiquement rien dit sur Jordan. Tout ce que je savais, c'est qu'elle était végétarienne et refusait même de porter du cuir. Quand j'essayai de me la représenter, je ne voyais que mes sourcils froncés.

– Tu me trouves petite ? demandai-je.

– J'aime les femmes petites.

– Alors, je suis une petite femme à tes yeux ?

– Non, je te vois davantage comme une grande naine.

– N'oublie pas que tu rentres dans mes jeans, mon gars.

– Au temps pour moi.

« Au temps pour moi ? » Quelle vilaine expression. On ne faisait moins romantique, a fortiori dans un lit.

– Heureusement qu'on ne quitte pas quelqu'un pour une simple faute de goût, déclarai-je.

18

IMM. AVT-GUERRE : BING & BING

Le lendemain matin, je commençai ma journée de travail en ouvrant le cahier immo du *New York Times*. L'une des plus prestigieuses agences de la ville, le Corcoran Group, s'était offert une pleine page de publicité. On y voyait Barbara Corcoran soi-même, enceinte jusqu'aux yeux, en tailleur mini-jupe, le sourire radieux. Cette image me paraissait autrement subversive que Demi Moore posant nue avec son ventre rond en une de *Vanity Fair*. La star de l'immobilier new-yorkais, sexy, riche, enceinte, fière, et bien habillée. Rien ne pouvait l'arrêter, avec ses cheveux blonds et courts façon Peter Pan. Un mélange de gymnaste olympique et d'une enfant refusant de grandir qui survolerait chaque nuit les toits de la ville. Elle semblait proclamer qu'on ne peut vendre des logements que lorsqu'on devient soi-même un foyer, en l'occurrence celui d'un petit bébé Cadum. Un oiseau qui construit un nid en même temps qu'il en achète et en vend. Elle me donnait envie d'être mère et de me surpasser au travail. Elle incarnait l'énergie, l'ambition, la confiance en soi. Barbra Streisand, Estée Lauder et Hillary Clinton réunies. Et belle, avec ça. J'aurais été curieuse de savoir si Barbara Corcoran était jamais sortie avec un homme qui vivait avec une autre. S'il lui avait déjà fallu se coller un glaçon sur l'oreille après avoir fait l'amour. Non, elle estimait sûrement valoir mieux que ça.

Dale apparut. Elle rentrait tout juste de Venise. Un jour, au retour de mon père d'Italie, j'avais confectionné et accroché à la porte d'entrée un panneau de bienvenue en nouilles collées. Aurais-je dû faire de même pour Dale ?

Elle avait pris du poids et portait, malgré la chaleur, un blouson et des gants en cuir. Je n'avais jamais remarqué combien son visage ressemblait à celui d'un chien, ou d'un loup ce qui m'inspira de la pitié. Elle était entrée à la manière de Lorna – d'abord la tête, puis le reste du corps.

Je reposai immédiatement le journal.

– *Buon giorno !* lança-t-elle. Tu as reçu mes cartes ? Mais qu'est-ce que c'est que ça ?

Elle agrippa le journal et étudia la pub Corcoran.

– Quel genre de pouffiasse brindezingue oserait s'afficher dans cet état ? Cette femme est tarée, ma parole ! Sait-elle seulement combien elle a l'air ridicule ?

– Je la trouve superbe, rétorquai-je.

– Tu débloques ? Personne n'a envie de voir Barbara Corcoran enceinte ! Tout le monde s'en fout. Tu te réveilles le dimanche matin, t'as envie d'acheter un appartement, pas de tomber sur ce truc-là. À l'heure qu'il est, tout New York se dit : « On s'en tape ! »

À l'heure actuelle, rectifiai-je in petto, tout New York se demande comment confier la vente de son appartement au groupe Corcoran.

– J'admire cette femme, insistai-je.

– Supeeeeeeer ! Hier encore, je voguais en gondole sur le Grand Canal, dans une béatitude totale, et aujourd'hui je tombe direct sur cette horreur. C'est une agression contre mes sens ! Fais-moi disparaître ce torchon ! (Elle le jeta sur mon bureau.) Vire cette pornographie d'ici !

Mon téléphone sonna. Je décrochai.

– Pompe-moi le dard, entendis-je murmurer.

– Salut, Andrew.

– Salut, susurra-t-il.

– Je peux te rappeler ? demandai-je en riant.

– Bien sûr.

Dale revint à mon bureau pour s'emparer du journal. Puis elle regagna le sien et examina à nouveau la photo de Barbara Corcoran.

– C'était qui ? s'enquit-elle.

– Personne. Juste un ami.

– Eh ben, quelque chose me dit qu'il était grand temps que je rentre, avant que mon entreprise ne tombe en miettes. Bonjour l'accueil. Si tu es tellement gaga devant leur boîte pourrie, tu peux y courir de ce pas. Et t'en profiteras pour me débarrasser de Lorna !

Je voyais bien Lorna pousser la porte de Corcoran Group en disant : « Y a un truc qui pue. »

– Ou alors tu restes ici et c'est moi qui pars chez la Corcoran ! brailla Dale. Je pourrais peut-être gagner du pognon si je bossais avec des professionnels !

Elle se rassit en bougonnant. Elle ouvrit et referma tous ses tiroirs, se mit à écrire frénétiquement dans un carnet, puis arracha la page, la déchira et jeta les morceaux dans sa corbeille.

Elle empoigna le téléphone et appela Harri.

– C'est moi, Harri. Sois gentille, réponds... Salut, chérie... Non, non, pas du tout. L'agence est une vraie porcherie. Que veux-tu, il suffit que bibi s'absente quelques semaines pour que la princesse mette le souk... Oui, il semble que certaines personnes ne se sentent plus pisser, avec leurs exclusivités et leurs mystérieux coups de fil... Oui, j'en connais une qui a attrapé la grosse tête.

– J'en connais une autre qui a pris du bide, marmonnai-je.

– Quoi ? Qu'est-ce que j'entends ?... Quitte pas, Harri. Qu'est-ce que j'entends ?

Je relevai la tête.

– Quoi ? Rien du tout.

– Je te rappelle plus tard, Harri.

Elle raccrocha et se leva.

– Je me faisais une tout autre idée de nos retrouvailles ! brama-t-elle avant de sortir en trombe, les gants entre ses dents, aux prises avec son blouson trop serré.

Dale avait raison sur un point : les locaux étaient en pagaille. Lorna et moi n'avions pas fait un brin de ménage. Des canettes et des gobelets vides jonchaient les tables et le sol, les cendriers débordaient de minuscules mégots de joints, pas plus grands que des chaussures de Barbie. Nous avions jeté les messages de la patronne en vrac sur son bureau, sans penser à les disposer en une pile accueillante.

Je pris un sac-poubelle dans le placard et m'attaquai au coin de Dale. En soulevant sa corbeille, je décidai de repêcher les bouts de papier qu'elle venait de déchirer. Je m'assis pour tenter de les remettre bout à bout, en suivant les longs déliés obliques. Puis je fixai le puzzle reconstitué avec du scotch.

Nouvelles règles

1. Réunion hebdo obligatoire pour toute les comerciales chaques lundi à 9 heures. Tous ceux en retards et/ou absents seront greffés de 100 $. Je n'accepterai aucune escuse.

2. Un nouveau code vestimentaire devient affectif. JEAN INTERDIT !!!

3. Je soussigné Dale Kilpatrick arrête le sucre alors j'aprécierais qu'on ait l'obligeance de n'introduire aucun produit sucré dans ce bureau.

4. Dale et Liv. Liv et Dale. Dale aime Liv. Liv aime Dale. D.K. et L.K. Liv Liv Liv Liv Liv.

Je me demandais si Jérôme avait tapé de telles choses sur sa machine en Braille. Je vidai la corbeille de Dale dans le sac-poubelle, et un papillon chiffonné roula par terre. Je le dépliai. C'était un message à mon intention, que Dale avait omis de me remettre avant son départ en Italie. Il émanait de Jérôme.

– C'est très gentil d'être venue, me remercia Jérôme.

– Ce n'est rien.

– J'espère que ce n'est pas un trop grand dérangement de vous déplacer jusqu'au bureau. J'aurais été ravi de vous inviter à déjeuner.

Jérôme faisait sans cesse allusion à un obscur restaurant du Village où il voulait m'emmener, le Ye Waverly Inn. Quel nom grotesque. À tous les coups, il avait des coupons de réduction.

– Ce n'est pas gênant du tout. Je viens de vendre ma première exclusivité à deux pas d'ici, sur Liberty Street.

– Liberty Street ? Cela sonne comme le lieu rêvé. Vous n'auriez rien sur Easy Street, par hasard ?

N'étant plus payée pour rire de ses blagues, je m'abstins.

– Je vous ai apporté quelque chose, dis-je.

Je lui glissai dans les mains une réplique miniature de l'Empire State Building. Jérôme n'avait jamais vu le vrai.

– C'est l'Empire State Building, expliquai-je. Il ressemble à ça, en plus grand.

Cet homme ne voyait que ce qu'il touchait.

– Vous me rendez jaloux quand vous parlez ainsi, murmura-t-il tout en palpant son cadeau, avant d'appuyer la pointe contre sa tempe. Mmm, très acéré.

– Que voulez-vous dire ?

J'éprouvais une soudaine appréhension, comme chaque fois que Jérôme s'apprêtait à franchir la ligne jaune.

– À vous entendre, on croirait que vous aimez davantage cet immeuble que n'importe quel être humain.

– Mais c'est la vérité.

– Mon Dieu, quelle arrogance...

J'adorais entendre Jérôme parler de moi. J'appréciais cela de n'importe qui, mais plus encore d'un aveugle. Ses paroles paraissaient plus profondes. J'étais fière de mon arrogance. Un trait de caractère que je veillerais dorénavant à cultiver. Et que suis-je d'autre, à part arrogante ? voulais-je demander.

– Je ne suis pas arrogante, protestai-je.

– Vous l'êtes assurément. Mais votre suffisance est compensée par votre bonté. (Il leva le petit immeuble au ciel, comme un trophée.) J'aimerais que vous m'emmeniez tout là-haut, un de ces jours.

– Je peux observer la chambre de mon ex-mari en mettant cinquante cents dans un télescope.

– Vous voulez dire votre ancienne chambre à coucher ?

– Oui.

– Je parie que des grappes entières de touristes vous épiaient, n'est-ce pas ?

– Seulement quand je me postais nue à la fenêtre...

– Cela vous émoustille, de savoir qu'on vous regarde ?

– Qu'est-ce que vous croyez ? lâchai-je de la façon la plus arrogante possible.

– Je crois que oui.

J'étais donc arrogante, bonne, et exhibitionniste.

– Entre moi qui aime être regardée et vous qui êtes aveugle, nous formerions un sacré couple !

– Oh, ce n'est pas sûr... Vous trouveriez peut-être cela très reposant. Parfois, ceux qui aiment être regardés n'aiment pas qu'on les voie.

Mais moi, j'y tenais vraiment. J'avais testé l'invisibilité, et franchement, non merci. Jérôme se trompait.

– Vous avez raison, déclarai-je dans ma grande bonté.

Si quelqu'un pouvait rendre la cécité sexy, ce n'était sûrement pas lui.

– Quoi qu'il en soit, enchaîna-t-il, vous vous demandez sûrement pourquoi je vous ai fait venir.

– Je l'admets.

– Vous souvenez-vous m'avoir entendu évoquer un secret ? Eh bien, il est devant vous.

Il tapota le couvercle d'une boîte en carton posée sur le bureau, frappée du logo Sir Speedy Copy Shop.

– Je viens d'achever l'écriture d'un roman, déclara-t-il. Mais bon, je garde la tête froide.

Quand j'étais petite, on m'avait souvent conseillé de garder la tête froide. Alors il m'arrivait de dormir la fenêtre ouverte, même en hiver, ou de me pencher par la vitre de la voiture pour ventiler mon crâne.

– Je me disais que vous auriez peut-être la gentillesse d'y jeter un œil. C'est un service énorme que je vous demande, n'est-ce pas ?

J'étais bien curieuse de savoir s'il y parlait de moi.

– Je serai ravie de le lire.

– Vous me direz franchement ce que vous en pensez, d'accord ?

Je tirai la boîte vers moi et la posai sur mes genoux. J'ôtai le couvercle. *Le Poids de la Vérité*, de Jérôme Garrett. Une seule lettre figurait sur la première page : « à ».

– Qu'est-ce que ça veut dire ? m'étonnai-je.

– Quoi donc ? demanda Jérôme en se penchant en avant.

– Le mot « à » ?

– Ah, oui... Je n'ai pas encore choisi à qui il sera dédié.

– Je trouve pathétiques les auteurs qui dédient leurs bouquins à papa et maman, dis-je, estimant que Jérôme devrait me le dédier à moi, pour m'être donné la peine de le lire. Et votre compagne ?

– On ne peut pas dire qu'elle m'ait beaucoup encouragé dans ce domaine-là.

Sans blague...

– Et puis, reprit-il, nous ne sommes pas mariés.

Un jour, au restaurant, j'avais entendu une femme dire que le plus grand inconvénient du célibat, c'était de n'avoir personne pour vous accompagner aux funérailles de vos parents. Mais n'avoir personne à qui dédier un livre n'était guère plus enviable.

– Vous devriez peut-être prendre des initiales au hasard, suggérai-je. À L.R., à D.P.H., à C.S.H. ...

– À M.-M., Moi-Même, renchérit Jérôme.

– À J.E., Je, ajoutai-je.

– À M.M. et E.M., Moi, Moi et Encore Moi !

– À V.E., Vous, Éternellement.

– À V.S., Vos Souhaits.

Je sautai à la fin du livre.

– Quatre cent soixante-seize pages ! m'exclamai-je.

– C'est très gentil à vous. Et merci beaucoup pour le cadeau.

Le petit Empire State Building était couché sur le bureau.

– Je vous appelle dès que j'ai fini ma lecture, promis-je en rangeant le manuscrit dans le carton.

Un peu plus tard, à Abingdon Square, je vis un vieil homme qui promenait un chat noir en laisse. Je l'aperçus au moment où il sortait de l'une des deux tours Bing and Bing, alignées en diagonale en bordure du petit parc. Il conduisit le chat jusqu'aux balançoires pour enfants, détacha sa laisse rose et l'installa dans la nacelle du milieu. Il poussa l'animal pendant une dizaine de minutes, au milieu des parents qui poussaient leurs enfants. Bébé, bébé, chat, bébé, bébé. Et dire qu'un tel spectacle était refusé à Jérôme. Quel intérêt d'habiter à New York si on ne peut pas voir ?

Une épaisse brume recouvrait le haut des gratte-ciel. L'Empire State nous toisait d'un regard invisible, tel le Cavalier sans Tête.

De retour à la maison, je retirai mes lentilles jetables et les ajoutai aux autres, desséchées et recroquevillées comme des coquillages sur le rebord du lavabo. J'ignorais moi-même le but de cette manœuvre, mais elle semblait aller de soi : je ne pouvais me résoudre à les jeter. Je les gardais comme on conserve ses dents de lait, ou des pochettes de négatifs. Je rêvais peut-être de les développer ultérieurement, pour retrouver tout ce qu'elles avaient vu. Ressentir des choses auxquelles je n'étais pas disposée sur le moment.

Le téléphone sonna et je décrochai avant de songer que ce pouvait être Dale.

– Salut, c'est moi, Daaaaaale. Comment vas-tu ?

– Bien.

– Écoute, je suis désolée pour mon comportement de ce matin. Mais j'ai mes ragnagnas et je suis à cran. Tu sais ce que c'est, tu es une femme, comme moi.

– Certes, grimaçai-je.

– Je sais que je ne devrais pas dire ça, Liv, mais j'éprouve certains sentiments pour toi. Certains sentiments d'amour et de désir. Voilà, maintenant que c'est dit, on peut faire comme si de rien n'était.

Elle semblait toute chamboulée, tel un VRP qui aurait vu son aspirateur exploser en pleine démonstration.

– Allez, gamine, on se voit demain au bureau.

Elle raccrocha avant que j'aie pu dire un mot.

Le téléphone sonna de nouveau.

– Allô ?

– Salut, comment ça va ? C'est encore moi, Daaaaaale. Écoute, si ça ne te gêne pas, j'aimerais que tu ne parles de ça à personne.

– Bien sûr que non ! répondis-je spontanément.

Ce n'était pas tout à fait le genre de choses dont je me serais vantée. Je n'aurais pas vraiment songé à mandater un pilote pour écrire « Dale aime Liv » dans le ciel.

– Désolée de t'avoir importunée, murmura-t-elle avant de raccrocher.

Le lendemain, j'arrivai à l'agence de bonne heure, mais Dale m'avait précédée. Elle avait un bouton de fièvre sur la lèvre. Elle s'entretenait avec la personne qui deviendrait peut-être notre nouvelle réceptionniste. Une grotesque drag queen se tenait coincée sur la petite chaise fixe de l'un des pupitres d'écolier. Elle avait de longs ongles marron et des bagues à chaque doigt, sauf à l'annulaire droit.

– Je te présente Janet, chantonna Dale. Janet, voici la môme.

– La môme ?

– J'ai vingt-six ans, précisai-je.

Janet pouffa.

– Enfin, pour nous c'est une gamine, minauda Dale.

– Pas pour moi, dit l'autre tout en resserrant ses jambes. Je disais donc que je tiens à réintégrer le marché du travail en tant que femme.

– Ma foi, c'est tout à fait compréhensible. Merci d'être venue. Vous recevrez une réponse dans le courant de la semaine.

Janet lutta pour s'extraire de son siège. Elle faisait grise mine. Sa pomme d'Adam saillait sous son col roulé.

– Seigneur... l'entendis-je gémir tandis qu'elle descendait les escaliers en faisant claquer ses talons hauts.

– Je ne sais pas ce qui m'a pris, chuchota Dale. J'ai vu une annonce dans le *Village Voice* – « Transsex. pré-op ch. tt type trav. » – et j'ai immédiatement appelé. Harri me tuerait si je l'embauchais. Je vais le faire. Je sens que je vais le faire.

– Quelles seront ses attributions ?

– Je t'espique. Elle répondra au téléphone et dès que quelqu'un entrera dans l'agence, elle lui proposera du café. Eh oui, dorénavant nous aurons du café, ici. À vrai dire, tout un tas de choses vont changer à partir de maintenant. Quoi, ce n'est pas une bonne idée ?

– Si, si. Très bonne.

– Non mais t'es folle ou quoi ? Tu crois quand même pas que je vais embaucher une drag queen ! Tu me prends vraiment pour une cinglée.

Je feignis de m'affairer à mon bureau.

– Où est Lorna ? s'impatienta Dale. Qu'est-ce qu'elle fabrique ?

Mon téléphone sonna. Je décrochai aussitôt. C'était Violet.

– Allons prendre un petit déj, dit-elle. J'ai le bourdon.

– C'est qui ? chuchota Dale.

– Vous appelez pour quel appartement ? demandai-je.

– Hein ? C'est moi, Violet.

– Oui, vous pouvez le visiter aujourd'hui. Tout de suite, même, si vous voulez.

– Où ça ? Au Waverly ?

– Oui, il possède une cheminée en état de marche. Dans quelle branche travaillez-vous ?

– Tu as été kidnappée ?

– Alors vous êtes plus que solvable, ha, ha !

Dale me dévisageait avec suspicion.

– Disons, dans vingt minutes ?

– J'y serai, répondit Violet.

– À tout de suite.

Je raccrochai et déclarai :

– Je reviens dans une heure.

– Je t'accompagne, annonça Dale en m'emboîtant le pas.

Une fois dans la rue, je dis :

– Je dois remonter pour m'assurer d'avoir pris les bonnes clés.

Je comptais décommander Violet en catastrophe, puis, en redescendant, informer Dale que la cliente venait de rappeler pour annuler.

– Très bien, acquiesça la patronne.

Elle semblait décidée à me suivre là-haut.

– Tu peux m'attendre ici, tu sais.

Mais elle m'escorta quand même. Alors je farfouillai dans mon tiroir à clés et pris le trousseau d'un loft sur Elizabeth Street, en priant pour que le proprio soit absent.

Nous ressortîmes.

– Ça ne sert à rien qu'on soit deux, Dale.

– Je veux voir la môme à l'œuvre.

– Mais ça me discrédite si tu me chaperonnes pendant les visites. Que vont penser mes clients ?

– Eh, c'est *mes* clients, pas les tiens.

Nous marchâmes en silence jusqu'au segment d'Elizabeth Street compris entre Houston et Bleecker Street.

Nous nous postâmes devant l'immeuble, face à un chantier de construction. Le propriétaire m'avait demandé de cacher à mes clients – pardon, à ceux de Dale – qu'on allait ériger une tour devant leurs fenêtres. J'étais censée évoquer un jardin public. Mais maintenant qu'étaient apparues les premières dalles de béton, ce mensonge devenait impossible.

– Vous aviez rendez-vous à quelle heure ? demanda Dale.

– À 11 heures.

Nous consultâmes simultanément nos montres. Il était 11 heures.

Dale pointa du doigt le trottoir.

– Tu sais ce que c'est, ça ? (Elle désigna une nuée de petites fioles en verre.) Ce sont des ampoules de crack. Tu devrais les faire disparaître avant que les clients n'arrivent.

– T'inquiète pas, cette femme ne saura pas les reconnaître.

Dale se mit à osciller sur ses talons, agrippée à son agenda en cuir, en faisant cliquer son stylo à bille.

– Je refuse que mes clients découvrent des ampoules de crack en venant visiter un immeuble ! Une vraie professionnelle ne recule devant rien pour conclure une affaire. Fais disparaître ces machins !

– Je n'ai pas mon balai sur moi, désolée.

– Va donc chercher celui de l'appart.

– Ça me gênerait de déblayer le trottoir avec le balai du propriétaire.

– Tu crois que les gens vont payer quatre mille dollars par mois pour vivre dans un repaire de camés ? tonna Dale.

Je me baissai et ramassai les fioles une à une, puis les rangeai dans mon sac à main.

Dale regarda l'heure.

– Ces gens sont de vrais gâcheurs de temps. Ils croient vraiment qu'on a que ça à foutre. Ça ne les gêne pas de nous faire poireauter toute la journée.

– Elle est ponctuelle, d'habitude.

La gaffe ! Quelques minutes plus tôt, au téléphone, j'avais demandé à la « cliente » quel était son secteur d'activité. Mais ma dernière phrase laissait entendre que je lui avais déjà montré plusieurs appartements. Il fallait corriger le tir :

– Du moins, son mari est ponctuel. Jusqu'ici, c'est à lui que j'ai eu affaire.

Je me demandais combien de temps Violet allait m'attendre au Waverly. Elle devait être folle de rage.

– Laissons-lui encore cinq minutes, proposa Dale. Au fait, à propos d'hier soir...

– Ne te bile pas pour ça, Dale.

– J'ai eu tort. Je n'aurais jamais dû t'avouer que je voulais coucher avec toi. C'était antiprofessionnel.

J'aperçus une autre fiole, à deux mètres de là. J'allai la ramasser.

– Tu veux connaître mon grand fantasme ? poursuivit Dale.

Faire l'amour avec moi, songeai-je.

– Tu vois ces immeubles ? demanda-t-elle en indiquant une rangée de trois bâtiments de trois étages complètement délabrés, chacun orné d'une pancarte « à vendre ». Je rêve d'en acheter un pour le transformer en résidence d'artistes. Un grand lieu de création.

– Tu veux fonder une communauté artistique ?

– Exactement. Harri et moi occuperions les deux étages supérieurs et le rez-de-chaussée hébergerait nos bureaux.

Ce qui ne laisserait qu'un étage aux artistes.

Nous patientâmes jusqu'à la demie. Dale consulta une dernière fois sa grosse montre d'homme.

J'ignorais pourquoi je m'infligeais cette épreuve. Que Dale me vire m'était bien égal. La scène tournait à une bataille d'ego. Toutes deux plantées côte à côte dans un quartier sordide, à guetter une cliente imaginaire. On aurait dit une mauvaise adaptation féministe d'*En attendant Godot*. Ou mon mariage. Je n'allais pas céder la première.

– Ça fait trente minutes qu'on attend. Tu es sûre d'avoir rendez-vous ici ?

– Sûre et certaine.

– C'est quoi son histoire, déjà ?

– Son mari est golden boy, ils veulent se rapprocher de Wall Street.

– Et elle, elle fait quoi ?

– Ballerine.

– Mon petit doigt me dit qu'elle ne va pas venir.

– Accordons-lui quelques minutes supplémentaires.

– Non, suis-moi. Je veux te montrer quelque chose.

– Où ça ?

Avant son départ en Italie, Dale m'avait traînée aux soldes privés de Norma Kamali et m'avait regardée essayer des maillots de bain. Je ne tenais pas à renouveler l'expérience.

– Juste au coin de la rue.

Nous nous y rendîmes, et découvrîmes des dizaines de baignoires et de lavabos rétros alignés sur le trottoir.

– N'est-ce pas magnifique ? Toutes ces vieilles reliques...

C'était splendide, en effet. Mon Dieu, voilà que je pensais comme Dale !

– C'est comme un jardin de porcelaine, ajouta-t-elle.

S'ensuivit un silence contemplatif.

– Pourquoi la cliente n'est-elle pas venue, d'après toi ? demanda Dale.

– Je l'ignore. Je suis drôlement embêtée. Je m'en veux de t'avoir fait perdre un temps précieux.

– Il n'y avait peut-être pas de cliente.

– Qu'entends-tu par là ?

– C'est peut-être un de tes amants qui a appelé, pour programmer les petites réjouissances de l'après-midi.

– Quoi ? Tu débloques, Dale. Bien sûr qu'il y avait une cliente.

– Quel est son nom, déjà ?

– Nemchineva.

C'est le patronyme de ma prof de danse classique, lorsque j'avais cinq ans.

– Je ne sais pas pourquoi, mais je n'ai plus confiance en toi.

– C'est à cause de tes sentiments à mon égard, Dale.

– Oh ! Comment oses-tu m'accuser d'une telle chose ? Rends-moi les clés de l'agence. T'es virée. La môme est virée.

– J'ai peur que tu regrettes ce geste, Dale.

– Donne !

Je plongeai la main dans mon sac, écartai le pistolet, et cherchai le porte-clés au milieu des fioles de crack. Je le remis à Dale. Elle s'éloigna en jouant avec, marchant à grandes enjambées telle une autruche dans un corps d'hippopotame.

En regagnant mon domicile, j'examinai la carte postale que Dale m'avait postée de Venise. Au recto figuraient les deux célèbres anges de Raphaël, l'un châtain, la main sur le menton, l'autre blond, bras croisés. Dale avait écrit « Liv » au-dessus du premier, et « Lorna » au-dessus du second.

Je ne lus pas le verso de la carte. Pas plus que je ne lus celles qui se succédèrent les trois semaines suivantes au rythme d'une par jour. Je ne répondis pas davantage à ses messages téléphoniques. Elle y expliquait tour à tour combien elle regrettait de m'avoir renvoyée, qu'elle avait en fait voulu virer Lorna, que c'était à cause de ses règles, du décalage horaire, d'une hypoglycémie, d'une dépression nerveuse. Tout était résumé dans son ultime message :

– Salut, Liv. C'est moi, Daaaaaale. Comment vas-tu ?

Un bref silence, et elle raccrochait.

[Deuxième partie]

Le bouffon : Tu dis que cette demeure est ténébreuse ?

Malvolio : Comme l'enfer, messire Topas.

bouffon : Eh quoi ! Elle a des baies transparentes comme des barricades, et les claires-voies, orientées sud-nord, sont aussi éclatantes que l'ébène ! Et tu te plains d'être aveuglé ?

Malvolio : Je ne suis pas fou, messire Topas. Je vous dis que cette maison est obscure.

William SHAKESPEARE
La Nuit des Rois
Acte IV, scène 2

19

PARC À COUP. SOUFFLE

En route pour mon premier jour de travail chez Smoothe Transitions, grande agence immobilière, je m'arrêtai devant un Noir qui vendait de l'encens et quelques livres sur le trottoir. Sur son stand trônait la photo d'un Hindou dans un cadre en carton. Il ressemblait à un vrai gourou, torse nu, assis en tailleur dans un pagne orange.

– Combien ? demandai-je.

– Ça vous plaît ? dit l'homme en souriant.

– Beaucoup. Vous la vendez combien ?

– Je vous l'offre, déclara-t-il en me tendant la photo.

En arrivant dans mes nouveaux murs, à l'angle de la 18e Rue et de la 5e Avenue, je patientai à l'accueil pendant que la réceptionniste, qui n'était pas drag queen, transférait les communications. Sur les murs s'étalaient des clichés en noir et blanc du New York d'autrefois. L'une représentait la crête des gratte-ciel du sud de l'île, avant la construction du World Trade Center.

Une porte s'ouvrit, et apparut enfin ma future patronne. Elle était encore plus petite que moi et paraissait douze ans. Elle me fit visiter les locaux, qui consistaient en un immense loft rectangulaire rempli de bureaux et de gens. Dans l'une des largeurs courait une rangée de fenêtres donnant sur une colonne d'aération grise. Les peintures étaient d'un bleu-vert oppressant. Mon entretien d'embauche m'avait laissé une meilleure impression. Moins miteux.

– Nous y sommes, annonça-t-elle fièrement en indiquant une tablette posée en équilibre sur un caisson à dossiers suspendus.

J'étais censée la partager avec une collègue. Aucun repère visuel ne démarquait nos territoires respectifs. J'allais me retrouver collée à une étrangère, comme dans le métro, avec ses sacs de shopping et ses bourrelets de graisse empiétant sur mon minuscule siège. Dans les transports, je pouvais toujours choisir de rester debout. Mais je me voyais mal passer des journées entières sans m'asseoir.

Au milieu se trouvait un ordinateur, dont le cordon d'alimentation traversait ma moitié de planche. Nous aurions le dos collé à une autre tablette. À l'instant où elle aperçut la patronne, ma nouvelle camarade de placard empoigna son téléphone et se mit à discourir, sans avoir entendu de sonnerie ni composé de numéro.

– Je vous laisse toute la matinée pour vous installer, déclara la chef, dont le nom m'échappa soudain.

Mon fauteuil était le seul de la pièce dépourvu d'accoudoirs.

– Vous n'avez pas l'air emballé, remarqua-t-elle.

C'était l'inconvénient des patrons voyants.

J'avais envisagé de poser ma candidature chez Corcoran, puis m'étais ravisée de peur que l'admiration que je vouais à la grande Barbara ne s'émousse à son contact. Smoothe Transitions n'avait pas le prestige de Corcoran, mais n'en était pas moins une excellente agence, sans comparaison possible avec le bouge de Dale. Samantha Smoothe, la présidente, avait ses quartiers dans le haut de Manhattan. Je n'avais donc qu'un moyen de l'approcher : frôler son effigie de carton grandeur nature appuyée au mur à quelques mètres de mon bureau.

J'avais passé un autre entretien d'embauche, devant un bel homme aux cheveux gris dénommé Steve Levin, dans une petite mais coquette agence de Soho.

– Vous me faites penser à ma fille, avait-il lâché comme je m'apprêtais à quitter son bureau.

J'en étais flattée. J'aimais rappeler leurs filles aux nababs de l'immobilier.

– C'est Jennifer, murmura-t-il en me montrant le portrait serti d'argent d'une adolescente en pull.

– Elle est très belle.

Son visage me semblait familier. Jennifer. Jennifer Levin.

À peine avais-je refermé la porte que la mémoire me revenait. Jennifer Levin. La lycéenne assassinée. La fille que Robert Chambers avait étranglée dans Central Park avec son propre soutien-gorge. Elle et moi étions nées la même année. J'aurais pu me trouver à sa place ce soir-là. Bien que ma phobie des rats m'interdise de faire l'amour dans un parc la nuit. Cela étant, quand on couche avec un type, fût-il un abruti fini, on ne s'attend pas à se retrouver à la une du *Daily News* le lendemain.

Je m'étais figée devant la secrétaire.

– Vous vous sentez bien ? m'avait demandé celle-ci.

– C'est le père de Jennifer Levin, bredouillai-je bêtement.

Elle m'avait alors tendu une pétition contre la libération anticipée de Robert Chambers ; tout en la signant, je m'étais demandé si, dans pareil cas de figure, l'assistante de mon père aurait fait circuler une pétition pour moi. À vrai dire, j'en doutais. Mon cousin était décédé peu après sa naissance, et mon père avait toujours reproché à ma tante Emma – mais dans son dos – de refuser de tourner la page. Mes yeux se remplissaient de larmes. Je voulais rebrousser chemin pour dire à M. Levin de ne pas s'inquiéter. Je ne laisserais personne me faire ce qu'on avait fait à sa fille. Je quitterais Andrew. Je voulais sortir mon flingue, pour qu'il sache que je pouvais me défendre. Mais le courage me manquait. Voilà pourquoi j'avais choisi d'intégrer Smoothe Transitions.

– Dites-moi, que pouvons-nous faire pour vous rendre le sourire ? demanda ma nouvelle supérieure.

Son blazer marine était orné d'un curieux écusson. Qui s'habillait encore comme ça ?

D'après mon prof d'immobilier, nos besoins matériels se limitaient à un téléphone et une bonne paire de chaussures.

– Il me suffit d'un téléphone et d'une bonne paire de chaussures, répondis-je.

Elle considéra mes bottines noires à talons aiguilles, des Via Spiga que mon père m'avait envoyées par la poste. Il m'avait fallu plusieurs semaines d'entraînement avant de pouvoir arpenter un bloc entier d'immeubles sans contracter d'ampoules.

– Eh bien, rapportez-nous plein d'argent, et vous obtiendrez le bureau que vous voudrez. Sauf le mien, bien sûr. (Elle rit et je l'imitai, décidée à me ressaisir.) S'il vous manque quoi que soit, n'hésitez pas. Ma politique est celle de la porte ouverte.

Elle s'éloigna ; la fille qui partageait ma tablette raccrocha son combiné sans prendre soin de saluer son interlocuteur fictif. Ses affaires recouvraient l'essentiel de ma surface de travail, notamment son gros manteau. Je la détestais déjà.

Je posai la photo de mon gourou sur l'espace restant, et elle l'examina. L'objet détonnait dans cette salle. Le sage lançait un regard perçant.

– C'est qui ? demanda-t-elle.

– Un grand prêtre.

Elle jeta un œil par-dessus son épaule comme pour s'assurer que personne n'avait entendu. Elle semblait dans ses petits souliers.

– Tu comptes laisser cette chose ici ?

Je remarquai, punaisée sur son petit panneau en liège, la photo d'un shihtzu coiffé d'une barrette.

– Absolument. Il constitue à mes yeux l'un des secrets de ma réussite.

Je me présentai, en toute confiance. Sur son téléphone se trouvait un Post-it où elle avait écrit « mon numéro », suivi de sept chiffres. Si elle n'était pas capable de mémoriser ses propres coordonnées, je doutais qu'elle puisse me faire beaucoup d'ombre.

– Je m'appelle Carla Lerner, dit-elle à son tour. Je travaille ici depuis bientôt six mois. Je pense que tu t'y plairas. C'est une très bonne agence. Kim est géniale.

Brune, les cheveux raides, elle avait un long visage un peu joufflu.

– Qui est Kim ? demandai-je.

– Qui est Kim ? répéta-t-elle en levant les yeux au ciel. Kim est notre chef. La femme qui vient de t'amener ici.

Je devinai à son regard qu'elle me croyait incapable de lui faire de l'ombre – ou de retenir le nom de ma chef.

– Ah, Kim ? J'avais entendu « Tim ». Oui, c'est vrai, Kim est géniale.

Autour de nous, les gens hurlaient au téléphone. Je reconnus Marti Landesman, l'une des plus célèbres courtières de New York. Qu'est-ce que je fabriquais ici ? Je ne savais pas utiliser un ordinateur. Je ne savais rien. Cet endroit était sans commune mesure avec la boutique décadente de Dale. Ici, au moins, personne ne fumait joint sur joint, et je pouvais téléphoner à ma guise.

J'appelai Violet pour lui laisser mon nouveau numéro. Elle bullait chez elle, se demandant ce qu'elle allait commander à déjeuner. Nous eûmes une longue conversation, truffée de questions alambiquées sur mon état d'esprit, auxquelles je répondais par des mots isolés tels que : « mortel », « affreux », « paumée », pour éviter que Carla Lerner ne saisisse la teneur de notre échange. Puis il fallut que Violet me laisse.

– Tu es sûre que ça va ? demanda-t-elle une dernière fois.

– Non.

– Tu as de quoi t'acheter à manger ?

Je soupirai. Je n'aurais jamais commencé un nouveau boulot les poches vides. Je ne mettrais pas les pieds dehors sans un porte-monnaie plein.

– Je t'emmène aux toilettes, indiqua-t-elle. (Je l'entendis faire pipi.) C'est trop frustrant, Liv. J'ai du mal à poursuivre une discussion dans ces conditions. Tu ne me dis rien. C'est comment, là-bas ?

– Suffocant.

– Écoute, rappelle-moi plus tard.

Je raccrochai à contrecœur, consciente de rompre le dernier lien qui m'unissait au monde extérieur.

– Tu n'as pas l'air de te plaire ici, nota Carla comme si j'étais la mauviette de la colo.

Je tournai mon fauteuil face au pandit. Je me déchaussai et ramenai mes pieds sous mes fesses, dans la même position que lui. Je lissai ma jupe sur mes cuisses et joignis le pouce et l'index de chaque main. Je devais me détendre. Carla était tétanisée.

Je connectai mes yeux à ceux du gourou. Je ne m'étais jamais considérée comme un être mystique, mais après tout pourquoi pas ? J'invoquai l'aide des grandes forces de l'immobilier. Steve Levin, Donald Trump, Barbara Corcoran, saint François d'Assise – patron de la profession. Le téléphone de Carla Lerner sonna.

– Je te rappelle, murmura-t-elle avant de raccrocher.

Je sentais son regard posé sur moi. Je fermai les yeux et le bruit de la salle diminua. Je commençais à avoir des fourmis dans les doigts. Ma nuque se décontractait. Puis ma tête hoqueta d'un coup sec, d'elle-même. Que m'arrivait-il ? Je n'avais jamais connu la transe auparavant. Je restai dans cette position un bon moment, jusqu'à ce qu'une lumière jaillisse dans mon esprit. Je savais enfin ce que j'étais censée faire.

– Carla, émis-je d'une voix douce.

– Quoi ?

– Te serait-il possible de trouver une autre place pour ton manteau ?

Son visage réussit l'exploit de s'allonger un peu plus.

– Pourquoi ? Il te dérange ?

– Exactement. Il recouvre la moitié de mon espace.

Elle le décala d'un demi-centimètre.

– C'est mieux comme ça ?

– Encore un petit effort. J'aimerais qu'il disparaisse de mon bureau.

Elle l'empoigna rageusement et alla le suspendre au portemanteau collectif. Quand elle revint, je pointai du doigt son rouleau de scotch, son mini-ventilateur et ses cookies.

– Tes affaires sont toujours sur mon bureau.

Elle débarrassa son fatras puis retourna à son manteau, l'enfila et sortit. J'attrapai la corbeille à papier posée au pied de son fauteuil et l'installai de mon côté du caisson. Puis j'estimai avoir assez bossé pour aujourd'hui.

– Cinq cent mille dollars ? Cinq cent mille dollars ? C'est une provocation ! braillait un type à l'autre bout de la pièce. Vous direz à votre client qu'il insulte le propriétaire ! Il en a conscience, au moins ? Il en a conscience ?

Il occupait l'un des somptueux bureaux indépendants réservés aux « courtiers de choc ». Malgré ses vociférations, il arborait une mine épanouie. Il semblait heureux d'être là, à aboyer sur ses correspondants. J'étais jalouse. J'avais hâte d'être à sa place.

J'ouvris mon organiseur à la section « clients ». Ceux que j'avais volés à Dale. Je composai le numéro de Noah Bausch et expliquai à son répondeur que j'avais quitté la Galerie immobilière Dale Kilpatrick car Dale Kilpatrick était une folle, et que j'officiais à présent chez Smoothe Transitions, ce qui, j'en étais persuadée, était tout à son avantage. Deux pigeons se posèrent sur le rebord de ma fenêtre. Pire que Carla Lerner, pire que tout le reste, il fallait encore que je subisse ces satanées bestioles.

20

GARÇONNIÈRE $$$

Pour me faire aimer d'un homme, j'avais une série de numéros bien rodés, un éventail de petits trucs censés l'attendrir, comme sautiller de joie à la perspective d'aller faire un tour au zoo. Ce matin-là, j'en essayai un nouveau : le coup de la fermeture Éclair.

Je possédais un superbe coupe-vent rouge, que mon mari m'avait abandonné à force de m'entendre répéter que c'était une fringue de fille. Au moment de quitter l'appartement au bras d'Andrew, j'enfilai le blouson et me débattis telle une gosse maladroite avec la glissière, en faisant mine de ne pas savoir la fermer.

Andrew parut fort intrigué par mon manège.

– Tu as un problème ? demanda-t-il avec un sourire amusé.

Même lui tombait dans le panneau. C'était trop facile. Il s'approcha pour m'aider.

– Non, je peux y arriver toute seule. Regarde !

Et là, comme par magie, je remontai la languette jusqu'en haut.

Tout ému, Andrew m'embrassa.

– Qu'est-ce que je t'aime, lâcha-t-il en soupirant.

C'était la première fois que j'entendais ces mots dans sa bouche. Je notai cependant qu'il n'avait pas dit : « Je t'aime », mais seulement : « Qu'est-ce que je t'aime. » Il restait prudent.

– Je sais que tu m'aimes aussi, ajouta-t-il.

– Ah oui ? Et que comptes-tu faire au sujet de ta copine ?

– Je vais la quitter.

– Quand ?

– J'ai besoin de temps, Liv. Pourquoi tu me brusques comme ça ? Tu viens de m'arracher un « je t'aime » suivi de « je vais la quitter ». C'est déjà beaucoup, non ? (Il rouvrit mon coupe-vent.) Allez, montre-moi comment tu te mélanges les pinceaux avec cette fermeture. J'avoue que ça me rend tout chose.

– Plus tard, Andrew. La pizza va refroidir.

Nous dévalâmes les escaliers et descendîmes MacDougal Street en silence, jusqu'à ce qu'Andrew déclare :

– Quand nous serons mariés, tu seras fière de marcher dans la rue avec moi. Tu seras fière d'avoir une grosse bague au doigt et mon fric dans ta poche.

– Quand nous serons mariés, rétorquai-je en riant, chaque fois que nous marcherons dans la rue, ce sera une mini-procession, avec tous les détectives que je lancerai à tes trousses.

Il voulait m'offrir un « vrai restau », or aucun de ceux que nous croisions ne trouvait grâce à ses yeux, ce qui nous mena jusqu'à Soho, où il arrêta son choix sur un établissement sombre baptisé le Fanelli.

– C'est assez lugubre à ton goût ? demandai-je.

Nous nous assîmes à une table du fond. Andrew posa les coudes sur la toile cirée à gros carreaux rouges et me prit la main.

La serveuse arriva avec broc, verres, couverts et serviettes en papier.

– Andrew ? dit-elle soudain.

– Salut... Tu vas bien ?

– Ça va, mis à part ce job. Et toi, quoi de neuf ? J'ai croisé Jordan l'autre jour, elle m'a dit que tout baignait pour vous deux.

– Euh... fit Andrew.

– Oh, pardon ! s'écria la serveuse en remarquant nos doigts enlacés.

– Qui est cette Jordan ? lançai-je d'une voix indignée en me levant d'un bond.

Andrew émit un rire nerveux.

– Tu as une copine et tu ne me disais rien ? Enfoiré ! Comment t'as pu me faire ça ?

– Je suis vraiment désolée, bredouilla la serveuse.

Je courus aux toilettes.

– T'inquiète pas, elle s'amuse, entendis-je Andrew expliquer.

Je rigolai un bon coup, puis quittai ma cachette et retournai m'asseoir comme si de rien n'était.

Andrew commanda un hamburger végétarien – sans oignon, précisa-t-il à la serveuse penaude – et moi une soupe. La fille revint avec une bouteille de vin offerte par la maison.

– Tu fais toujours du théâtre ? la questionna Andrew.

Elle reprit des couleurs en récitant la quasi-totalité de son CV, travers propre à tous les aspirants comédiens. Quand elle se retira enfin, Andrew me demanda :

– Dis-moi, Liv, à quoi ressembleront nos enfants ?

– On n'en aura pas.

– Mais si ! Et je parie que tu as déjà une idée sur la question.

En effet, je les imaginais laids et bouffis.

– Pour commencer, ils ne seront pas grands.

– C'est fort probable. Quoi d'autre ?

– Ils passeront leur temps à pleurer et à poser des questions du style : « Maman, pourquoi est-ce que papa habite avec cette méchante dame et pas ici avec nous ? » ou bien : « Dis, maman, pourquoi est-ce qu'il faut raccrocher quand on appelle papa et que c'est la méchante dame qui répond ? »

– J'essaie d'avoir une discussion sérieuse, Liv.

– « Maman, pourquoi est-ce que papa nous emmène toujours dans des McDo tout sombres, pourquoi il nous fait porter ces vêtements ridicules, pourquoi tu paies tous ces hommes pour espionner papa et le prendre en photo ? »

– Bon sang, Liv, qu'est-ce que je t'aime !

Sitôt le repas terminé, Andrew voulut déguerpir. La serveuse posa l'addition au centre de la table. Chacun la contempla en silence, sans broncher.

– Allez, c'est pour moi, finit-il par lâcher.

– Ah, tout de même.

– Comment ça, tout de même ? Pourquoi serait-ce toujours à moi de payer ?

– Mais parce je suis ta *maîtresse*, Andrew, articulai-je à haute voix pour que la serveuse en profite. Je suis *l'autre femme*. On ne fait rien payer à sa maîtresse, enfin ! Au contraire, on la couvre de cadeaux. D'ailleurs ils sont où, mes cadeaux ? Où sont mes chocolats ? Où sont mes bouquets de fleurs ? Tu n'es même pas fichu d'acheter des capotes !

– D'accord, d'accord, j'ai compris. Raccompagne-moi au métro, Liv.

Nous nous embrassâmes à la station de Spring Street, puis je fis un tour en solitaire dans les rues de Soho. Je me rendis compte que mon cœur palpitait depuis le début de la soirée. J'avais encore le feu aux joues en regagnant mon immeuble.

Le téléphone sonna. C'était Andrew.

– Dis-moi, Liv, j'avais pas une drôle d'haleine quand on s'est embrassés ?

– Pardon ?

L'ail de son hamburger avait en effet donné à ses baisers un goût épouvantable.

– Quand je suis rentré, Jordan m'a trouvé une haleine bizarre, et j'ai aussitôt pensé : « Mon Dieu, j'ai infligé ça à Liv ! »

– Je n'ai rien noté de particulier, mentis-je.

Il parlait d'une voix blanche, agonisante.

– Cette histoire m'a rendu dingue. J'étais mort de trouille !

Je lui répétai que sa maudite haleine était tout à fait normale, et il raccrocha rassuré. Puis je songeai qu'il avait dû approcher sa copine de près, pour qu'elle lui fasse un tel reproche...

Ma première pensée au réveil fut : « Je suis amoureuse d'Andrew et j'ai confiance en lui. » Il allait quitter Jordan, et ce serait mieux pour tout le monde. Il ne lui rendait pas service en restant avec elle alors qu'il en aimait une autre. J'estimai que la date idéale pour leur rupture serait vendredi prochain.

J'appelai chez lui et raccrochai en tombant sur Jordan. Elle avait une jolie voix, jeune et chaude. Je m'étais attendue à un timbre tellement frigorifique qu'il aurait gelé la ligne, cristallisé le récepteur et m'aurait pétrifié l'oreille. Andrew rappela quelques minutes plus tard.

– Tu as essayé de me joindre ? demanda-t-il.

– En effet.

– Dis-moi que tu m'aimes, Liv.

– Je t'aime, Andrew.

– Mon Dieu, mais c'est merveilleux ! C'est génial. Moi aussi, je t'aime.

Nous y étions enfin.

– Comment va ta copine ?

– Dis-moi plutôt comment tu vas, toi.

– Je te parle de Jordan. Où est-elle ?

– Elle promène les chiens.

– Il m'est venu une idée, Andrew. Je pense que tu devrais la quitter sans tarder et t'installer chez moi. D'ici vendredi, par exemple. On avisera de la suite à tête reposée.

– Vendredi ?

– Oui, vendredi.

– Ma foi, ce n'est pas une mauvaise idée. Je vais y réfléchir.

Tout semblait si simple, tout à coup.

– Tu sais ce que j'aimerais, Liv ?

– Non ?

– J'aimerais pouvoir garder ta chatte dans ma poche, comme un porte-monnaie que je tripoterais toute la journée. Un magnifique porte-monnaie moitié cuir, moitié vison.

– Si Jordan t'entendait !

Il rit.

– Je dois y aller, Liv. Je t'appellerai du bureau.

J'arrivai à l'agence juste à temps pour entendre Carla Lerner décrire un loft. Penchée sur la photo d'un vaste living, elle en faisait des tonnes :

– Et puis il y a des espèces de poteaux, vous voyez... Douze poteaux blancs...

– Des colonnes, lui soufflai-je à l'oreille. Pas des poteaux. Des colonnes en fonte.

L'appartement que Dale m'avait montré possédait un poteau ; celui-ci avait des colonnes.

– Douze *colonnes* en fonte, rectifia-t-elle, en appuyant sur ce mot comme s'il s'agissait d'un terme savant appris en cours de grec ancien. Merci, murmura-t-elle après avoir raccroché.

Ce fut notre seul échange de la matinée.

Je mis une bonne heure à enregistrer l'annonce de ma boîte vocale. « Ici Liv Kellerman, de Smoothe Transitions », répétai-je à l'infini. Ça sonnait tellement bien. J'avais hâte qu'Andrew entende ça.

Nous allions passer la nuit ensemble : Jordan rendait visite à ses parents dans le Connecticut.

21

ENSOL. 24/24

Au moment de faire l'amour, Andrew se leva pour prendre quelque chose dans son sac. Je crus un instant qu'il avait l'intention de me ligoter, avant de découvrir dans sa main un instrument de torture.

– Qu'est-ce que tu fabriques avec ça ? demandai-je.

– Je veux vérifier si ma tension artérielle ne monte pas trop quand on baise.

– Très flattée.

– J'ai voulu tenter l'expérience en me branlant ce matin, mais je n'y arrive pas tout seul.

– Pourquoi n'as-tu pas demandé un coup de main à Jordan ?

– Elle n'était pas là. On a des emplois du temps décalés.

– Et pourquoi n'irais-tu pas te masturber chez ton médecin ?

– Le problème, c'est que je me fatigue beaucoup moins en me branlant qu'avec toi. J'ai bien pensé à sauter la toubib dans son cabinet, mais je préfère d'abord essayer cette méthode-ci.

Il retourna à son sac et en sortit un stéthoscope chromé.

– J'adore ce machin, susurra-t-il en le passant autour de son cou.

– Ça t'a coûté combien, tout cet attirail ?

– Une fortune. Mais la santé n'a pas de prix.

Je ne pouvais imaginer Andrew acheter quoi que ce soit, a fortiori du matériel aussi onéreux.

Il enroula l'épais manchon noir autour de mon bras et attacha les bandes Velcro.

– C'est trop serré, Andrew.

Ignorant ma remarque, il actionna la petite poire en regardant sa montre.

– Tension normale, dit-il.

– Et qu'est-ce qu'on risque si la tienne augmente trop quand on baise ? Tu ne me toucheras plus jamais ?

– Mais si, chérie. Il faudra juste qu'on s'adapte.

Il chaussa le stéthoscope et glissa le capteur glacé sous mon sein gauche.

– J'entends ton cœur ! s'exclama-t-il en souriant comme un enfant.

Le manchon me broyait toujours le bras.

– J'entends que tu es amoureuse de moi, ajouta-t-il.

– Il me faudrait un second avis.

Il promena le disque de métal sur ma poitrine.

– Inspire... Expire...

– Tu me donnes la migraine, Andrew.

Je posai le capteur sur mon téton.

– Eh, c'est pas un jouet !

Il me délivra le bras et enfila lui-même le brassard. Puis il me chevaucha, en s'arrêtant toutes les deux minutes pour scruter l'aiguille du manomètre. J'étais chargée, quant à moi, de redonner quelques coups de poire à son signal. Le stéthoscope n'avait pas quitté ses oreilles, ce qui lui permit d'écouter son cœur dès qu'il eut éjaculé.

Le lendemain matin, Andrew s'aventura dans la cabine de douche. Il savait déjà régler la température avec la clé anglaise. Quand j'entendis l'eau couler, je me rendis au salon, résolue à ne pas fouiller dans le sac qui le suivait partout, ce grand sac de sport bleu roi laissé en évidence devant la porte. Fripé par endroits, plein de poches, certaines fermées, d'autres entrouvertes... Je l'examinai comme si j'allais devoir le décrire à un inspecteur de police.

Je m'accroupis. La languette du compartiment central pointait en l'air. Je tirai précautionneusement sur la glissière, puis exhumai un cahier d'écolier marron, après avoir mémorisé son emplacement exact.

Les pages étaient couvertes d'une belle écriture d'architecte. *Lever, pomme de terre au four, gym, sexe avec Liv K. pour la 3e fois.* Il en connaissait combien, des Liv, pour être contraint de préciser l'initiale de mon nom de famille ? Les autres figuraient-elles aussi sur la même liste qu'une patate ?

Andrew grognait tranquillement sous la douche. Je tournai la page. *J'ai cartonné à la réunion S.B. Je suis vraiment un pro...* Je l'entendis couper l'arrivée d'eau et pousser la porte métallique de la cabine. Je refermai aussitôt le cahier, le replaçai dans le sac, paniquai un instant en doutant de son orientation initiale, décidai finalement de le retourner, en dissimulai un coin sous une paire de chaussettes, remontai la glissière et redressai la languette métallique avant de filer au salon.

Andrew apparut, drapé dans une serviette jaune. Il posa un œil sur le sac. La position du cahier me taraudait.

– J'ai tué quelque chose dans ta douche, annonça-t-il.

– Je t'en remercie.

– Qu'est-ce que t'as fait pendant ce temps-là ?

Mince, je n'avais pas pensé à ça. J'aurais dû allumer la télé.

– J'ai regardé par la fenêtre.

Celle-ci était fermée. De lourdes cordes peu rassurantes oscillaient et cognaient contre les escaliers de secours.

– Et quel temps fait-il ?

– Pas mauvais.

– Tant mieux : je voulais acheter des croissants. Ça t'intéresse ?

S'il sortait, je pourrais tourner le verrou et poursuivre ma lecture.

– Excellente idée !

Son regard obliqua de nouveau vers le sac.

– On y va ensemble ? proposa-t-il en retournant dans la cuisine.

Il se servit de mon déodorant, puis enfila sous-vêtements, jean et col roulé.

– Je préfère t'attendre, répondis-je tout en m'asseyant sur le lit face au téléviseur.

Il finit de s'habiller et ouvrit la porte d'entrée.

– À tout de suite.

En me levant pour refermer derrière lui, je constatai que le sac n'était plus là.

La frustration me noua le ventre. Je brûlais d'en savoir plus sur la vie sexuelle de Liv K. Je devais remettre la main sur ce cahier au plus vite.

Le journal intime d'Andrew était le premier bouquin qui me tentait depuis ma séparation. L'aspect le plus terrifiant de la vie en solitaire, avais-je découvert, était la lecture. Se trouver seule dans un grand lit, à tourner bruyamment les pages, en guettant d'un œil coupable les aiguilles de la pendule... Chaque quart d'heure que je passais à suivre les aventures d'une fille obèse ou d'une jeune Anglaise dans le vent me confortait dans l'idée que je gâchais ma vie. Pourquoi n'étais-je pas en train de me promener à rollers ou de fumer un cigare dans un bar branché, histoire de faire des rencontres ? À la rigueur, si je tenais vraiment à lire, je pouvais m'installer dans une librairie et lancer des œillades à la gent masculine entre deux gorgées de café. Bouquiner au lit en présence de son mari est acceptable. Mais seule... Autant lire à l'aide d'un stylo-torche dans un cercueil enterré à dix pieds sous terre. En fait, la lecture solitaire n'est ni plus ni moins qu'un avant-goût de la mort.

Enfant, j'avais remporté le concours du plus gros lecteur organisé par la bibliothèque de mon quartier. Le lauréat gagnait le droit de choisir n'importe quel ouvrage, alors j'avais opté pour le titre le plus prometteur : *Le Vent dans les saules*, de Kenneth Grahame. Amère déception : ça ne parlait que d'animaux. Beurk ! C'était à vous dégoûter des bouquins.

Mais je tenais à présent un projet de lecture inespéré : les confessions d'Andrew Lugar.

À son retour, nous dégustâmes nos croissants côte à côte sur le lit.

– C'est l'anniversaire de ma mère, annonça Andrew. J'aimerais beaucoup te la présenter. Tu veux m'accompagner en Virginie ?

– Tu ne crains pas qu'elle parle de moi à Jordan ?

– Non, répondit-il sans autre forme d'explication.

Après un silence, je demandai :

– Est-ce que ta mère apprécie Jordan ?

– Elles ne se sont jamais rencontrées. Et je ne m'en porte pas plus mal, si ce n'est que maman doit me croire pédé comme un phoque. Le prénom Jordan prête à confusion.

Andrew était pourtant le seul homme, après mon mari, dont j'étais sûre qu'il ne soit pas gay. Dès qu'il fut parti, j'appelai Violet pour lui confier les derniers épisodes en date :

– On va descendre en Virginie dans la voiture de sa copine ! m'écriai-je.

Aucune réaction.

– Tu ne trouves pas ça génial ?

– Bof.

– Comment ça, bof ?

– N'y va pas.

– Pourquoi ?

– J'ai un mauvais pressentiment.

Ça y est, le mot était lâché. J'étais à présent censée m'émouvoir, la supplier de m'en dire plus, comme si ses visions pouvaient avoir la moindre signification – ce qui n'avait jamais été le cas. Mais je me tus.

– J'ai peur que ça ne devienne... *intense*, expira-t-elle d'un souffle agonisant, comme si l'esprit annonciateur lui perforait le corps.

Je l'imaginai chez elle, un turban sur la tête et trois foulards autour du cou, le regard noyé dans un pot de Häagen-Dasz.

– Par pitié, Liv, ne te remarie pas ! implora-t-elle avec véhémence, comme si j'épousais tous les hommes que je croisais et qu'elle devait chaque fois se fendre d'un cadeau hors de prix.

– Du calme, Violet. On passe chez sa mère, pas devant le rabbin.

– Je sais, répondit-elle sèchement.

Nous restâmes silencieuses un bon moment, puis je perdis patience et raccrochai.

Couchée sur le lit, les yeux rivés au plafond, je me posai une foule de questions. L'escapade en Virginie seraitelle l'affaire d'une journée, ou dormirions-nous là-bas ? Mme Lugar disposait-elle d'une chambre d'amis, ou bien irions-nous à l'hôtel ? Dans le premier cas de figure, nul doute qu'elle m'attribuerait la chambre et qu'Andrew me rejoindrait en douce au milieu de la nuit. Puis je calculai la date de mes prochaines règles, réfléchis à la garde-robe appropriée, me demandai si la mère d'Andrew allait m'apprécier – comme toutes les mamans jusqu'ici – et ce que j'allais lui raconter.

Le lendemain, je me rendis chez Tiffany pour lui dégotter un cadeau d'anniversaire. J'achetai un joli pot à miel en forme de ruche, orné de petites abeilles, qui me suivit jusqu'au bureau, bercé dans son sac plastique bleu ciel.

Je branchai une machine à écrire sur la prise murale et rédigeai un bail sur un imprimé Blumberg, en insérant dans la marge inférieure un alinéa stipulant que le locataire devait s'acquitter d'un supplément mensuel de quatre cents dollars afin que le jardinier vienne arroser les plantes une fois par semaine. « Mes plantes ne sortiront pas d'ici ! » avait prévenu le propriétaire.

Mon téléphone sonna.

– Liv Kellerman, annonçai-je.

– La sensation de ma queue dans votre chatte vous manque-t-elle, madame ?

– Andrew, tu ne pourrais pas dire bonjour comme tout le monde ?

– Salut, chérie. Je te manque ?

– Je ne peux pas te parler. Je boucle un dossier.

J'avais passé la matinée à rouler entre mon bureau et celui de Maria Lotta pour l'aider à choisir une robe de mariée sur catalogue.

– Tu m'appelles d'où ? demandai-je.

– De Virginie.

Je restai interdite.

– Je sais ce que tu penses, Liv, mais je promets de me

racheter. Je rentre demain ; je pourrai passer quelques jours chez toi, si tu veux.

Je n'avais toujours pas décoléré quand 20 heures sonnèrent à ma montre et que je dus présenter un somptueux loft de Canal Street à un type soi-disant coté en bourse. Il portait des santiags beiges assorties à une mallette en peau d'autruche. Dans l'ascenseur, il me pinça la manche pour vérifier si mon chemisier était en soie.

– Désolé, mais il fallait que je sache.

– Alors, qu'en pensez-vous ? demandai-je après qu'il eut arpenté l'appartement pendant un quart d'heure.

Je connaissais peu d'endroits semblables à celui-ci. Il appartenait à un célèbre artiste dont je n'avais jamais entendu parler. De gigantesques baies vitrées offraient une vue imprenable sur l'Hudson, ce qui promettait des couchers de soleil splendides.

– C'est sombre, répondit le client.

Je le regardai, abasourdie.

– Mais il fait nuit, monsieur. Le loft est inondé de lumière dans la journée.

Je m'efforçai de sourire. Il fallait garder à l'esprit que la chasse au logement est une activité stressante. Les gens s'énervent, ils ne sont plus tout à fait eux-mêmes.

– Mais pendant la journée je bosse, moi. Ce n'est pourtant pas difficile à comprendre ! Je ne profite de mon appart que la nuit, alors ça me fait une belle jambe qu'il soit lumineux le jour.

– Hélas, je n'ai pas de loft ensoleillé la nuit.

– C'était bien la peine que je mette la lumière en critère numéro un !

Je lui avais fait remplir une liste où le client énumérait ses exigences par ordre de priorité. J'ouvris mon classeur tout neuf et consultai sa fiche. Le soleil figurait effectivement en première position.

– C'est bien pour cette raison que je vous ai amené ici, monsieur. Vous avez une double exposition : plein sud et plein ouest. On ne trouve pas mieux, question ensoleillement.

– Mais regardez comme il fait sombre. L'annonce dans le journal indiquait : « Lunettes de soleil conseillées. » Vous voyez bien que c'est inutile.

J'avais l'impression de montrer le loft à Jérôme. Ou de jouer *La Mégère apprivoisée.* J'étais censée admettre que le soleil devait briller la nuit, après la fermeture des marchés, rien que pour ce taré.

– Votre déception est légitime, concédai-je. Moi aussi, je me demande pourquoi il ne fait pas plus clair. Je ne me l'explique pas.

Je voyais, par-delà l'Hudson couleur d'encre, les lumières du New Jersey.

– Le soleil est peut-être caché par un nuage, avançai-je.

– Je n'ai plus qu'à changer d'agence, grommela le type.

– Voilà une idée tout à fait judicieuse, monsieur. J'ai entendu dire que la nuit tombait plus tard dans l'Upper East Side. Corcoran aura sûrement quelque chose dans la catégorie « soleil de nuit ». Vous pourriez peut-être leur passer un coup de fil ?

– Oui, je crois qu'on va faire comme ça, grogna-t-il avant de m'abandonner, me laissant le soin de baisser toute seule les stores géants que le proprio avait installés pour protéger ses œuvres.

22

INTÉR. MAGIK.

À son retour de Virginie, Andrew vint me présenter ses excuses. Je me gardai bien de lui demander s'il avait emmené Jordan chez sa mère.

Le lendemain il me dit au réveil :

– Je finis tôt aujourd'hui. Passe-moi ta clé.

– Il n'en est pas question, répliquai-je.

Nous aboutîmes au compromis suivant : il n'emporterait pas de clé, mais la porte resterait ouverte – à quoi bon la verrouiller, puisqu'elle était aussi épaisse qu'une feuille de papier à cigarette ?

En rentrant du boulot, je ne trouvai que le sac de sport d'Andrew sur la moquette de la chambre. Il avait dû s'absenter. Je songeai aussitôt au journal intime, mais il paraissait trop risqué de m'y plonger quand son auteur pouvait surgir d'un moment à l'autre. Et il aurait des soupçons si je fermais le loquet de l'entrée.

Je me dévêtis et pris une douche, en me jurant de ne pas lire le cahier et de vaquer à mes occupations solitaires comme si de rien n'était.

Je m'enroulai dans une serviette et regagnai la chambre. Le sac m'attendait. Je choisis de l'ignorer, préférant essayer mon nouveau soutien-gorge chair, encore emballé de papier de soie dans sa boîte en carton. Il m'allait à ravir.

Dans le miroir se reflétait également ce maudit sac. C'en était trop. Je fermai le loquet avant de passer à l'acte.

Je sais que Liv m'aime. Cette nuit, nous avons joui simultanément. Je lui ai dit que la seule fois où Jordan m'avait laissé la brouter, elle n'avait pas décollé les yeux des mots croisés du Sunday Times.

– Qu'est-ce que tu fous ? demanda soudain la voix d'Andrew.

Je bondis. Il était couché sur le lit, face au mur. Je l'avais frôlé à deux reprises, dans mon soutien-gorge, sans même le remarquer. Je tenais encore son journal entre les mains. Il lui aurait suffi de se retourner pour me confondre. Je me penchai brièvement, le temps d'enfouir le cahier dans le sac, et l'instant d'après Andrew roulait jusqu'à moi. Il portait un étrange fichu de soie verte à motif cachemire. Je m'écartai du sac comme si une alarme de voiture s'était déclenchée.

– J'ai visionné la cassette de ton mariage, déclara Andrew d'une voix engourdie. Ce connard que tu as épousé a autant de personnalité qu'un bout de carton.

– Quoi ? glapis-je. Je t'interdis de fouiller dans mes affaires !

C'était comme si le nouveau boyfriend de Dorothée regardait la vidéo de son voyage au pays d'Oz puis la charriait au sujet de l'épouvantail. C'était *mon* rêve, *ma* tornade. Sans compter que j'avais l'air d'une gourde dans ma robe de mariée.

– En fait, j'espérais tomber sur un porno, grogna Andrew.

Mais c'en est un, pensai-je.

– Notre mariage sera mille fois mieux, déclara-t-il.

– Dis, tu comptes garder ce foulard longtemps ?

– Approche.

– C'est un foulard de fille. T'as l'air d'un travelo.

– Eh non, c'est un foulard d'homme. Je pensais t'attacher avec.

Il m'attira sous la couette et m'enivra. C'est en cela qu'Andrew était supérieur à mes amants précédents. Il me laissait subjuguée, troublée, avec l'impression de m'être trompée d'époque. D'avoir goûté au sexe des années quarante. Après coup, j'avais toujours envie de m'épousseter le derrière, comme si nous avions fait ça sur le petit bureau métallique d'un détective privé à l'ancienne. Je m'imaginais lui tendre son chapeau et rajuster un porte-jarretelles imaginaire. Avec lui, je me sentais dans la peau d'une blonde.

– Ne jette pas le préservatif sur la moquette, lui demandai-je. Donne-le moi, j'irai le mettre à la poubelle.

– Et si on s'en passait, à l'avenir ? J'aimerais t'injecter ma petite graine...

Il remonta sur moi, m'embrassa et me mordilla le cou, tandis que ses dernières paroles résonnaient dans ma tête. Personne ne m'avait jamais fait une telle déclaration. Je n'avais jamais rien entendu d'aussi romantique.

– Si quelqu'un risque de me refiler le sida, c'est bien toi, raillai-je en retirant sa capote usagée.

Elle était vide. Il avait joui, pourtant. Je l'avais vu au gonflement de ses jugulaires et au tressaillement de son menton. Je savais qu'il avait joui, et cependant le caoutchouc était sec. Je craignais qu'il ait subrepticement réussi à s'en libérer. Baiser avec Andrew, c'était un peu comme baiser avec David Copperfield.

– Tu as pris ton pied ? demandai-je.

– Mmm, oui ! sourit-il.

– Tu m'as envoyé ton sperme ?

– Mais non, chérie.

– Où est-il, alors ? dis-je en pressant le réservoir du préservatif.

– Je sais jouir sans éjaculer.

– Quoi ?

– C'est une technique que m'a apprise mon maître de qi gong.

– Tu as joui, oui ou non ?

Je commençais à perdre patience.

– Tu sais, ce n'est pas bon pour un homme d'éjaculer à chaque orgasme. Cela entraîne une perte d'énergie considérable. C'est la pire des choses à faire. Il m'a fallu beaucoup d'entraînement, mais aujourd'hui, j'obtiens des orgasmes tout aussi puissants sans rien sacrifier. Et je peux baiser toute la nuit si j'en ai envie.

La colère me clouait le bec.

– Allons, Liv, tu serais déçue si je me sentais déjà... vidé.

– Mais je *veux* que tu te sentes vidé, Andrew !

– La plupart des nanas seraient ravies à ta place, tu sais. J'ai encore toute mon énergie !

– T'es tellement radin que tu peux même pas filer ton foutre !

Je m'assis au bord du lit, la capote à la main. Elle avait la couleur et la texture de mon nouveau soutien-gorge, qui n'avait pas quitté ma poitrine – ses bonnets s'étaient distendus dans le feu de l'action, formant leurs propres petits réservoirs.

– Mais qu'est-ce que tu rates, à part une flaque sur ton ventre ? Ne t'inquiète pas, j'ai vraiment pris mon pied.

– Et qu'est-ce qui me prouve que tu n'as pas simulé ? rétorquai-je.

– Et qu'est-ce qui me prouve que *toi*, tu n'as pas simulé ?

– Justement, c'est réservé aux femmes ! Je veux te voir éjaculer. Si on remet ça un jour, *j'exige* une flaque sur mon ventre, compris ?

– Et moi, je veux y loger ma graine, répliqua-t-il en remontant sur moi.

Il m'administra une dizaine de coups rapides, éjacula et s'effondra.

– Alors, heureuse ? susurra-t-il. Si je te suspends par les pieds pendant une demi-heure, on augmentera nos chances d'avoir un garçon.

– Celui qui me fera ça n'est pas né ! (Je sentis son sperme longer mes fesses jusqu'au matelas.) Tu as raison, ajoutai-je, il serait préférable qu'on ait un garçon. J'aurais moins peur que tu abuses de lui.

Andrew s'étira en bâillant.

– À cause de toi, je doute de pouvoir travailler cette nuit, gémit-il.

– Tu n'aurais pas dû faire ça sans préservatif.

– Faudrait savoir ce que tu veux, chérie. Mais ne t'inquiète pas. On va avoir un beau petit garçon.

Il se leva et commença de se rhabiller. Mais je ne supportais pas d'être abandonnée chez moi. Je préférais que l'on se dise au revoir dans la rue ; cela me semblait plus équitable. Alors je me levai et enfilai une chemise en velours.

– Je viens avec toi, Andrew.

Il pleuvait. Le haut des immeubles était noyé dans la brume. Au loin, un halo rouge enrobait le grand parapluie en néon de Travelers Insurance. Je cherchai du regard mes repères habituels : l'Empire State Building, la lune... Mais ils n'étaient plus là. Tel David Copperfield, Andrew les avait fait disparaître.

Un jour, j'avais vu un magicien tirer une flèche nouée à un foulard à travers le ventre de son assistante. Je me demandais si Andrew avait planté sa graine dans le mien.

23

NMBR. ANGLES, GRD. EXPO

À minuit, nous nous embrassions sur Minetta Lane. J'étais adossée à un mur et Andrew se frottait contre moi, les jambes écartées comme un rocker. Lassée de nos tête-à-tête dans mon appart, j'essayais de le convaincre de louer une garçonnière :

– Où va-t-on échouer demain soir ? soupirai-je. On s'est bécotés à chaque carrefour du Village. Il faudrait essayer autre chose.

– Demain, on essaiera l'angle 59e-Lex, et après-demain 3e-33e. Je connais aussi quelques coins sympas près du Lincoln Center.

Un jour, un chauffeur de taxi m'avait expliqué que l'intersection de Square Park Avenue et de la 33e Rue était la plus dangereuse de New York. Je me souvenais même du nom du type : Ishmael.

– Et pourquoi pas Square Park-33e ? suggérai-je à Andrew.

– Où tu voudras, mon cœur.

– Dans ton lit, alors.

– J'ai bien peur qu'il n'y ait plus de place.

– Tu vois cette maison ? (J'indiquai l'hôtel particulier de trois étages qui faisait l'angle.) Je l'ai fait visiter à Maya Lin. Cette fille a l'air pleine aux as.

Maya Lin était la jeune architecte à l'origine du Mémorial des vétérans du Vietnam à Washington. J'observai le visage d'Andrew, espérant y déceler une pointe de jalousie. Mais il resta de marbre.

– Elle compte y installer ses bureaux, ajoutai-je. C'est une très chic fille.

Andrew hocha la tête en souriant. En vérité, ce n'était pas moi mais une collègue qui lui avait montré la maison.

– On se voit toujours demain soir ? demandai-je de la façon la plus détachée possible.

Deux rendez-vous en deux jours était un rare privilège.

– Oui oui, fit-il d'une voix distraite.

Il m'embrassa en seigneur et maître, ouvrant mes mâchoires plus grand qu'à l'ordinaire, pour mieux y déployer sa langue.

Sur le trottoir d'en face gisait un gros fauteuil rembourré. Il semblait confortable, même amputé de son coussin. On ne trouve aucun siège entier dans les rues de New York. Mais on croise des clochards charriant de gros coussins jusqu'à leurs Caddies, telles des fourmis collectant des miettes. Bien que j'évite, en temps normal, de m'asseoir n'importe où, j'étais attirée par ce siège. Il me tendait les bras. Je voulais m'y vautrer, sur les genoux d'Andrew, et faire semblant d'être chez lui. Je voulais l'enfourcher sur ce fauteuil.

– À quand remonte ta dernière visite chez le dentiste ? demanda soudain Andrew.

Je n'en croyais pas mes oreilles. Depuis quand les amants se permettaient-ils ce genre de question ? C'était presque pire que : « Tu t'es déjà fait dépister ? » D'autant que mon check-up chez le Dr Blum était relativement récent.

Lorsque mon mari et moi avions commencé de parler de divorce, je m'étais rendue chez tous les spécialistes imaginables, offert des séances de massage, de manucure et de pédicure. Et je portais en permanence des dessous chic. Une vendeuse de lingerie fine m'avait alors demandé pourquoi je dévalisais sa boutique : « Vous partez en voyage ? – Non. En guerre. »

– Alors, ta dernière visite remonte à quand ? insista Andrew.

– À peine quelques mois. Pourquoi ?

– Je crois que tu as une carie.

Quelle horreur !

– Qu'est-ce que tu me chantes ?

– Tu as une carie. Tu devrais la faire soigner.

Il m'embrassa de nouveau.

– C'est impossible ! protestai-je. Je n'en ai jamais eu !

Il me sonda avec la langue.

– Si, je t'assure. Je la sens, chérie.

– Cesse de m'embrasser, dans ce cas !

– Le problème n'est pas là. Je veux juste que tu prennes rencard dans la semaine. J'adore ton goût, tu sais. J'adore ton odeur.

Il plongea le visage dans mon cou. Un badaud nous observa. Si seulement ce pouvait être Jordan... Surgie de nulle part avec ses chaussures en plastique et son fourre-tout en chanvre, elle nous surprendrait tous les deux, découvrirait le pot aux roses ; il s'ensuivrait une violente scène de ménage et nous serions enfin débarrassés. Andrew passerait la nuit chez moi, puis irait prendre ses chiens et ses affaires à l'aube. J'achèterais un grille-pain pour lui servir des toasts avec ses œufs au plat. Mais depuis plus d'une heure que nous nous embrassions dans cette petite rue, nous n'avions croisé qu'un seul passant. Les chances de tomber sur Jordan semblaient infimes.

Au petit matin, je n'avais qu'une idée en tête : courir chez le dentiste. J'appelai Blum à 8 heures, mais tombai sur sa messagerie. Je réessayai une heure plus tard.

– Le Dr Blum est pris toute la journée, déclara la secrétaire.

– Je ne peux pas attendre !

Elle me proposa plusieurs autres créneaux dans la semaine.

– Je dois impérativement venir aujourd'hui. C'est une urgence.

– Vous souffrez tant que ça ?

– Disons que c'est une *situation* d'urgence. Et si je venais quand même, au cas où un patient annulerait son rendez-vous ?

– Désolée, mais il y a déjà une liste d'attente.

Je m'y rendis malgré tout, et passai l'essentiel de la journée dans la salle d'attente, partageant mon temps entre le téléphone à pièces du couloir et un dossier pratique de *Glamour* sur l'art du baiser. Ma patience fut récompensée lorsqu'on me conduisit enfin au fauteuil.

– Docteur Blum, demandai-je avant même d'être assise, est-il possible de détecter une carie dans la bouche de quelqu'un rien qu'en... l'embrassant ?

J'avais l'impression de rajeunir de dix ans. Le dentiste s'esclaffa.

– Je n'ai pas l'habitude d'établir mes diagnostics de cette façon. Mais si vous y tenez...

Il croyait que je lui faisais du gringue.

– Je pose cette question par simple curiosité, vous savez. Alors, c'est possible ?

– Mais non, voyons. Bien sûr que non.

Il m'examina et je fermai les yeux en imaginant que c'était Andrew.

– Je ne vois pas ce qui vous a alarmée. Vous avez bien une carie, mais elle demeure superficielle.

Il me sourit, l'air de dire que, décidément, tous les prétextes étaient bons pour le revoir. Il n'avait toujours pas posé de rideaux.

Il boucha ma cavité avec un ciment incolore.

– Voilà, vous pouvez rentrer chez vous et embrasser qui vous voudrez.

Ce soir-là, j'étais sous Andrew quand il demanda :

– Comment as-tu obtenu un rendez-vous si vite ?

– De quoi parles-tu ?

Je m'étais brossé les dents dès mon retour pour chasser le goût du dentiste. Je tenais à garder le secret.

– Tu as fait colmater ta carie. Je suis fier de toi, Liv. Ouvre la bouche, que je regarde ça.

– Non, dis-je en serrant les mâchoires.

– Allez, ouvre !

Je secouai la tête comme une gamine. Je le sentis aussitôt durcir contre ma cuisse.

– Allez, tu vas faire « ah » comme une gentille petite fille.

Il me pinça les narines pour m'empêcher de respirer. J'émis quelques grognements sourds, puis ouvris la bouche. Il y enfonça un doigt et palpa la dent rebouchée.

– C'est ainsi que je procède avec mes chiens quand ils refusent de rendre la balle, plaisanta-t-il en retirant son doigt. J'adore jouer au fauteuil de dentiste avec toi. Je sens qu'on va drôlement s'amuser quand on sera mariés.

Je m'engouffrai dans la brèche :

– Quand vas-tu quitter Jordan ?

Il roula sur le côté.

– J'en ai l'intention, marmonna-t-il.

– Alors, fais-le !

– Pas tout de suite.

– Mais pourquoi, bon sang ?

J'étais bien curieuse d'entendre ses raisons.

– Jordan a découvert une boule dans son sein.

Sa voix était pleine de révérence, comme s'il m'apprenait qu'elle avait remporté le prix Pulitzer.

– Elle a passé une mammographie ? demandai-je calmement.

– Les médecins s'occupent d'elle. Elle est en de bonnes mains.

Ouais, les tiennes, salopard...

Je me tus pendant un bon moment. Je n'avais jamais songé aux seins de Jordan dans cette affaire. Andrew avait-il découvert cette boule de la même façon qu'il avait dépisté ma carie ? Cette dernière semblait soudain si dérisoire...

– Tu ne lui rends pas service en restant avec elle, déclarai-je.

– Tu as peut-être raison, murmura-t-il en soupirant. Mais ce n'est pas le moment de la quitter. Ce ne serait pas correct.

– Et pourquoi donc ?

– Ce ne serait pas bien, c'est tout.

– Et moi, je pense le contraire, Andrew. Ce genre de crise peut au contraire la fortifier. Tu devrais lui avouer la vérité sur nous deux.

– Si tu crois que c'est le moment de lui infliger un coup pareil, c'est que tu as de la merde dans les veines, Liv.

Quoi ? Que venais-je d'entendre ? Qui oserait proférer une telle horreur au milieu d'une conversation civilisée ?

– Dis-moi que tu plaisantes, Andrew !

Je n'en revenais pas. « De la merde dans les veines. » Une réplique digne d'un mafioso s'apprêtant à trancher le pouce d'une balance.

– Si ce n'est pas une plaisanterie, j'aimerais que tu foutes le camp, Andrew !

Un brin surpris, il se leva, chaussa ses mocassins et s'en alla.

Il me rappela dans la soirée :

– Je suis désolé, dit-il. Toi et moi sommes faits pour nous marier et fonder une famille. Je le sais. Je le sens. C'est écrit. Et je sais qu'en refusant de quitter Jordan, je contrarie le destin.

– Alors, que comptes-tu faire ?

– Eh bien, dans l'immédiat je vais me coucher, car demain j'ai une grosse réunion.

– Tu veux de moi, oui ou non ?

– Oui, je te veux, Liv. Je t'aime.

– Alors, remue-toi !

– Chérie, raconte-moi ce que sera notre vie à deux... dit-il d'une voix traînante.

Il réclamait sa petite histoire avant de dormir. Je cédai :

– Tu rentreras du boulot tous les soirs et je chercherai dans tes poches des numéros de téléphone et des mouchoirs tachés de rouge à lèvres...

– Il nous faudra un grand appart.

– Oui, il faudra de la place pour caser le vigile armé qui veillera vingt-quatre heures sur vingt-quatre à ce que tu ne me mordes pas.

– Peut-être même qu'on reprendra l'appart de ton mari. On le mettra à la porte pour y vivre tous les deux.

– Ouais...

Mon appartement me manquait tellement que je n'osais même pas rêver d'y retourner. Encore moins avec Andrew.

– Pourquoi tu ne t'installerais pas chez moi, entre-temps ?

– Ce serait bien trop petit, Liv. Attendons de trouver plus grand.

– Je n'en aurai pas la patience, répliquai-je avant de raccrocher.

24

BAIL COURT TRM

Chaque matin, je me brûlais la main au-dessus du bec de la bouilloire, et me promettais d'utiliser une manique la fois suivante. Ce jour-là, je m'ébouillantai d'abord la droite, puis la gauche. Le joli filet brumeux semblait tellement inoffensif...

J'éteignis l'unique brûleur en état de marche de la gazinière. La bouilloire était en forme de coq et la manique, dont je n'avais même pas retiré le prix, représentait un lapin. Nue dans ma cuisine, les mains plongées sous l'eau froide, j'avais ainsi l'impression d'errer au beau milieu d'une fable d'Ésope, incapable d'en trouver la morale. J'étais l'animal le plus lent, le plus sot, le plus désespérant de la création. Et sans doute le plus crédule.

Je me présentai à la réunion du lundi avec vingt minutes d'avance, afin de m'assurer un pain au lait et une place assise. Seules huit chaises entouraient la table de conférence, pour un effectif variant selon les semaines entre vingt et trente participants, entassés dans la pièce ou relégués dans le hall. Assis, on a l'air ponctuel et consciencieux. Debout, on renvoie l'image d'un agent pressé, attendant l'appel imminent qui débouchera sur l'offre qui conclura l'affaire qui le propulsera dans le Cercle des Millionnaires. D'habitude, à l'heure où j'arrivais, essoufflée et les cheveux mouillés, la réunion touchait à sa fin.

Le dernier lundi de chaque mois, Kim procédait à la remise des rubans, dont celui récompensant la « Première affaire ». J'escomptais recevoir le mien pour un trois-pièces que j'avais vendu à une dame obèse après lui avoir montré vingt appartements en un week-end. Entre deux visites, il avait fallu refaire le plein de chocolat chaud et de soupe à l'oignon. Un vrai cauchemar.

En fait, je pensais déjà recevoir mon prix le mois précédent, pour la location d'un prestigieux loft à Tribeca, mais Kim avait précisé que les rubans ne couronnaient que les ventes, bien que mon affaire soit en l'occurrence tout aussi rémunératrice. Je n'avais pas insisté. Il est vrai que par ma faute, l'encaissement de la commission avait pris du retard, car j'avais oublié le chèque certifié de dix mille dollars sur une banquette de taxi.

Mes amis architectes m'avaient aussi rapporté gros, avec la revente de leur loft et l'achat de la maison de Harrison Street, mais cela ne comptait pas davantage car, d'un point de vue technique, je les avais chipés à Dale.

Puis j'avais passé trois semaines à promener un couple et ses trois setters irlandais, véritables enfants-rois dont papa et maman voulaient s'assurer qu'ils répondaient positivement aux espaces proposés. Pour finir, une autre agence leur avait vendu un loft d'un million quatre, dans un immeuble interdit aux chiens.

– Mais qu'est-ce qui vous a pris ? avais-je demandé à la femme en apprenant la nouvelle.

– Nous les avons confiés à mes parents, avait-elle répondu en sanglotant. Si vous saviez comme je suis malheureuse... L'agent nous a convaincus de penser un peu à nous.

Je n'avais que mépris pour ceux qui abandonnaient leurs animaux de compagnie à leurs parents. Violet, par exemple, horrifiée par le prix d'une visite chez le véto – suite à une sombre histoire de préservatif avalé par mégarde –, avait aussitôt réexpédié le toutou dans son Texas natal, ce qui ne l'empêchait pas de continuer à l'appeler « mon chien ».

En plus de perdre mon temps avec le couple aux clébards, j'avais passé des jours et des nuits en compagnie d'Audrey et Noah Bausch, qui commençaient vraiment à me taper sur le système. Ce tandem infernal devenait mon Moby Dick à moi ; je rêvais d'un Noah Bausch empaillé et accroché au-dessus de ma cheminée hors-service. Tout le monde achetait et vendait, sauf les Bausch. Le marché de l'immobilier new-yorkais s'apparentait à un grand jeu de chaises musicales : quand la musique cessait, tout le monde s'emparait d'un appartement, sauf eux.

Mais j'avais enfin réalisé une vente, et j'allais recevoir mon ruban, comme la majorité de mes collègues avant moi, à l'exception notable de Carla Lerner. Avec tous ces prix épinglés aux cloisons mobiles séparant les bureaux, la grande salle avait l'allure d'un marché aux bestiaux. Je trouvais cela d'un grotesque absolu, mais ils avaient tous l'air si contents... J'avais endossé un tailleur pour la circonstance.

Au CE1, je m'étais mise sur mon trente et un pour une vente de gâteaux organisée dans le gymnase à l'heure du déjeuner. Jupe en velours, chemisier en vichy rouge et souliers vernis, je m'étais fait une joie de cet événement. Mais en arrivant à l'école, la méchante Harriet avait déchaîné les moqueries en lançant : « Regardez, Liv s'est faite toute belle ! »

Pourvu que personne n'imagine que je m'étais sapée pour mon ruban...

Je pris place à la table encore déserte et badigeonnai mon pain au lait de fromage fondu à l'oignon, ce qui me promettait une haleine épouvantable jusqu'au soir. Ayant rangé la petite spatule en plastique dans le pot de fromage, je mastiquai d'un air aussi professionnel que possible.

– Tous les agents sont attendus dans la salle de réunion pour le point sur les ventes, annonça Yvonne dans le haut-parleur.

Je me redressai sur mon siège. Les collègues affluèrent dans la pièce.

– Vous êtes bien matinale, nota Kim en me voyant. Messieurs dames, je vous propose de commencer sans tarder. Mais avant toute chose, j'aimerais demander à Tony Amoroso ce qu'il fait chaque matin en se levant.

Tony était « Vendeur de l'année » pour la cinquième saison consécutive.

– Allez-y, Tony. Je pense que nous avons beaucoup à apprendre de la façon dont vous entamez la journée.

L'épouse de Tony était assise derrière lui, un bloc-notes sur les genoux. Les meilleurs agents pouvaient s'entourer des assistants de leur choix, qu'ils payaient de leur poche. Je plaignais doublement cette fille. D'abord d'être la femme de Tony, ensuite d'être l'assistante d'un agent immobilier. Il était le seul à posséder son propre bureau, et l'un des deux hétéros de tout l'effectif masculin de Smoothe Transitions.

– Eh bien, dit-il, chaque matin je fais trente-cinq minutes de marche sur le tapis de course de notre chambre.

Nous en avions déjà trop entendu. Je l'imaginai en tee-shirt et caleçon moulant, ou pire, dans quelque peignoir satiné, à marcher sur place pendant que Madame lui préparait sa tenue du jour.

– Et pendant ce temps, j'écoute des cassettes de développement personnel, ajouta-t-il. Vous savez, le genre « comment vendre des glaces à des Esquimaux ».

Deux agents postés près de la porte s'éclipsèrent, comme s'ils venaient d'être bipés.

– J'ai demandé à Tony de nous prêter quelques-uns de ces enregistrements, reprit Kim. Nous les laisserons à l'accueil avec une fiche de prêt. (Une femme noire entra dans la pièce, portant dans ses bras un adorable poupon.) Je sais que nombre d'entre vous étaient impatients de découvrir ma fille, roucoula la chef en prenant le bébé sur ses genoux. Mesdames et messieurs, je vous présente Dakota !

Sa voix avait soudain gravi plusieurs octaves.

Je me demandai si le prénom du bébé renvoyait à l'immeuble [1] ou à l'État. Une poignée d'employés s'ébaudirent de

1. Dakota : nom du luxueux immeuble situé à l'angle de la 8e Avenue et de la 55e Rue où John Lennon vécut ses dernières années. (*N.d.T.*)

façon convenue et trois autres quittèrent la pièce. Kim tendit sa fille à sa voisine de gauche, qui la garda sur ses genoux pendant à peu près une seconde, avant de la passer à sa collègue.

– Nous allons maintenant procéder à la remise des rubans. Le ruban jaune, qui récompense la plus grosse affaire du mois, revient à Melanie.

Dans un concert d'applaudissements, Kim lança le prix en travers de la table jusqu'à sa destinataire. Il était large et dentelé, barré de la mention : LA PLUS GRO$$E AFFAIRE.

– Adrienne a gagné le ruban rouge pour avoir conclu le plus grand nombre d'affaires.

Nouveaux applaudissements. Adrienne me confia Dakota pour recevoir sa décoration dignement.

– Le ruban bleu, qui désigne le plus gros chiffre d'affaires du mois, revient sans grande surprise à Tony !

Deux autres collègues s'enfuirent. Le reste de la salle, Dakota comprise, applaudit.

– Et enfin, je décerne le ruban vert de la première affaire à Liv Kellerman, qui vient de vendre un appartement.

Tous m'applaudirent, et quelques-uns se dressèrent sur la pointe des pieds pour savoir qui j'étais. Cela ne faisait jamais que deux mois que je travaillais ici.

– Je suis navrée, Liv, mais nous sommes à court de rubans verts. J'ai demandé à Yvonne d'en commander, je vous remettrai le vôtre dès que possible.

– Ça n'a pas d'importance, émis-je.

– Félicitations malgré tout, conclut la chef.

La petite Dakota dans les bras, je me souvins d'un voyage en avion à destination de Mexico. Mon mari dormait, la tête enfouie sous une couverture, quand une grosse Mexicaine bardée d'enfants s'était levée pour en emmener plusieurs aux toilettes. Elle m'avait toisée quelques instants avant de me fourrer son gros bébé dans les bras. Je l'avais gardé vingt bonnes minutes, à lui caresser doucement le dos, tout en espérant que mon cher et tendre se réveille pour lui annoncer : « Regarde, nous avons un bébé. » Mais cet idiot n'avait pas rouvert l'œil avant le retour de la mère. Quelques jours plus tard, je sentais encore le poids du nourrisson dans mes bras.

J'avais remarqué que Carla Lerner était sortie à l'annonce de mon nom. Elle faisait la tête depuis qu'elle avait passé sept heures sur le toit d'un immeuble où elle s'était bêtement enfermée.

Kim se leva et contourna la table pour reprendre sa petite. S'était-elle aussi attribué le ruban du premier enfant ? Elle annonça qu'elle offrirait un billet de cent dollars au premier qui s'approprierait une annonce du *Sunday Times*.

Le nombre de participants ayant chuté à neuf, Kim clôtura la séance et je regagnai mon bureau, sans ruban ni enfant.

De mon mariage, un souvenir me déprime comme un pneu crevé chaque fois que j'y repense. Il s'agit d'une soirée où mon mari avait acheté deux places de théâtre. Je souffrais de règles exceptionnellement douloureuses et d'une migraine épouvantable, mais son intention me touchait beaucoup. Il s'était assis sur le lit pour me regarder me coiffer, me maquiller, passer un collier...

– Tu es splendide, avait-il dit.

En prenant l'ascenseur à son bras, en m'engouffrant dans le taxi, en prenant place dans nos fauteuils numérotés, je m'étais sentie belle. Je m'étais sentie radieuse toute la soirée. Quelle imbécile j'étais.

Je quittai le bureau et montai dans la dernière rame d'un métro complètement désert. Telle une fillette, je contemplais par la fenêtre l'obscurité du tunnel, ponctuée tous les cent mètres par le halo furtif d'une ampoule rouge. Quelqu'un avait gravé le prénom « Will » sur la vitre. J'avais entendu un crétin de journaliste gloser sur cette prétendue nouvelle forme de graffiti baptisée « gravitti ». « La Ville de New York résoudra-t-elle son problème de gravitti ? » s'interrogeait-il. On aurait dit un problème d'astrophysique. Je regrettai soudain que le Will en question ne soit pas là.

– Salut Will, moi c'est Liv, m'entendis-je déclarer.

Je sortis de mon sac mon porte-clés muni d'une petite lame rétractable avec laquelle je découpais les annonces des pages immobilières, et j'inscrivis mon nom sous celui de Will. Will Liv.

De retour chez moi, je fis une chose à laquelle je ne m'étais pas livrée depuis une éternité. Je m'allongeai sur le lit et j'éclatai en sanglots, articulant *ad libitum* les mots « Mon Dieu, qu'ai-je fait ? » comme une vraie cinglée. J'en ignorais la raison. Je n'avais rien fait de particulier. « Mon Dieu, mon Dieu..., poursuivis-je néanmoins. Qu'ai-je fait, mon Dieu ? »

Puis mon cerveau cessa de pleurer, avec un temps d'avance sur mes glandes lacrymales. « Tu n'as rien fait, me dis-je. Tu as juste loupé quelques indices. »

Pour mon vingt et unième anniversaire, le jeune homme qui allait devenir mon mari m'avait offert un cadeau rectangulaire, assez plat, visiblement un boîte, que j'avais déballée avec beaucoup d'égards.

– Oh, un Cluedo !

– J'ai pensé qu'on pourrait y jouer ensemble, avait-il expliqué. Je sais que c'est un peu bête, mais je trouvais l'idée amusante.

– Mais oui, c'est super ! répondis-je tout en lui conseillant par voie télépathique de ne jamais recommencer.

Le lendemain, toutes mes copines me prédisaient le début de la fin :

– Quand un homme t'offre un jeu de société pour ton anniversaire...

Le Cluedo m'avait suivi jusqu'ici. Je me levai et allai le chercher au-dessus du placard de la cuisine. Nous l'avions ouvert ensemble mais il ne nous avait jamais servi : il fallait trois joueurs.

J'ôtai le couvercle de la boîte et pris le sachet contenant les petites pièces : le revolver, la matraque, le chandelier, le poignard, la clé anglaise et la corde. Elles étaient toutes métalliques, sauf la corde, en plastique.

Je versai le contenu du sachet dans ma main. Puis j'ouvris la fenêtre pour m'emparer d'une canette de Canada Dry – mon réfrigérateur ne fonctionnait toujours pas – et là, je pétai les plombs pour de bon : une à une, j'avalai les pièces du Cluedo avec une gorgée de soda, comme des cachets d'aspirine. J'étais persuadée qu'avoir toutes les pièces en moi m'aiderait, d'une manière ou d'une autre, à percer le mystère.

25

BUAND. GRATIS. S-SOL.

Je me réveillai toute chamboulée par un rêve étrange. L'Hindou qui trônait sur mon bureau m'était apparu et m'avait demandé d'ouvrir grand la bouche, avant d'extraire de mon œsophage des mètres et des mètres de fil de soie blanc. Plus il tirait, plus il en venait – jusqu'à ce que je rouvre les yeux, un goût affreux dans la bouche. Je filai aux toilettes et vomis dans la cuvette. L'exiguïté de la pièce m'obligeait à m'agenouiller dans une position très inconfortable, avec mes jambes dans la cuisine. Quand j'eus terminé, je vis la corde en plastique du Cluedo flotter à la surface de l'eau.

Je me remis à temps pour mon rendez-vous avec le propriétaire d'un appartement à louer. L'immeuble se trouvait sur York Street, qui n'était rien de plus qu'une petite ruelle aux confins de Beach Street. Le loft qui m'amenait là-bas était situé au quatrième étage, et la présence d'un ascenseur manuel ne dispensait pas les locataires d'emprunter l'escalier :

– Vous pouvez prendre l'ascenseur, m'expliqua ainsi le propriétaire, mais il faudra le ramener en bas puis remonter à pied.

– Bien sûr, répondis-je, sans saisir un traître mot de ce qu'il racontait.

– Je suis content de voir que vous comprenez. Vous seriez surprise par le nombre de personnes incapables de saisir un concept aussi simple. Si vous laissez l'ascenseur à votre étage, personne ne peut l'appeler. Mon épouse et moi occupons les trois derniers paliers, et nous gardons la cabine avec nous pendant la nuit, pour des raisons de sécurité. Mais il est libre le reste du temps. C'est un outil fort pratique.

Il me fallut plusieurs minutes pour en déduire qu'il servait uniquement à monter des objets lourds ou à effrayer les personnes âgées.

– Autrement dit, c'est un immeuble sans ascenseur, avançai-je tout en griffonnant mon bloc-notes.

– Non, on ne peut pas dire ça, bougonna-t-il d'un air vexé.

Assez maigre, le type avait dans les soixante-dix ans. Il portait un tee-shirt frappé à la poitrine d'un petit drapeau de golf, un jean, des tennis immaculées et une casquette de baseball de laquelle s'échappaient quelques touffes de cheveux blancs.

Une année, mon père s'était habillé comme ça pour Halloween : il appelait ça un déguisement de « papa normal ». Il m'avait accompagnée à une fête de quartier et j'étais très fière de lui jusqu'à ce que, gagné par l'ennui, il troque sa casquette contre une longue coiffe de chef indien et passe le reste de la soirée à imiter la chanteuse Cher.

Le propriétaire actionna l'ascenseur et l'arrêta au numéro quatre. Il fit coulisser la grille puis déverrouilla la porte en face de nous. Nous passâmes directement de la cabine à l'appartement, et je commençai l'inspection.

– C'est un beau loft, dis-je.

Plafond à poutres apparentes, salle de bains, cuisine américaine. Mais c'était sombre. Aussi sombre qu'un planétarium.

– J'ai acheté cet immeuble en 1969, déclara le propriétaire.

– Mmm, un vrai pionnier, répondis-je comme une idiote.

Je n'étais pas dans mon assiette. C'était peut-être dû aux pièces du Cluedo qui s'entrechoquaient dans mon ventre.

– Nous n'en avons plus jamais bougé. J'ai aménagé une terrasse avec piscine sur le toit et fait installer un petit ascenseur à l'ancienne pour relier les trois derniers étages.

– Alors vous possédez un ascenseur privé ?

– C'est tout récent. Une dizaine d'années à peine. Je n'ai

jamais regretté d'avoir acheté cet endroit. C'était autrefois une usine de restauration grecque.

Il indiqua le vieux parquet incrusté de larges auréoles noires.

– Devinez un peu d'où viennent ces cercles.

– Je ne sais pas, reconnus-je en prenant un air fasciné, comme si j'avais hâte qu'il m'éclaire de sa science.

– À cet étage étaient entreposés de gros tonneaux d'olives.

Je jetai un dernier coup d'œil dans le loft. Je songeai un instant à faire comme nombre de mes collègues : traverser chaque pièce en foulées d'un mètre pour évaluer la surface. Mais je me contentai d'esquisser un croquis sur mon bloc.

– Accepteriez-vous qu'un locataire aménage une chambre noire ? demandai-je.

L'un de mes clients, un grand type aux cheveux longs, m'avait fait part d'un tel projet.

– Je ne crois pas, grimaça le proprio.

– Ce n'est pas grave, j'ai des tas d'autres candidats intéressés.

– Si ce n'est pas vous ce sera un autre, lâcha-t-il d'un air blasé. Venez, je vous ramène en bas.

Pendant la descente, je gardai les yeux rivés sur le plafond ajouré de la cabine.

– Il y a une pâtissière au deuxième étage, m'informa le vieux. Elle fait des tartes et toutes sortes de bonnes choses. Le loft que je viens de vous montrer était occupé par une romancière, mais elle vient d'emménager chez l'artiste peintre du premier. Ce qui explique que l'appartement soit libre.

Il relâcha la manette et la cabine stoppa net. Il me remit les clés que j'empochai avec soulagement. Je pouvais désormais faire visiter l'appartement sans lui. Je sortis de l'ascenseur et il s'enferma dans la cabine.

– Jetez donc un œil au sous-sol, si le cœur vous en dit. Vous y trouverez quelque chose que j'estime assez insolite.

Il poussa la manette à fond et remonta tout en haut.

Je m'aventurai dans l'escalier avec appréhension et curiosité : quelle était donc cette chose insolite ?

Je la découvris en arrivant au pied de l'escalier. Une machine à laver d'un blanc étincelant et un sèche-linge d'un blanc tout aussi étincelant, flanqués d'une pile de corbeilles en plastique. Et pas la moindre fente pour introduire sa monnaie. Autrement dit, c'était gratuit ! Les habitants de cet immeuble pouvaient faire leur lessive sans dépenser un sou. Le type du premier et la femme du quatrième s'étaient sûrement rencontrés ici.

Des vêtements roulaient en douceur dans le sèche-linge. Cet immeuble fleurait le sexe. Le jeune et l'ancien. Un couple tout neuf et un vieux ménage. J'imaginais le premier faisant l'amour dans le loft du premier puis lavant ses draps gratuitement ici. J'imaginais le propriétaire et sa femme s'étreignant dans leur piscine.

Je posai les mains sur le capot du sèche-linge et me laissai masser par ses vibrations. J'étais soudain remplie d'espoir. Je restai prostrée dans cette position un long moment, dans un état de recueillement proche de la prière, tandis qu'une odeur de cookies chauds se répandait dans la pièce.

La machine s'arrêta et je me rendis seulement compte à quel point elle était bruyante. À qui appartenaient les vêtements qu'elle contenait ? Étaient-ce des petites culottes, des caleçons d'homme, des tabliers de pâtissière ?

Je me penchai, ouvris le hublot sans faire de bruit et sortis un drap de bain pêche. Avec de grands mouvements de bras, je le pliai en huit et le posai sur la machine. Puis je piochai son frère jumeau et recommençai l'opération. Le tambour en abritait quatre autres. Je les empilai vite fait avant de m'en aller.

Je regagnai le bureau à pied, tout en composant l'annonce dans ma tête. On était mercredi ; si je tapais mon texte avant 16 heures, il pourrait encore paraître dans le journal de dimanche. Il fallait juste trouver les mots pour expliquer que c'était le seul immeuble new-yorkais doté d'une laverie gratuite. « Lav/sèch-linge incl. » n'était pas assez parlant. Loft sent bon ? 150 m^2 de Paradis ? Les murs de l'amour ? Rien ne semblait convenir.

Dans l'immeuble de l'agence, un écriteau indiquait que l'ascenseur était en panne. Je dus donc gravir les neuf étages à pied. Une fois là-haut, la réceptionniste me fit signe d'approcher. Je m'affalai sur son comptoir, essoufflée par l'ascension.

– Vous avez de la visite, annonça-t-elle.

– Qui ça ? demandai-je en fronçant les sourcils.

Nous n'étions pas censés recevoir des clients sans rendez-vous. Nous laissions cela aux agences de seconde zone, comme celle de Dale où n'importe quel SDF ou étudiant fauché se faisait conseiller à l'œil.

– Il n'a pas donné son nom, répondit Yvonne. Je l'ai trouvé assez...

Elle s'interrompit, hésitante.

– Assez quoi ?

– Assez agressif.

– Il est dans la salle de réunion ?

Qui que ce fût, je ne voulais pas qu'il m'attende dans mon box, coincé entre Carla Lerner et ma photo d'Hindou.

– Non, il préférait patienter derrière votre bureau.

Elle me tendit alors un lot de rouleaux de papier toilette.

– Accepteriez-vous de déposer ceci aux WC ? demanda-t-elle. Le téléphone n'arrête pas de sonner.

Je remontai lentement l'allée centrale desservant les bureaux paysagers. La salle était quasi déserte ; de toute évidence, personne n'était prêt à se farcir neuf étages à pied pour ce boulot. J'arrivai à mon bureau avec mes rouleaux de PQ sous le bras et découvris Andrew sur ma chaise, plongé dans un roman de Faulkner.

– Que fiches-tu ici ? demandai-je.

– Salut, toi !

– Qu'est-ce que tu fous là ?

– Bon sang, ce type est vraiment génial. Écoute un peu ça.

Il me lut une phrase que je n'écoutai pas. J'étais sûre qu'il avait épluché mon carnet d'adresses.

– Je n'ai pas le temps de m'intéresser à Faulkner, Andrew.

Et je n'avais pas de temps pour lui s'il n'avait pas l'intention de quitter Jordan. Andrew était un gâcheur de temps, comme aurait dit Dale.

– Je voulais t'inviter à déjeuner, déclara-t-il.

Il fit pivoter son siège, et découvrit par la vitre crasseuse la colonne d'aération grise, ainsi que deux pigeons juchés sur le rebord couvert de fientes.

– J'occupe ce bureau provisoirement, le temps que les travaux soient terminés, mentis-je. (Il n'y avait pas la moindre trace de travaux dans l'agence.) Quoi qu'il en soit, j'ai un travail urgent à finir.

– Alors, j'attendrai. J'ai quelque chose à te dire.

Carla Lerner apparut et salua, s'attendant à être présentée. Elle était tout essoufflée. Elle nous fixa intensément.

– Bonjour, répéta-t-elle.

– Il faudrait déposer ceci aux toilettes, lançai-je en lui fourrant le PQ dans les bras. Andrew et moi sortons déjeuner.

Nous descendîmes les escaliers quatre à quatre.

– Tu espérais peut-être déjeuner dans mon lit, grommelai-je une fois dans la rue.

– Pas du tout. Je voulais t'emmener dans mon restau italien préféré. Le *New York Times* ne lui attribue que deux étoiles, mais je trouve qu'il mérite beaucoup mieux.

Nous remontâmes quelques blocs vers l'est jusqu'à un endroit très cadre sup, où je regardai Andrew étudier le menu. Le serveur prit notre commande, puis le bipeur d'Andrew sonna dans son sac marin. Il hissa ce dernier sur une chaise vide et exhiba l'appareil.

– Désolé, dit-il en se levant, mais c'est un gros client.

Il traversa le restaurant et descendit un escalier en colimaçon. Il avait laissé son sac sur la chaise, ouvert. J'y plongeai la main et attrapai son journal, que je feuilletai fébrilement pour trouver le dernier chapitre.

Je le refermai d'un coup, en gardant la page avec mon index, quand le serveur apporta mon artichaut et la soupe d'Andrew. Puis je me demandai si je ne ferais pas mieux de ranger le journal sur-le-champ. Qu'allait me donner ce torchon, après tout ? Je ne pourrais même pas sommer son auteur de s'expliquer. Et puis, je ne tenais pas à connaître ses pensées. Je voulais seulement profiter de ce repas et me sentir jolie dans ce restaurant. Qu'il aille au diable, avec son journal !

Un jour, quand j'étais petite, j'avais dû patienter toute seule dans la salle d'attente de ma psy. J'avais alors découvert qu'on entendait tout ce qui se racontait à l'intérieur du cabinet. De ce jour, j'arrivai en avance pour suivre le feuilleton ; je rapprochais mon fauteuil de la porte et cessais de respirer, luttant pour atténuer le bruit des battements de mon cœur. Lorsque la patiente éplorée sortait de la pièce, j'étais épuisée, mais je m'efforçais toujours de lui offrir un regard compatissant. Un après-midi, je l'entendis confier : « Je hais cette petite fille morose qui passe juste après moi. Je sais que c'est mal de haïr un enfant, mais c'est la vérité. » J'ai tout gâché en demandant à la psy ce que signifiait le mot « morose ». La semaine suivante, les murs étaient tapissés de liège.

C'était plus fort que moi. Il fallait que j'ouvre le journal d'Andrew.

Aujourd'hui, je suis allé dans le bureau pour appeler Liv. J'ai allumé des bougies.

On aurait dit une sorte d'énigme. Comme au Cluedo. Le colonel Moutarde dans le bureau avec un chandelier.

Cette fois-ci, j'ai baissé mon pantalon avant de composer le numéro. J'ai bandé dès qu'elle a dit allô. Elle a disserté sur les mésaventures du chien de sa copine pendant que j'enduisais ma queue de vaseline et m'offrais l'un des meilleurs orgasmes que j'aie connus. C'était si bon que je ne pouvais cesser d'éjaculer. Un vrai déluge. Une averse de grêle. J'avais la bite dure comme du bois. C'est précisément sur les mots « Le véto a dit : « Vilain le toutou » » que j'ai commencé à envoyer la purée. Elle me racontait ses histoires cochonnes sans la moindre idée de ce qu'elle faisait. Ni de ce que je faisais. J'ai déchargé partout sur mon écran d'ordinateur. Il faut que je rachète du nettoyant. Dès que j'ai eu terminé, j'ai raconté à Liv que j'avais un autre appel et j'ai raccroché.

Tout en lisant, je détachai une feuille de mon artichaut et la trempai dans la vinaigrette. Et puis voilà : une goutte d'huile tomba sur une page du journal. Je l'essuyai en catastrophe avec ma serviette, mais elle s'était incrustée, comme une tache de sperme. En levant les yeux, je vis le crâne d'Andrew émerger du sous-sol. Je refermai calmement le cahier et le glissai dans le sac, réprimant une furieuse envie de hurler : « Voudrais-tu m'expliquer ce passage ? Je ne me savais pas hôtesse de téléphone rose. » J'aurais dû lui facturer 1,99 $ la minute.

J'avais l'estomac lourd, je sentais que j'allais vomir.

– Désolé d'avoir été si long, s'excusa Andrew en se rasseyant face à moi et en empoignant sa cuiller comme une épée. Pourquoi rougis-tu, Liv ?

– Je ne rougis pas.

– Si, tu rougis. Comme si tu venais de faire de vilaines choses sous la table.

– Ce serait davantage ton genre, rétorquai-je.

– Mais ce n'est pas moi qui rougis, Liv. Écoute, on ne pourrait pas essayer d'avoir une conversation normale, pour une fois ? Quelle est ton émission préférée ?

Je me tus. La réponse était évidemment *I Love Lucy*, mais je ne voulais pas salir le nom de Lucille Ball en le prononçant devant Andrew.

– Je ne te le dirai pas.

– Quelle est ta couleur préférée, alors ?

– Pardon ?

– Quelle est ta couleur préférée ?

– C'est absurde !

– Je veux savoir, insista-t-il dans un sourire.

– Jaune, soufflai-je.

Je pouvais à peine parler. Mes mains restaient crispées sur mes genoux, comme si elles tenaient encore le cahier. Mon esprit poursuivait sa lecture.

– Jaune ? Pourquoi Jaune ?

Je répondis d'un haussement d'épaules.

– Oui, c'est joli, admit-il. Mais quel ton en particulier ?

– Tous. Moutarde, taxi, citron, poussin...

Cette conversation me paraissait surréaliste après ce que je venais de lire. Je ne savais plus où j'étais.

– Et quelle est la tienne ? demandai-je.

Il réfléchit un moment, l'air concentré.

– Ce doit être le jaune, répondit-il finalement.

– J'ai du mal à croire qu'on soit tous deux friands de jaune.

Puis je fus prise d'un rire nerveux.

– Qu'y a-t-il de si drôle ? s'étonna Andrew.

– C'est donc de ça que tu voulais me parler ?

C'était la fin, pensai-je. Ça sentait la fin à plein nez, comme un Kleenex trempé sur une table de chevet.

Je mordis dans deux feuilles d'artichaut, et je sus avec certitude que j'allais vomir. Je m'excusai rapidement et dévalai les escaliers jusqu'aux toilettes. Je me penchai sur la cuvette et rendis, rendis... Cela me parut interminable. Puis je m'essuyai la bouche et examinai l'intérieur de la cuvette. La mini-matraque dérivait lentement à la surface.

À mon retour, Andrew demanda ce qui m'avait retenue si longtemps.

– Il y avait la queue, improvisai-je.

Il promena son regard sur la salle déserte. Les seuls autres clients étaient deux hommes d'affaires plutôt mignons. L'un disait à l'autre :

– La grand-mère de Jenny est hospitalisée, alors nous partons quatre ou cinq jours à Montauk pour être auprès d'elle.

À en juger par le ton de sa voix, il se souciait vraiment de Jenny et de sa grand-mère. J'en voulais un comme lui.

– Liv ?

– Oui, Andrew ?

– Je suis prêt à la quitter.

– Jordan ?

– Bien sûr, Jordan. Qui d'autre veux-tu que je quitte ?

Le serveur débarrassa nos entrées. Je n'avais pas touché au cœur de l'artichaut.

– Tu me fais marcher, dis-je.

Ce n'était pas une réponse très romantique. J'avais pourtant répété ce moment tant de fois dans ma tête : « Je quitte Jordan. Je suis prêt à la quitter... »

– Je parle sérieusement. Je t'aime, je veux être avec toi.

– Et qu'est-ce qui me prouve que tu es sincère ?

– Ce ne sont pas des bobards, Liv !

– Tu lui en as parlé, au moins ?

– Ce soir.

– J'ai un loft à te proposer, avançai-je. Disponible immédiatement.

– Où ça ?

– York Street.

– York Avenue, tu veux dire ? L'Upper East Side ne me branche pas trop, tu sais.

– Non, non. York Street.

– C'est où, ça ?

Je me demandai soudain si cet appartement n'était pas trop bien pour Andrew. J'aurais préféré y installer cet homme d'affaires et sa Jenny. Mais si Andrew ne méritait pas le loft de York Street, avec sa laverie gratuite, ses odeurs de cookies et ses empreintes de tonneaux au sol, alors peut-être ne me méritait-il pas davantage.

– J'aimerais le voir, dit-il. Dès que possible. Tu as les clés ?

– Je ne peux pas te le montrer tout de suite, j'ai un autre rendez-vous.

J'avais presque oublié que je devais retrouver une jeune fille prénommée Tempête, dont les parents comptaient parmi les relations de mon père à Beverly Hills. En recevant son coup de fil, j'avais d'abord cru que papa l'avait chargée de m'espionner après avoir découvert que je travaillais dans l'immobilier. Mais ces retrouvailles n'étaient que le fruit du hasard. Son père avait émigré au Texas et perdu contact avec mes parents ; je ne risquais rien.

– Dans ce cas, je peux t'accompagner, puis nous nous rendrons à York Street, proposa Andrew.

Pour finir, j'acceptai de le retrouver plus tard dans la journée. Ce qui me laisserait un délai de réflexion.

26

DBL VITR. – APPT STAR

Tempête sortit d'une limousine noire sans attendre que le chauffeur vienne lui ouvrir. Égale à elle-même, elle était nippée comme une clocharde, dans un vieux manteau en laine noire et de curieuses bottines de lutin. Elle m'avait appris au téléphone que son promis lui avait posé un lapin devant un prêtre et quatre cents convives au Beverly Hills Hotel, juste après qu'elle se fut séparée de son « adorablissime bungalow de Beachwood Canyon ». Elle faisait peine à voir.

– Salut, dit-elle. Tu es resplendissante.

– Toi aussi, répondis-je.

– T'es mignonne, va. Alors, voilà la bête ? demanda-t-elle en examinant l'immeuble. Ce n'est pas ce que j'imaginais.

Nous étions à l'angle de West Street et de Gansevoort, dans le quartier des halles aux viandes.

– Et qu'imaginais-tu ?

– J'aime beaucoup Park Avenue. Il y aurait quelque chose là-bas ?

– Tu disais vouloir un loft.

– Mais oui, absolument !

– Il n'y a pas de lofts sur Park Avenue. Mais cet immeuble a un portier, regarde.

J'indiquai un type en uniforme accoudé à un comptoir en Formica.

– Comme c'est excitant ! Allons visiter.

Je la conduisis au premier étage où nous accueillit la propriétaire, âgée d'une cinquantaine d'années. Elle nous montra d'abord la cuisine, équipée d'un minibar et d'un plan de travail microscopique.

– Où est la cuisine ? demanda Tempête.

– Vous y êtes, répondit la dame.

Tempête pouffa de rire, comme s'il s'agissait d'une blague.

Nous parcourûmes les autres pièces. C'était un immense loft rectangulaire avoisinant les trois cents mètres carrés. Le prix était dérisoire vu la surface.

Au seuil d'une chambre, la proprio posa un index sur sa bouche. Un homme grisonnant dormait sur un lit métallique.

– Nous sommes des noctambules, expliqua la dame en nous reconduisant vers l'entrée. Ceux qui achèteront cet appartement devront avoir un sommeil à toute épreuve.

– Pourquoi ça ? demanda Tempête.

– Certes, il y a le bruit du périphérique, mais il suffit d'installer des doubles-vitrages, m'empressai-je de répondre.

– C'est déjà fait, précisa la dame. Mais toutes les vitres du monde n'y changeraient rien.

– Que voulez-vous dire ? demanda la jeune fille.

La proprio me lança un regard désespéré.

– New York est une ville bruyante, énonçai-je sur un ton docte. Si tu veux du silence, mieux vaut rester à Beverly Hills.

– Écoutez, lâcha la proprio, je préfère être honnête avec vous. Chaque nuit, à 4 heures du matin, la boutique d'en bas se fait livrer.

– Livrer quoi ?

– Ça fait un raffut de tous les diables...

– Livrer quoi ? répétai-je, intriguée à mon tour.

– Des carcasses.

– Quoi ? s'étrangla Tempête.

Je crus qu'elle allait s'évanouir.

– Des carcasses de bœuf. On les décharge sur des tapis roulants, qui produisent une sorte de tchac, tchac, tchac métallique. Si cet appartement vous plaît, je vous propose de passer une nuit ici pour être sûre qu'il vous convient.

J'imaginai Tempête émergeant de son grand lit à baldaquin, se penchant par la fenêtre pour humer l'air du matin, et recevant au visage une giclée d'hémoglobine. Il lui faudrait dormir avec un tablier de boucher par-dessus son négligé en soie.

– Je vois, soupirai-je. Merci beaucoup, madame.

En sortant de l'immeuble, Tempête releva son manteau de peur qu'il ne traîne sur le trottoir.

La limousine nous conduisit à la deuxième adresse de notre liste. Nous fîmes le trajet en silence. La voiture n'avait rien de sensationnel. Je finis par rompre la glace :

– Tempête est un prénom intéressant.

Pour un fils de météorologue qui se destine à la météorologie, par exemple...

– Figure-toi que c'est ainsi que Margaret Mitchell a failli appeler Scarlett O'Hara.

– Ça alors ! fis-je en inclinant la tête.

Scarlett O'Hara, Tempête Shapiro. J'estimais que Margaret Mitchell avait fait le bon choix.

Le loft suivant se trouvait sur Greenwich Street, au niveau de Christopher Street. Dans l'immense séjour pris entre deux longues baies vitrées, le soleil se répandait sur le parquet, comme une immense flaque de lumière. Comparé à l'appartement précédent, l'endroit paraissait calme. Seuls nous parvenaient les rebonds d'un ballon de basket en bas de la rue.

Tempête se promena d'un pas allègre. Elle s'arrêta devant une belle table entourée de chaises tapissées de velours, toutes de couleurs différentes.

– J'adore ces chaises ! s'écria-t-elle. J'aurais envie de recevoir tous les soirs, si je les avais chez moi !

– Dis, on n'est pas venues acheter des meubles. Intéresse-toi plutôt au loft.

Elle découvrit une minuscule salle de bains.

– Oh, les commodités ! Comme c'est coquet, s'enthousiasma-t-elle en me montrant l'écriteau « WC » suspendu à la porte.

Dans la chambre, des étagères blanches sur mesure couraient le long d'un mur anguleux, façon bibliothèque.

– Ce sera fabuleux avec des livres dedans, s'extasia Tempête. J'adore ce loft. Je l'adore, je l'adore, je l'adore ! C'est autre chose que celui des bœufs morts !

– Il me reste tout de même un troisième appartement à te montrer aujourd'hui.

Je tenais à la sortir d'ici avant qu'il n'arrive un malheur.

– Je disposerai les chaises par ici afin qu'on les voie en entrant, poursuivit-elle.

– Je doute qu'elles soient à vendre, Tempête...

– On verra.

Je la suivis dans la cuisine, où elle ouvrit le réfrigérateur.

– Oh, du parmesan ! s'exclama-t-elle en prenant une boîte en carton cylindrique. Je comptais justement en acheter pour ce soir. Tu crois que je peux me servir ?

– Non, je ne pense pas.

– Mais je suis sûre que la proprio s'en fichera.

Je priai pour que cette dernière ne surgisse pas pendant que nous inspections son frigo.

– Tu ferais mieux d'en acheter, insistai-je.

Elle fouilla les placards et dégotta un rouleau de sachets de congélation. Elle en remplit un de parmesan, y fit un nœud et le rangea dans son sac à main.

– Combien coûte ce loft ? demanda-t-elle.

– Huit cent mille. J'ai transmis tous les chiffres à ton père.

Je ne comprenais pas qu'une gosse de milliardaire en soit réduite à voler du fromage.

– Je pense qu'il est inutile de visiter autre chose, déclara-t-elle.

Dommage. J'avais prévu de l'emmener dans l'ancien loft de Judd Hirsch, l'acteur de la série *Taxi*, un appartement hors de prix qui cherchait preneur depuis des années. Cet endroit avait deux avantages : primo, les autres lofts paraissaient en comparaison très bon marché ; secundo, les millions de photos de Judd Hirsch en compagnie de Danny De Vito accrochées aux murs laissaient entendre que j'étais l'agent des stars.

– J'en parle à mon père et je te rappelle demain, promit Tempête.

Je regardai s'éloigner la limousine. Puis sautai dans un taxi pour retrouver Andrew.

27

ATT. ! CHIEN MÉCHANT !

Au moment de pénétrer dans l'immeuble de York Street, nous croisâmes un mannequin. Autant croiser un chat noir. Elle avait les lèvres roses et brillantes, comme si elle venait de manger une pastèque, mesurait un mètre quatre-vingts, et était toute de jaune vêtue, le nombril à l'air et la peau sur les os. Quoique belle, elle avait un côté effrayant, comme ces articles exposés dans la vitrine de Carnage, la boutique de farces et attrapes de mon quartier. J'essayai de m'imaginer aussi grande et mince qu'elle, sans succès. J'étais trop épaisse pour faire un beau squelette.

– Tu es plus jolie qu'elle, me glissa Andrew.

– Sûrement pas.

– Je te jure que si. Ton corps est si, comment dire, moelleux...

Andrew fit le tour du loft.

– Alors, tu voudrais que je vive ici ? demanda-t-il.

– Je me moque de savoir où tu vis.

– Mais où irais-je promener mes toutous ?

– Je ne sais pas. Près du fleuve. À Hudson River Park.

Il s'allongea sur le lit coincé au fond de la pièce et recouvert d'un édredon vert à fleurs. On aurait dit un chien couché dans un champ.

– Voyons un peu comment on baise, ici. Si le sexe est bon, je saurai que ce loft m'est destiné.

– C'est ce que disent tous mes clients, raillai-je.

– Allez, approche.

J'obéis en m'asseyant tout au bord du matelas. Sans me l'expliquer moi-même, j'avais une furieuse envie de faire l'amour. Andrew me bécota l'intérieur du bras. Je serrai le poing sur le trousseau de clés. Règle numéro un dans le métier : ne jamais lâcher les clés au cours d'une visite. Sous aucun prétexte.

Andrew happa un bout de chair avec ses dents et me mordilla gentiment.

Il existe une photo me montrant à l'âge de six ans avec un bébé tigre dans les bras. Le félin est presque aussi grand que moi. J'ai la main entre ses mâchoires et je ris. Au dos du cliché, mon père a écrit : « Liv éprise d'un tigre, Inde. » Je ne me rappelais pas avoir porté cette bestiole. Et je n'avais aucun souvenir de l'Inde. Mais mon père me jura que c'était bien moi sur ce banc avec ce bébé tigre. « Tu étais courageuse, dit-il, bien plus que les autres petites filles. »

Andrew me plaqua sur le lit et me dévora le cou. Puis me mordit l'oreille.

– Arrête ça ! ordonnai-je.

Mais ses dents me broyaient de plus en plus fort. Il me fallut un petit moment pour comprendre ce qui m'arrivait. Je commençais à voir des étoiles. Je me mis à hurler, mais il me couvrit la bouche avec sa main. Je me débattis et sentis mon lobe se fendre. Andrew continua de mordre et de sucer jusqu'à ce que je défaille sous son poids. Je m'imaginais en Inde, cernée d'immeubles en forme de glaces italiennes et de singes qui arrachent les canettes de Coca des mains des enfants. Je me faisais mordre par un tigre mais j'étais courageuse.

– Tu saignes, me signala Andrew.

Je me levai et filai à la salle de bains. Du sang ruisselait dans mon cou et mon lobe pendillait, lesté de son petit diamant. Je ne sentais plus rien.

– Il me faut un médecin !

J'attrapai un rouleau d'essuie-tout sur le bar et épongeai les taches de sang que je trouvais.

– Si tu as abîmé ce loft, je te tue ! menaçai-je.

L'édredon était écarlate. Je n'avais plus qu'à le faire nettoyer, si possible avant le retour de la propriétaire.

J'ouvris la porte d'entrée. Andrew restait assis sur le lit.

– On s'en va ! criai-je.

Il bondit sur ses jambes, empoigna son sac et me suivit sur le palier. Je verrouillai la porte puis dévalai les escaliers, Andrew sur mes talons.

– Où va-t-on ? demanda-t-il comme nous traversions la rue.

– Tu sais quoi ? Tu n'es qu'un vulgaire animal !

Tout en marchant, je palpais mon oreille. La zone était devenue complètement insensible.

– Je ne voulais pas te blesser, Liv.

– Laisse-moi tranquille ! hurlai-je par-dessus mon épaule. Cesse de me suivre, enfoiré de... (Je cherchai le mot juste.) ...castor joufflu !

Je remontai West Broadway au pas de course jusqu'à la clinique vétérinaire de Soho.

La salle d'attente était un cagibi. Je me faufilai entre une Asiatique menue tenant en laisse un gigantesque danois, et un berger allemand qui semblait être venu de son propre chef.

Un jeune Noir à lunettes rondes était assis derrière un bureau. Dans son dos, un tableau en liège était recouvert de polaroïds de chiens et de chats, avec leur nom inscrit au marqueur : Shakespeare, Hudson, Ladybug, Teddy, Puja...

– J'ai été mordue, indiquai-je d'une voix peu courageuse.

– Je vois ça. Prenez un siège, j'appelle quelqu'un.

Il quitta son bureau et courut à l'étage. Je m'assis à côté d'Andrew.

– Tu ne préférerais pas t'adresser à un docteur pour humains ? chuchota-t-il.

Une jeune femme brune en blouse blanche et queue-de-cheval descendit et vint m'examiner l'oreille.

– Alors, qu'avons-nous ici ? Suivez-moi.

Elle me conduisit dans une salle au bout d'un couloir. Andrew nous suivit.

– Restez plutôt dans la salle d'attente... lui conseilla-t-elle.

Elle m'aida à m'allonger sur la table d'examen, enfila des gants en latex, élimina les traces de sang séché sur mon visage et m'appliqua une poche de glace sur l'oreille.

– Connaissez-vous le chien qui vous a mordue ?

– Oui.

– Il est à jour de ses vaccins ?

– Oui.

– Vous a-t-il mordue pour une raison particulière ? L'avez-vous provoqué ?

Je hochai la tête.

– A-t-il des antécédents agressifs ?

– Oui, dis-je en souriant.

– Vous devez vraiment aimer les chiens pour être capable d'en rire. Y a-t-il un risque qu'il ait la rage ?

– Je ne pense pas.

– Vous ne pensez pas ou vous en êtes sûre ?

– J'en suis sûre.

– Vous en êtes sûre. Très bien. Quel est le nom du chien ?

– Andrew.

– Andrew ? C'est trop mignon pour lui. Tyson lui conviendrait mieux. Savez-vous qui sont ses propriétaires ?

– Oui.

– Comment s'appellent-ils ?

– Elle s'appelle Jordan.

– Bon, je vois que vous vous connaissez. Je suis obligée de poser la question pour m'assurer que vous ne sous-estimez pas les risques de rage. Si Andrew recommençait, nous serions probablement contraints de le piquer. Vous a-t-on fait un rappel de tétanos récemment ?

– Je n'en sais rien.

J'étais sûre que non.

– Je vais vous en faire un.

Je crus que j'allais flancher.

– Tournez-vous, dit-elle.

Je m'allongeai sur le flanc.

– Ensuite je vous recoudrai le lobe, mais la salle d'opération ne sera libre que dans une dizaine de minutes. Attention, ça va picoter... (Elle enfonça l'aiguille. Je glapis.) Voilà, c'est fini. Nous allons monter, à présent. Tenez, pressez ceci contre votre oreille.

En sortant de la salle, je revis Andrew, l'Asiatique et le danois. Le berger allemand n'était plus là. Je ne décochai pas un mot.

Andrew se leva pour nous suivre.

– Assis, dit la véto.

Il obéit.

En montant l'escalier, j'avais l'impression de flotter.

– Je crains qu'il ne vous faille attendre dans cette pièce quelques minutes. En théorie, je devrais vous envoyer à Saint-Vincent, mais votre oreille doit être recousue au plus vite.

Elle me fit entrer dans une salle remplie de cages, vides pour la plupart. J'avisai un bébé dalmatien qui jappait tout en écrasant sa truffe contre le grillage, un bâtard somnolent et trois chats. On m'apporta une chaise pliante.

Je restai debout pour glisser mes doigts dans la cage du dalmatien. Il les mordilla puis aboya.

– Ça va aller, susurrai-je. Tout va bien se passer. Nous serons bientôt libres.

La vétérinaire me recousit avec du fil noir. Puis elle me servit un gobelet de jus d'orange, me rendit mon diamant dans un petit sachet plastique, comme une nouvelle pièce de Cluedo, et me renvoya en bas avec un énorme pansement sur le côté du crâne. Quel aspect mon oreille avait-elle sous la gaze ? Était-elle pointue comme celle d'un doberman ? Tombante comme celle d'un basset ? Fripée comme celle d'un shar-pei ? Longue comme celle d'un lapin ?

– Ne vous approchez plus de ce vilain chien, me recommanda la véto.

Je demandai au type de l'accueil de présenter la facture à Andrew, qui n'avait pas bougé de son siège. Il signa un chèque sans broncher.

La rue était vide. Je ne m'étais pas aperçue qu'il était si tard. Je me plantai au bord du trottoir dans l'attente d'un taxi, ignorant Andrew.

– Allez, Liv, je te jure que je suis désolé. Je ne l'ai pas fait exprès, tu le sais bien...

– Tu mériterais d'être euthanasié, Andrew. C'est le sort que te réserve la véto si jamais tu recommences.

– Allons chez toi, que je puisse me faire pardonner.

– Je ne plaisante pas, Andrew. C'est fini, tu m'entends ? Je ne veux plus te voir.

– Je ne partirai pas.

– Dégage de ma vie, Hannibal Lecter.

Pas le moindre taxi en vue. La tête lourde, je reculai pour m'adosser quelques instants au mur d'un immeuble.

– La toubib m'a demandé de veiller à ce que tu avales quelque chose, poursuivit Andrew. Ta glycémie la préoccupait.

Je me remis en marche et il m'emboîta le pas, la main posée sur ma nuque. Ses remords semblaient sincères. Remontant vers chez moi, nous traversâmes Houston Street et arrivâmes devant l'Olive Tree Café. La rue baignait dans un étrange halo blanc : on y tournait un film. Minetta Lane grouillait de techniciens et d'énormes caravanes s'alignaient le long du trottoir.

– Laisse-moi t'offrir un steak, dit Andrew. J'ai une soudaine envie de viande rouge. Le moins que je puisse faire est de te payer le dîner.

Je le regardai sans rien dire.

– S'il te plaît, Liv.

Il avait l'air inquiet. Je me sentais patraque. Un bon steak me donnerait peut-être la force de rompre une fois pour toutes. Je lui expliquerais qu'après ce qui venait de se passer, quelque chose s'était brisé à jamais.

– On peut aller à l'Olive Tree. C'est juste là.

J'indiquai la vitrine.

– Alors c'est ici que tu manges tout le temps ? On y sert quel genre de cuisine ? Moyen-oriental ?

Je levai les yeux sur le vitrail en forme d'étoile de David.

– Israélien, je crois.

– Tu es une très bonne juive...

Et lui n'avait rien d'un mensch, tout compte fait.

– Tu t'attendais à quel type de restaurant ? demandai-je.

– Je pensais que tu fréquentais cette chaîne italienne où ils servent les fettuccine à volonté.

– Tu confonds avec l'Olive Garden, imbécile.

Comment pouvait-il croire que j'ingurgitais chaque soir des bols entiers de crème fraîche ?

Andrew commanda deux steaks cuits à point.

– Je suis désolé, Liv. J'avais juste prévu une gentille petite partie de jambes en l'air. Je ne pensais pas que ça se terminerait avec des points de suture. Si ça peut te consoler, j'accepte de louer ce loft. Tu empocheras une commission. On prendra un nouveau départ.

– J'ai pas envie de te parler. Et ce n'est pas une question de commission, tu le sais très bien.

– Si tu étais juge et que tu voyais combien tes oreilles sont adorables, tu me relaxerais sur-le-champ.

Quand j'étais petite, mon père et moi jouions souvent à un jeu baptisé « Dis-le au juge ». Je m'asseyais sur son bureau, vêtue de son peignoir et de la charlotte de bain de ma mère, un petit marteau en plastique à la main.

– Aujourd'hui j'ai mangé trop de glace, Votre Honneur, commençait papa.

– Dites-le au juge, répondais-je.

– Mais, Votre Honneur, c'est vous le juge.

– Eh, c'est vrai, ça ! m'exclamais-je avant de crier : coupable !

– Votre Magnifiquement Splendide Honneur, j'avoue que j'aime trop ma fille.

– Dites-le au juge.

– Mais vous êtes le juge, souvenez-vous.

– Parfaitement, et je vous déclare coupable, coupable, coupable ! Je crois que vous êtes bon pour la prison, papa.

– J'ai un gros problème, Votre Honneur. Je dois partir six semaines à Paris, mais je ne supporte pas l'idée d'abandonner mon adorable fille. Vers qui dois-je me tourner ?

– Dites-le au juge. Eh, attendez une minute, c'est moi le juge ! Je vous déclare coupable, coupable, coupable ! hurlais-je dans un fou rire en martelant le bureau.

– Reconnais que tu peux difficilement m'en vouloir, reprit Andrew.

À la table derrière nous, deux comiques se confiaient mutuellement leur envie de raccrocher. On aurait dit deux gangsters désespérant de quitter le milieu.

– La scène m'a coûté mon mariage, grognait le plus âgé des deux. Et m'a mis sur la paille. Chaque soir, mes gosses me font promettre que ce seront mes dernières blagues.

– Mais que vas-tu faire si une occasion se présente ? Imagine que tu sois sélectionné pour passer dans *Fais-moi Rire*. Ça se refuse pas, mec. Tu peux pas leur cracher à la gueule.

– Est-ce que pour une fois dans ta vie tu pourrais me laisser dîner en paix sans me harceler de questions sur le sens de ma vie ? J'étais peinard depuis à peine cinq minutes, et maintenant je n'ai plus qu'à aller me suicider en bas, espèce de salaud !

Un jour, une serveuse affectée aux spectacles des Caves était arrivée au travail de bonne heure et s'était pendue à une poutre du plafond.

Je me tournai vers le film de Charlie Chaplin projeté à droite de notre table. Charlot tentait de découper une chaussure géante avec un couteau et une fourchette.

28

CH. ABRI ANTI-MISS.

Je retrouvai Tempête Shapiro chez Tea & Sympathy, un petit restaurant anglais de Greenwich Avenue. Avec la migraine que je traînais, la perspective d'un peu de thé et de sympathie n'était pas déplaisante.

La salle était vaste comme un abri de jardin. Arrivée la première, je réclamai à la serveuse britannique aux allures de harpie la table près de la fenêtre.

– Vous êtes seule ? demanda-t-elle.

– J'attends quelqu'un.

– Alors attendez dehors, et revenez quand vous serez au complet.

Je m'exécutai.

Il était trop tôt pour crier victoire, mais j'étais persuadée que Tempête allait acheter le loft de Bank Street. Après lecture des documents que je lui avais adressés, son père m'avait faxé une note stipulant que si Tempête le voulait, c'était « OK pour moi ». Or elle semblait bel et bien convaincue. J'avais appelé la propriétaire, qui avait consenti à se séparer des chaises de salon multicolores. Ma commission s'élèverait à seize mille dollars, et Dieu sait que j'en avais besoin : il fallait au moins ça pour supporter un nouveau tête-à-tête avec Tempête.

Sur le trottoir d'en face, une fillette noire d'une dizaine d'années portant des verres teintés apprenait à manier une canne blanche. Je la trouvais gracieuse, avec ses gestes délicats, sa minijupe en jean et ses cheveux attachés en pompon au sommet de son crâne. Une jeune femme la suivait de près, pour la guider ou lui montrer comment négocier les trottoirs. La petite avançait avec assurance et fierté, au rythme de sa canne tapotant le bitume.

Tempête arriva à pied, une immonde chemise à rayures sur le dos.

– Cet endroit est trop craquant ! s'extasia-t-elle.

Nous fîmes notre entrée chez Tea & Sympathy et demandâmes la table près de la fenêtre.

– Pas de problème, répondit la serveuse. Mais... que vous est-il arrivé ?

Je ne m'étais guère appliquée en rajustant mon pansement ce matin. Il était tout disloqué.

– Mon copain m'a arraché un bout d'oreille.

– Mais c'est horrible ! glapit Tempête. C'est une blague, n'est-ce pas ?

– Non, c'est la vérité.

– Il vous a arraché l'oreille avec ses dents ? demanda la serveuse.

Je fis oui de la tête.

– Alors, vous avez perdu une oreille ? demanda-t-elle en élevant la voix, comme si l'accident m'avait rendue sourde.

– Non, on me l'a recousue.

– Oh le sagouin ! grommela-t-elle. Petit bouffeur d'oreilles de mes deux !

– C'est tout simplement... horrible, dit Tempête d'une voix blanche.

– Que je vous prévienne : cette table est prévue pour quatre, alors s'il arrive un groupe de quatre, il faudra que je vous déplace, avertit l'Anglaise.

– J'ai de bonnes nouvelles, annonçai-je à Tempête.

– Dis vite !

– La propriétaire accepte de te laisser ses magnifiques chaises en velours.

– Fantastique ! lança-t-elle avant de se plonger dans le menu.

Visiblement, mes pépins d'oreille ne l'avaient pas excessivement traumatisée.

La serveuse nous apporta deux petites théières illustrées. La mienne représentait une scène de *Roméo et Juliette* ; celle de Tempête avait la forme d'un chimpanzé.

– Comme c'est chou, s'esbaudit ma camarade.

– Oui, c'est vrai.

– Trop mignon.

– Très mignon.

– Surtout la tienne.

– Tu veux qu'on échange ? proposai-je sur le ton de la plaisanterie.

– D'accord.

Deux femmes et une enfant entrèrent dans le restaurant. Il y avait vraisemblablement la mère, la grand-mère et la fille.

– Ah, je crains qu'il ne faille bouger, dit la serveuse d'un air vicieux. Je vous avais prévenues.

Je pris les deux théières et nous nous rabattîmes sur un guéridon coincé au milieu de la pièce. J'avais l'impression que ma tête allait exploser. Et mon oreille m'élançait sous le pansement.

– Auriez-vous de l'aspirine ? demandai-je.

– Vous n'êtes pas à l'hôpital, ma belle, mais dans un restaurant, n'est-ce pas ?

– Alors, Tempête. Tu as réfléchi ? Tu aimerais vivre dans ce loft ? demandai-je d'une voix suave, comme une vendeuse de chez Chanel.

– Tu fais vraiment un métier extra, Liv. Je suis sûre que ça me plairait.

Jamais je n'aurais cru Tempête capable de prononcer le mot « métier », encore moins d'en exercer un.

– Agent immobilier, articula-t-elle comme pour goûter ces mots. Ouais, ça me plaît bien.

La mégère anglaise me servit un hachis parmentier et à Tempête un potage aux légumes. Cette dernière mangeait très peu, ce qui expliquait son haleine fétide.

– Alors, tu vas demander à ton père de faire une offre pour le loft ?

– Oui, répondit-elle. J'ai hâte d'emménager.

– C'est super. J'estime que tu as fait le bon choix.

Je me renversai sur mon siège, soulagée.

– Pourrais-tu me montrer l'un de ces petits croquis en noir et blanc, pour que je regarde où mettre mes meubles ?

– Un plan, tu veux dire ? Bien sûr.

Je sortis de mon sac le document en question. Tempête l'étudia. J'avais hâte de regagner l'agence pour lancer la machine.

– Il a tout de même une forme étrange, non ? dit-elle.

Je commençais vraiment à la détester.

– Je lui trouve une forme parfaitement normale, répliquai-je.

Ce n'était ni plus ni moins qu'un long rectangle avec un coin biseauté.

– À quoi correspond cette partie pointue ? demanda-t-elle.

– C'est la chambre, souviens-toi. Avec les superbes étagères.

– Ah. Tu ne trouves pas que ça ressemble à un missile ?

– Un missile ?

– Oui, ce loft a la forme d'un missile.

– Pour moi, il a juste la forme d'un magnifique loft.

Tempête héla la serveuse.

– Dites-moi, madame, trouvez-vous que ce croquis ressemble à un missile ?

– Un quoi ?

– Un missile. Vous savez, comme dans un sous-marin.

– Non.

– Moi, je trouve que si.

La serveuse se concentra sur le plan, puis le fit pivoter d'un quart de tour, l'angle biseauté vers le haut.

– Oh, mais oui, je vois ce que vous voulez dire ! Ça rappelle effectivement un missile, n'est-ce pas ?

Quatre personnes apparurent dans l'entrée. La serveuse se rendit auprès des deux femmes et de la petite fille qui grignotaient biscuits et sandwiches sur notre ex-table.

– Vous allez devoir vous déplacer, leur annonça-t-elle.

– Quoi ? s'exclama la plus âgée. Mais nous n'avons pas fini de manger !

– Laisse tomber, lui glissa sa fille. Ce n'est pas si grave.

– Mais c'est un monde ! continua la vieille dame. On ne déloge pas les gens au beau milieu du repas !

– J'ai bien peur que si, rétorqua la serveuse. Vous êtes assises à une table pour quatre.

– Pour quatre ? Vous plaisantez ! Nous sommes serrées comme des sardines.

– Écoutez, vous devez changer de place, un point c'est tout.

– Dans ce cas, nous partons !

– Comme vous voudrez.

La petite fille fondit en larmes.

– Regarde, maman : tu fais pleurer Chloé. Contentons-nous de changer de table.

– Non ! trancha la vieille dame. On s'en va.

Sur ce, elle se leva et renversa sa tasse de thé. La petite fille se mit à brailler.

– Je ne pense pas pouvoir vivre dans un loft en forme de missile, reprit Tempête.

Et moi, je ne pensais pas pouvoir haïr un client autant que Noah Bausch.

Je réglai l'addition et nous quittâmes le restaurant. Dans la rue, une belle blonde à l'allure sportive s'avança vers nous.

– Jordan ! s'écria Tempête. Salut !

Mon sang se glaça. Ce ne pouvait pas être la Jordan d'Andrew, si ? Celle-ci était grande et portait une bague de fiançailles en diamant. Elle semblait détendue et épanouie, comme si elle avait commencé la journée en faisant l'amour.

– Tempête ! Ça me fait plaisir de te revoir. Tu as une mine superbe.

– T'es mignonne, va. Jordan, je te présente Liv, mon agent immobilier. Je compte acheter un loft, si toutefois elle arrive à m'en trouver un bien.

– Formidable ! répondit Jordan en m'ignorant complètement.

Je notai que Tempête m'avait présentée comme son agent immobilier, alors que nous avions partagé d'innombrables fêtes dans notre enfance. Mais c'était aussi bien ainsi ; je me réjouissais qu'elle ait compris la finalité commerciale de nos échanges. De toute manière, aucune amitié ne tenait plus de cinq minutes lorsqu'un des protagonistes devenait l'agent de l'autre.

J'essayai d'imaginer Andrew au lit avec cette femme. Je n'avais jamais songé que Jordan puisse être belle. Où était passée l'abominable harpie que je m'étais figurée ? Son sac n'était pas en cuir, ni ses escarpins, faits de je ne sais quelles microfibres ultrasouples dernier cri. Comment savoir si c'était bien la Jordan qui m'obsédait depuis des mois ? Andrew ne m'avait jamais révélé son nom de famille. Je savais seulement qu'elle avait été prénommée en hommage à Hemingway.

– Vous avez un joli prénom, lui dis-je.

– Merci, répondit-elle, flattée.

– C'est d'après le personnage d'Hemingway ?

– Oui, oui, confirma-t-elle en hochant la tête avec un sourire condescendant, comme si elle s'adressait à sa concierge. Mon père est fan d'Hemingway.

– Et d'où vous connaissez-vous ? demandai-je.

– J'ai rencontré Jordan à New Haven, répondit Tempête.

Elle ne disait jamais « Yale », mais « New Haven », ou simplement « dans le Connecticut ». C'était sa façon à elle d'être modeste. Andrew ne m'avait pas dit où Jordan avait fait ses études.

– Sans vouloir être indiscrète, que vous est-il arrivé ? s'enquit Jordan en remarquant mon pansement.

– Son copain l'a mordue trop fort, répondit Tempête.

– Oh, ma pauvre... J'ai moi-même un fiancé très fougueux. Je lui dirai de faire plus attention.

Tempête glapit, comme si elle remarquait seulement maintenant l'énorme bague de fiançailles. Je voyais mal Andrew se fendre d'une si grosse dépense.

– C'est toujours le même ? hennit Tempête.

– Toujours le même ! hennit Jordan.

– Et que fait-il dans la vie ? glissai-je.

– Il est architecte à New York, répondit-elle fièrement.

Je pris une longue inspiration.

– Et comment s'appelle-t-il ? ajoutai-je d'un air aussi détaché que possible.

– Son nom ? Mallis. Oren Mallis. Pourquoi ?

– Juste comme ça.

Je laissai Jordan et Tempête à leurs bavardages tandis que j'essayai de me calmer. New York semblait soudain rempli de Jordan potentielles. Je finis par prendre congé des deux copines.

– Ne t'inquiète pas, entendis-je Jordan déclarer pendant que je m'éloignais, si elle ne te trouve rien, je connais un excellent courtier chez Halstead. Je pourrai te le présenter.

– C'est vrai, tu ferais ça pour moi ? s'émerveilla Tempête. Ce serait tellement gentil... J'avoue que je commence à perdre espoir.

En rentrant chez moi, je trouvai Andrew assis sur les marches du perron, muni d'un petit sac plastique et d'un grand paquet cubique grossièrement emballé dans du papier doré. Il se leva dès qu'il m'aperçut.

– On ne peut plus se voir, lui rappelai-je.

– Bien sûr que si. Je suis sous ton nez. Tu n'es pas aveugle, dis-moi ?

– À bien y réfléchir, je crois que si.

– Alors c'est l'amour qui te rend ainsi.

– La connerie, plutôt.

– Je voulais savoir si tu te rétablissais. On monte ?

Je secouai la tête.

– Allons, Liv. Tu n'as rien à craindre. Ne sois pas stupide.

Il sourit et sa main chercha la mienne.

– Je ne peux pas te voir, Andrew. J'ai un rencard.

C'était si peu crédible, avec ce pansement sur la tête, que j'étais presque obligée d'en rire.

– De qui s'agit-il ?

– Il habite Los Angeles. Il passe à New York toutes les trois semaines.

– Et que fait-il ?

Je songeai à répondre que c'était le présentateur de *Vidéo Gags*, mais Andrew ne m'aurait jamais crue.

– C'est une grosse huile de la télé. Je préfère taire son nom.

– Je partirai avant qu'il arrive. Je t'en prie, Liv. Il faut qu'on parle.

– Je préfère rester seule.

– Je te suivrai là-haut.

– Alors, je ne bouge pas.

Je m'assis sur les marches. Il m'imita.

– C'est quoi cette boîte ? m'enquis-je.

– Je t'ai acheté un cadeau. Je te le montrerai là-haut.

Je lui pris le paquet des mains, arrachai l'emballage et exhumai un casque de football américain à l'effigie des New York Jets. Le pire cadeau d'excuse de tous les temps.

– Qu'est-ce que c'est ? demandai-je comme si je n'en avais jamais vu de ma vie.

– Comment ça, qu'est-ce que c'est ? C'est ce qui va nous permettre de continuer à faire l'amour. Tu mettras ce casque et ainsi je ne pourrai plus accéder à tes succulentes petites oreilles. Tu seras protégée.

– La grille de devant interdira aussi les pipes, observai-je.

– J'y ai pensé. Tu n'auras qu'à le retirer pendant cette phase-là, puis tu le remettras pour le coït. C'est la solution idéale.

La colère m'empêcha de répondre quoi que ce soit.

– Grrrrrr... fis-je.

– Je te demande pardon ?

– Grrrrrrr. Grrrrrr !

– Liv ?

– Grrrrrrrr. Roooaaaaaa !

Je me comportais en véritable cinglée. Mes grognements n'étaient même pas effrayants. Ni sexy ou drôles. Seulement tristes.

– Arrête ça, Liv. J'ai apporté autre chose.

Il sortit du sac plastique un pot de Häagen-Dasz et deux cuillers en plastique. Il ôta le couvercle, se servit et me tendit le pot. Je l'imitai. Vanille-pécan. Nous restâmes un long moment assis là, le casque posé entre nous deux, à nous repasser le pot après chaque cuillerée. La scène avait quelque chose de solennel, comme un rite. Mes nerfs se relâchaient peu à peu. À croire qu'il me fallait juste un peu d'attention, juste une petite gâterie.

Nous avions déjà fait ça avec mon mari, tard le soir, devant une vidéo. Il n'y avait rien d'immoral ni de dangereux à partager un peu de crème glacée avec cet homme-ci. Je ne percevais aucun sous-entendu ni arrière-pensée dans son attitude. L'espace d'un instant, nous formions un petit couple sans histoires.

Andrew rangea le pot vide dans le sac plastique et me tendit une serviette en papier.

– Je promets de ne plus jamais te mordre aussi fort, Liv.

– Tu n'en auras plus l'occasion, de toute façon.

– Sauf si tu meurs avant moi, auquel cas je me permettrai de te croquer un bout de pommette.

Il m'embrassa gentiment sur la joue. Il avait les lèvres collantes.

J'enfilai le casque, qui me tombait sur les yeux. Andrew embrassa la coque.

– J'ai rencontré Jordan aujourd'hui, lançai-je.

– Ah bon ? fit-il en feignant l'indifférence.

– Elle va se marier.

– Ne te moque pas d'elle, Liv.

– Qui se moque de qui, tu peux me le dire ?

Et là, en un éclair, tel un quarterback ou je ne sais trop quoi, je bondis et parvins à ouvrir la porte du hall, à m'y engouffrer et à refermer derrière moi avant qu'Andrew ait pu tenter le moindre plaquage.

29

BRUT DÉCOF.

Il s'était acharné sur l'interphone jusqu'à ce que, de guerre lasse, je le laisse monter, estimant qu'une relation ne pouvait se terminer sur un simple grésillement. Nous étions allongés sous les draps. Andrew avait mal au crâne. C'est pourtant moi qui portais le casque.

Je m'inquiétais de ce qu'il ne soit toujours pas endormi à 4 heures du matin, alors qu'un petit déjeuner de travail l'attendait à 8 heures. J'estimais de mon devoir de femme de lui offrir une bonne nuit de sommeil – sûrement un reste de mes années de baby-sitting. Dormait-il mieux en présence de sa copine ?

– Liv ?

– Dors, Andrew, chuchotai-je à travers la grille du casque.

– J'adore être allongé ici avec toi.

– Moi aussi.

– Je dors si bien quand je suis avec toi.

Je ne savais que penser de cette assertion. Sur toutes les nuits qu'il avait passées dans ce lit, il avait dû dormir en tout et pour tout cinq minutes.

– J'ai peur que tu te trompes, Andrew. Je n'ai pas l'impression que tu dormes bien quand tu es ici.

– Je t'assure que si. Tu me détends. J'adore dormir avec toi. J'adore être avec toi. J'adore te baiser. J'adore te mordre.

– J'ai horreur que tu me mordes.

– Menteuse, tu adores ça.

Il se retourna et je lui caressai doucement le dos. J'avais hâte qu'il s'endorme.

– Liv ?

– Dors, Andrew.

– Je suis pas un mec bien.

Je poussai un long soupir. Tous les hommes avec lesquels je sortais finissaient par m'avouer qu'ils n'étaient pas des types bien. Dans un ultime effort pour justifier leur peur de l'engagement, après avoir égrené la liste de nos défauts et de nos péchés, ils songent soudain, comme pris d'une soudaine révélation, que la solution réside peut-être en eux-mêmes, et alors ils brandissent une phrase du style : « Je suis pas un mec bien. »

– Je sais que tu n'es pas un mec bien. Ça n'existe pas.

– Sérieusement, Liv.

– Je crois que tu es un être merveilleux, rectifiai-je, prête à toutes les inepties pour qu'il la boucle.

Je me demandai si Hitler avait dit à Eva Braun : « Je suis pas un mec bien » avant de l'épouser, et si elle l'avait assuré du contraire.

– Je sais que non. Je ne te mérite pas, Liv.

L'aube poignait à l'horizon, et nous en étions tous deux conscients.

– Tu devrais peut-être tout avouer à ta copine. Tu te sentirais mieux.

– Je devrais peut-être te mordre le cul, répondit-il.

– Mords-moi encore une fois, et j'appelle ta pétasse !

Il se retourna d'un coup, m'enfourcha et me pressa les omoplates contre le matelas.

– Si tu oses l'appeler pour lui parler de nous, menaça-t-il, je jure devant Dieu que je te ferai buter.

Je laissai fuser un rire nerveux.

– Écoute bien ce que je vais te dire. Si tu contraries Jordan de quelque manière que ce soit, je te tue. Ce ne sera pas forcément de mes propres mains, mais crois bien que mon plaisir sera le même.

– Eh bien, dis-je après un bref silence, je crois avoir franchi un nouveau seuil dans la déchéance.

Je n'étais jamais tombée aussi bas, même avec mon mari, même lorsque je m'étais fait bouffer l'oreille.

Sur ce, Andrew se leva et s'habilla, me laissant immobile sur le lit. Il se brossa les dents devant l'évier de la cuisine. Je restai muette. C'était la première fois qu'un homme me menaçait de mort. Je n'avais jamais lu d'article expliquant comment réagir en pareil cas.

Il revint s'asseoir au bord du lit et me déposa un baiser sur le front.

– Je vais passer par le bureau prendre un dossier pour ma réunion. Je t'appelle dans la journée. (Il se releva.) Salut, dit-il en regagnant l'entrée.

Je le suivis pour tourner le verrou au plus vite. Avant de fermer la porte, je le vis disparaître dans l'escalier, lui et son jean taille basse, pour ce qui ne pouvait être qu'une dernière fois.

Me laissant choir sur le sofa, je remarquai l'extrémité d'un câble blanc au pied d'une cloison. J'avais vécu plusieurs mois entre ces murs sans jamais le remarquer. Je tirai dessus, et des kilomètres de fil blanc apparurent le long des plinthes, des cadres de porte et des moulures. J'avais l'impression de réveiller des milliers de serpents. Des agrafes me sautaient au visage, et le mouvement saccadé me donnait la nausée. Les derniers centimètres arrachés, je me retrouvai avec un énorme nœud au centre du salon. Un lacis de boyaux. Un intestin grêle. Comment avais-je pu vivre au milieu de ces fils monstrueux ? Tôt ou tard, ils m'auraient étranglée comme un boa constrictor.

Je me rassis, en songeant aux dernières pages que j'avais lues dans le journal d'Andrew.

Quand j'ai raconté à Liv que j'envisageais de donner des cours d'architecture à l'université de Columbia, elle a sauté au plafond et m'a encouragé en disant que je ferais un excellent prof. Puis on a baisé et je l'ai trouvée particulièrement chaude. Elle a joui en criant : « Professeur Lugar ! » Pas étonnant ; c'est le genre de fille pour qui un film de Woody Allen fait office de préliminaires. Je pense lui annoncer que j'ai pris le poste, et je la ferai saliver en inventant des anecdotes avec mes étudiant(e)s. Quoi qu'il en soit, dans le genre pom-pom girl, on fait pas mieux.

De tout ce qu'avait pu commettre sa petite écriture de psychopathe, cette dernière phrase était sans conteste la pire qui me soit parvenue. Je n'étais la pom-pom girl de personne. Je ne l'avais jamais appelé professeur Lugar. Nous n'avions même pas couché ensemble ce jour-là.

Il n'allait pas s'en tirer comme ça. Je décidai d'appeler Jordan pour tout lui raconter. Je l'inviterais à déjeuner au restaurant. Peut-être devinerait-elle, dès l'instant où elle m'apercevrait, que j'étais la maîtresse d'Andrew.

Un soir, j'avais vu un témoignage saisissant à la télévision. Une femme s'était rendue à l'aéroport pour accueillir son mari, quand soudain elle avait aperçu une superbe femme qui attendait comme elle. Cette nana couche avec mon mari, pensa-t-elle aussitôt, bien qu'elle ne l'ait jamais soupçonné d'infidélité. Quand ce dernier apparut, il se dirigea droit sur l'autre femme et l'embrassa avec passion. Sans savoir comment, l'épouse avait flairé la vérité.

Comment Jordan réagirait-elle en apprenant notre liaison ? Qui sait, ça lui serait peut-être égal. Nous pourrions sympathiser et aller boire un saké en bavant sur son jules. Je découvrirais peut-être qu'elle avait vraiment une tumeur au sein. Nous nous réconforterions mutuellement. J'allais peut-être apprécier Jordan. J'allais peut-être comprendre pourquoi Andrew ne pouvait se détacher d'elle.

Je décrochai mon téléphone, mais il ne marchait plus. C'était un signe : je devais me rendre dans l'Upper West Side pour sonner à sa porte. Je m'habillai et chaussai des mocassins en velours, par respect pour les convictions végétaliennes de Jordan.

Je descendis la rue munie du sac Tiffany contenant le pot à miel initialement prévu pour la mère d'Andrew. Jordan pourrait toujours le mettre dans sa cuisine.

J'ai des couilles, me surpris-je à penser avant d'éclater de rire. Me revint alors en mémoire le rêve que j'avais fait pendant mes quelques minutes de sommeil de cette nuit-là. J'étais un boxer courant après son maître sur une plage de sable. Un mâle, avec des testicules imposants dont je crus me souvenir qu'ils me gênaient, à bringuebaler entre mes pattes arrière. Quelques heures plus tard, je pouvais presque sentir leur présence, comme des couilles fantômes.

Je cherchai un taxi sur MacDougal Street, mais la rue dormait encore et la circulation était quasi nulle. Comme je rebroussais chemin pour tenter ma chance sur Bleecker Street, je crus soudain voir Andrew, un portable à l'oreille, disparaître au carrefour. Je m'élançai dans sa direction pour en avoir le cœur net. Mais à quoi bon ? Ce n'était sûrement pas lui, et quand bien même... Ses menaces ne pouvaient être sincères. Je m'arrêtai au milieu du trottoir et repris mon souffle.

Je m'étais engagée pour traverser la rue quand un coursier à vélo fonça droit sur moi. Cette corporation s'était éprise d'un nouveau sport, qui consistait à fondre sur vous à toute vitesse, en vous fixant dans les yeux, pour s'écarter in extremis en lâchant une bordée de jurons. Vous n'aviez d'autre solution que de rester planté au milieu de la chaussée, sans quoi vous aviez une chance sur deux de vous faire renverser. Vous demeuriez tétanisé plusieurs minutes après l'incident, jusqu'à ce qu'un inconnu vous remue le bras pour vous ramener parmi les vivants.

– Ce petit trou-dou-cou a voulou vous touer, déclara un Indien en me touchant l'épaule. Dites, vous n'auriez pas manzé au Rose of India, sour la 6e Roue, par hasard ?

Il tenait un débouche-chiottes à la main. Rose of India ? Ce nom me rappelait quelque chose. Des lumières roses et rouges, des miroirs... Je hochai la tête.

– Je me souviens de vous, dit-il. Vous aviez commandé un tikka masala au poulet.

– Moi aussi, je me souviens de vous, répondis-je machinalement.

J'allai m'adosser à la façade d'un immeuble.

– Vous avez besoin d'un médecin ? s'inquiéta l'Indien.

– Je suis médecin, intervint un passant. (Il me prit le menton et m'examina les pupilles. Puis l'oreille.) Qui vous a fait ces points de suture ?

– Une vétérinaire.

– Ah oui ? Pas mal, pour un véto.

Après avoir été la cible d'un coursier fou, il faut en général annuler tous ses projets et rentrer se reposer. Je renonçai donc à me rendre chez Jordan. Assez d'émotions fortes pour aujourd'hui.

Je promis au toubib et à l'Indien que j'allais bien, puis je remontai la rue, en passant devant Carnage et sa vitrine remplie de têtes, de plaies et d'organes mutilés en latex. Comme chaque fois, je détournai les yeux.

De retour à l'appartement, je sortis un pull du frigo et me souvins que je devais vider le congélateur. J'ouvris la petite porte et retirai le bac à glaçons, qui n'en contentait qu'un seul, opaque et légèrement jaunâtre.

Un soir qu'Andrew se plaignait d'être promis à l'infarctus étant donné l'intensité de nos ébats, j'avais décidé de congeler son sperme, au cas où il trépasserait avant de m'avoir fécondée. J'avais pour cela vidé un préservatif usagé dans le bac à glaçons. Puis l'existence de cette chose m'était sortie de la tête.

Je jetai le bac entier à la poubelle.

30

IDÉAL DERN. DEM./CÉLIB.

L'anniversaire d'Andrew tombait le week-end suivant. Il était prévu de longue date que nous le passerions ensemble, et j'y voyais à présent l'occasion de faire le point. Aussi décrochai-je mon téléphone, quoique sans grand enthousiasme, pour réserver une table samedi soir au River Café.

– Oui, pour deux, acquiesçai-je, regrettant déjà d'avoir fait réparer ma ligne. Oui, non-fumeur.

– Près de la fenêtre, mademoiselle Kellerman ? demanda la soi-disant « Réservatrice ».

– Pourquoi pas...

J'avais un mauvais pressentiment, comme aurait dit Violet. J'étais prête à parier qu'Andrew ne viendrait pas.

Le samedi soir, il m'appela d'une cabine.

– Je suis coincé, dit-il.

– Mais je comptais t'emmener au River Café pour fêter ton anniversaire ainsi que mes succès du mois...

– Je ne peux pas bouger. La situation est trop délicate.

– Mais j'ai commandé un gâteau. Et j'ai un cadeau.

C'était un double mensonge.

– Il ne fallait pas, chérie. Qu'est-ce que tu m'as acheté ?

– Cinquante CD de jazz, lançai-je au hasard.

– Mon Dieu ! C'est beaucoup trop, chérie.

– Et Jordan, elle t'a offert quoi ?

– Une très belle paire de baskets.

– Des baskets ? C'est un cadeau, ça, des baskets ?
– Je peux te rappeler ? demanda-t-il abruptement.
– Mais oui, tu dois être pressé d'étrenner tes nouvelles baskets pour partir en courant. Joyeux anniversaire.
Je lui raccrochai au nez.

Le lundi matin, je ne cessai de croiser des bébés en poussette, qui me dévisageaient tous en battant des mains. C'était pénible, tous ces yeux braqués sur moi, toutes ces menottes qui m'applaudissaient. Comment étais-je censée interpréter ça ?
Quant à Andrew, je ne voyais qu'une seule solution : ne plus jamais le revoir. Arrivée au bureau, je lui envoyai l'e-mail suivant :

Andrew,

Je te demande de cesser tout contact avec moi. Définitivement.

Liv

Il me téléphona quelques minutes plus tard.
– Tu as reçu mon message ? demandai-je.
– Tout à fait.
– Alors, pourquoi m'appelles-tu ?
– On va se marier. On va réussir un mariage parfait.
– À mes yeux, le mariage parfait consiste en deux stèles côte à côte dans un cimetière, Andrew.
– Tu les auras, Liv. Nous serons enterrés ensemble. Je serai sûrement le premier à partir, mais tu me rejoindras.
Je tentai d'imaginer nos deux pierres tombales. Andrew Lugar, Liv Lugar. Je ne voulais pas de ce patronyme.
Chaque fois que je visitais un cimetière, je lisais d'un œil envieux les noms gravés dans la pierre. Michael Rafter et Helen Rafter, James Totheroh et Ada Totheroh, Max Block et Jennie Block. Inscrits à jamais l'un à côté de l'autre. Unis pour

l'éternité. Telle était mon idée de l'engagement. Ma conception du mariage. Après des années de disputes et d'infidélités, de misère sexuelle et de regards mauvais, on pouvait se retrouver unis dans la dignité.

– Et Jordan sera inhumée entre nous deux ? persiflai-je.

– On se trouvera une petite concession sympa quelque part.

– Savais-tu que seuls les agents immobiliers diplômés sont habilités à en vendre ? soulignai-je sans raison précise.

– Non, je ne savais pas.

– Je veux que tu cesses de m'appeler, Andrew.

Il y eut un instant de silence.

– Entendu, dit-il d'un ton grave. Je jette l'éponge. Si c'est ce que tu veux.

Il raccrocha. C'était terminé pour de bon.

Je restai figée sur mon fauteuil sans accoudoir, légèrement sonnée.

Et être enterrée à côté d'un vieux garçon, serait-ce possible ? N'importe qui, du moment qu'il m'accepte comme voisine et m'offre son nom. Personne ne saurait que nous n'avions jamais été mariés. J'avais si peur de finir toute seule...

Andrew me manquait déjà. Ses dernières paroles me comprimaient le plexus. Mon estomac s'emplissait de larmes. Je lâchai un unique sanglot, juste au moment où Kim passait devant mon bureau, ce qui était pourtant très rare.

– Un mauvaise affaire ? demanda-t-elle.

– Une très mauvaise affaire.

– Dans quel coin ?

Dans la région du cœur, voulais-je répondre. Mon cœur était un vieil immeuble en démolition. Éventré par une grosse boule.

– Ça n'a rien à voir avec l'immobilier, Kim. Tout n'est pas affaire d'immobilier.

– C'est là où je ne suis pas d'accord avec vous, Liv. Croyez-moi, tout est affaire d'immobilier !

Je passai la semaine à me demander ce que faisait Andrew. Pensait-il à moi ? Est-ce que je lui manquais ? Je lui avais demandé de ne plus appeler. Pour une fois, il avait obéi.

Désormais disponible pour de nouvelles rencontres – et convaincue cependant que ce ne serait pas pour tout de suite –, je me laissai un peu aller et me rendis chaque soir à l'Olive Tree pour me gaver de chocolat chaud à la chantilly.

– La même chose ! lançais-je à la serveuse.

Elle répondait d'un sourire, mais je décelais de la pitié au fond de son regard.

– Je peux vous confier un secret ? demanda-t-elle un soir. Lui, là, il vous aime beaucoup.

Elle pointait son doigt derrière moi. En me retournant, j'avisai le cuistot en train de raboter son kebab. Son visage grêlé semblait avoir connu le même sort que sa viande. Je mangeais ici depuis des mois sans l'avoir jamais remarqué. Il était hideux.

Je répondis à la serveuse en secouant la tête.

– Je sais, soupira-t-elle. Il est très gentil, pourtant. Je lui dirai qu'il n'a aucune chance. (Elle débarrassa ma tasse vide.) Un autre ?

J'acquiesçai.

Comment osait-elle m'imaginer avec ce type ? Était-ce là l'unique alternative qui s'offrait à moi ? Andrew l'écorcheur ou Kebab l'écorché ?

De retour dans mes pénates j'éclatai en sanglots. Ce n'était pas tant Andrew – qu'il crève ! – qu'un immense sentiment de solitude. Personne ne m'aimait, personne ne m'aimerait jamais, mon oreille était amochée, j'étais une ratée. Ma vie se résumait à montrer des appartements. J'aidais les gens riches et heureux à devenir encore plus riches et plus heureux. Je voyais des couples s'embrasser, l'homme demander : « C'est ici que tu aimerais vivre ? » et la femme répondre : « Oh oui, mon amour ! » Il m'avait même fallu regarder un jeune homme franchir le seuil d'un triplex avec sa jeune épouse dans les bras. C'était insoutenable.

Je restai couchée à écouter roucouler les pigeons derrière la trappe d'aération. Je peinais à croire que de si petites bestioles puissent produire un tel boucan, digne d'une volée de dindons ou d'un troupeau de vaches. Chaque matin, j'étais réveillée par le frottement lugubre de leurs ailes contre le mur de brique. Rien n'était plus déprimant que les pigeons. Il n'y avait pas mieux pour se sentir seule. J'avais l'impression d'entendre mes parents se disputer au milieu de la nuit, ou des inconnus faire l'amour derrière la fine cloison d'une chambre d'hôtel.

La semaine terminée, je ne me sentis pas la force d'affronter un nouveau week-end toute seule. Alors je montrai aux Bausch une demi-douzaine d'appartements dont j'étais persuadée qu'ils ne voudraient pas. Mais c'était plus fort que moi. Je ne me lassais pas de les entendre expliquer pourquoi aucun loft ne convenait. Ces visites nous menèrent dans les immeubles respectifs de Sandra Bernhard, d'Edward Albee, d'Isabella Rossellini, de Susan Sarandon et de Sarah Jessica Parker. Le dernier n'hébergeait aucune personnalité.

– Et qui habite ici ? demanda alors Noah Bausch.

– Personne.

Il se renfrogna.

– Dans le fond, ça n'a pas grande importance, concéda-t-il d'un air crispé.

– Mais Robert de Niro vit sur le trottoir d'en face, si ça peut vous rassurer.

Ce fut visiblement le cas.

Les murs de la salle de bains étaient recouverts de centaines de veilleuses décoratives vissées dans autant de douilles. Y figuraient entre autres la Vierge, la statue de la Liberté, Garfield, Snoopy, Titi, la Joconde, Mickey...

– Liv, nous avons quelque chose à vous demander, annonça Noah Bausch. C'est très personnel.

Je le suivis hors de la salle de bains. On m'avait appris à ne jamais précéder le client, mais à le laisser maître de la visite, pour qu'il se sente déjà chez lui.

Audrey nous rejoignit avec la petite Flannery.

– Et si on s'asseyait ? proposa-t-elle, comme si nous étions dans son salon et non dans un appartement qu'elle n'avait aucune intention d'acheter.

Allaient-ils m'annoncer qu'ils avaient signé auprès d'un autre agent ? Je savais que nous étions plusieurs sur le coup. À vrai dire, j'aurais apprécié d'être débarrassée d'eux. En même temps, ces rendez-vous que je savais d'avance stériles avaient un côté rassurant. Au moins, avec les Bausch, je ne risquais pas d'être déçue.

Nous gagnâmes deux énormes sofas blancs disposés face à face sur le tapis bleu-vert. Deux baleines dans l'océan. Les Bausch prirent l'un, moi l'autre.

Ils avaient l'air tendus. Les cernes de Madame battaient des records et le bouc de Monsieur était tout ébouriffé. Flannery, trois ans, avait le visage plat comme une poupée russe. J'avais envie de l'ouvrir pour voir si elle renfermait un bébé, qui lui-même en contiendrait un autre. Elle passa dans la cuisine américaine pour se suspendre à la poignée du réfrigérateur.

– Bon, puisqu'une telle chose est forcément délicate, autant nous jeter à l'eau, commença Audrey.

– De quoi s'agit-il ? demandai-je, grisée par le suspense.

– Voyez-vous, Liv, poursuivit Noah, Audrey et moi nous vous apprécions beaucoup, et nous nous demandions si vous...

Il ne parvint à terminer sa phrase. Allaient-ils me proposer une partie à trois ?

– Nous aimerions que vous considériez l'éventualité d'un don d'ovule dans le cadre d'une fécondation in vitro, lâcha Audrey d'une traite.

Elle inspira profondément, comme dans un cours d'accouchement sans douleur.

Je restai interdite. Je n'avais encore jamais pensé à mes ovules. Et n'avais aucune envie de m'y mettre. La fillette me sourit en battant des mains.

– Vous n'êtes pas obligée de nous donner une réponse aujourd'hui, précisa Audrey.

– Nous sommes conscients que c'est une décision sérieuse, ajouta Noah. Vous seriez rétribuée, bien entendu.

– Bien entendu, répétai-je.

– Figurez-vous que nous possédons notre stock d'ovules dès la naissance, expliqua Audrey avant de se tourner vers sa fille. Prenez Flannery ; elle a déjà tous ses ovules, n'est-ce pas mon bichon ? Et lorsque débuteront ses règles, elle en perdra un par mois jusqu'à la ménopause.

– À mon avis, ce n'est pas pour demain matin, commentai-je.

– Il vous faudrait subir une série d'injections, reprit-elle.

Les termes « subir » et « injections » me plaisaient moyennement.

– Puis vos ovules seraient extraits et fécondés par le sperme de Noah.

Je levai la main pour l'interrompre, prise d'une soudaine envie de vomir.

– Puis ils seraient transplantés dans mon utérus à moi, conclut-elle.

Mes ovules dans le ventre d'Audrey Bausch ? On ne devrait jamais dire à ses clients qu'on est à leur service...

– Autrement dit, l'embryon serait pour moitié le mien, observai-je.

– Et pour moitié celui de Noah, répliqua Audrey. Mais c'est moi qui porterais le bébé, voire *les* bébés.

Ses cernes ressemblaient à des œufs de pigeon.

Autant qu'ils m'adoptent directement. Avec tout le temps que je passais auprès d'eux, je faisais déjà partie de la famille, non ? S'ils m'aimaient tant, qu'ils me prennent moi, pas mes ovules.

J'admets que j'étais tout de même assez flattée. Je me sentais si riche tout à coup, moi la poule aux œufs d'or de ces pauvres Bausch. Ils devaient me trouver drôlement belle et brillante pour me demander une telle faveur.

– Mais pourquoi moi ? m'enquis-je d'un air ingénu.

– Pour votre ressemblance avec Audrey, répondit Noah. Le bébé aura ainsi les traits de sa mère et de sa sœur.

Je ne m'étais jamais sentie aussi offensée. Mon visage n'avait rien à voir avec celui d'Audrey Bausch. Même après des nuits entières de larmes, j'avais les yeux frais et pétillants.

– Merci beaucoup, grimaçai-je. Ça me va droit au cœur.

– Alors, qu'en pensez-vous ? demanda Noah.

– Ma foi, cela demande réflexion, en effet. Et vous, qu'en dites-vous ?

– Comment cela ?

– Que pensez-vous de ce loft ?

– Ah, oui... Eh bien, il nous faudrait l'avis d'un architecte. En connaîtriez-vous un ?

Leur ami archi était aux abonnés absents depuis qu'ils l'avaient traîné dans des dizaines d'appartements.

– Non, répondis-je.

Puis il me vint une idée. De retour chez moi, je contactai Andrew.

– Je t'appelle parce que M. et Mme Bausch, ce couple que je déteste, cherchent un architecte.

– Vraiment ? dit-il d'un ton narquois.

– Oui, vraiment.

J'étais folle de rage ; je m'en voulais d'avoir téléphoné.

– Eh bien, je suis flatté de voir qu'avec tous les architectes que tu connais, tu aies pensé à moi.

Je l'entendais sourire, le salaud. Il me manquait tellement ; mon cœur était lourd comme une baignoire à pieds prête à crever le plancher.

– Tu me manques, lâchai-je.

– Toi aussi, tu m'as beaucoup manqué.

– Qu'as-tu fait de ta semaine ?

– Rien.

– Comment ça, rien ? Raconte...

– Je suis parti quelques jours.

Mon sang se mit à bouillir.

– Où ça ?

– Dans le Vermont avec des amis.

– Quels amis ?

Le mot « ami » était suspect dans sa bouche.

– Des amis que tu ne connais pas.

– C'était bien ?

– Ouais. C'était même très bien. J'ai fait du cerf-volant. Ça ne m'étais pas arrivé depuis que j'étais môme. C'était très ressourçant, de courir après le vent en pleine nature.

Ainsi, pendant que je souffrais le martyre, Andrew folâtrait avec son cerf-volant ? Je pouvais à peine y croire.

– À quoi ressemblait-il ? demandai-je, soudain incapable de me représenter l'objet.

– Il était superbe. Un grand losange bleu turquoise. Le cerf-volant parfait.

À l'entendre, il avait piloté son propre jet.

Et moi qui l'avais imaginé enfermé dans son bureau, s'engueulant avec Jordan, martelant le mur avec ses poings... J'étais folle de rage. Si j'avais été cerf-volant à cet instant, j'aurais pris la forme d'un dragon cracheur de flammes.

J'attrapai mon flingue sur la table de chevet. Ma main s'était habituée à lui ; il paraissait plus léger et maniable, proche d'un jouet d'enfant. J'ouvris la chambre, semblable à celle d'une agrafeuse, avec un long ressort transversal. Puis je tirai sur le manche et un élément inconnu se détacha. C'est là qu'étaient rangées les balles. Il y en avait quinze, parfaitement alignées, l'inscription *Speer 9 mm* gravée sur leurs douilles de cuivre. Mon Glock avait encore tous ses œufs.

– Je voulais te dire un truc, Andrew.

– Quoi donc ?

– J'ai oublié, mais je l'ai sur le bout de la langue.

– La seule chose qui devrait se trouver sur le bout de ta langue, c'est ma queue, répondit-il.

La mémoire me revint :

– Eh, Andrew, va jouer au cerf-volant !

Et je reposai le combiné.

31

ZÉRO COMM.

– J'ai un superbe loft pour toi, annonçai-je à Tempête.

Il se trouvait tout en bas de Duane Street, entre Greenwich et Hudson. Nous avions déjà cinq visites dans les jambes. Je hélai un taxi, ouvrit la portière, entrai à la suite de Tempête et indiquai l'adresse au chauffeur indien.

Le trajet se déroula dans un silence de plomb. Mes notes de frais devenaient astronomiques.

– Ce sera à gauche sur Duane, indiquai-je au chauffeur. À gauche sur Duane. Ce sera à gauche. Il va falloir tourner à gauche sur Duane ! Ça y est, nous sommes à Duane Street. Duane. Duane Street. (Je vis le panneau disparaître derrière nous.) Arrêtez-vous, c'était là !

Le chauffeur pila.

Pas de pourboire, décidai-je. Je lui tendis une liasse de billets d'un dollar et j'ouvris la porte d'un geste violent.

– Je suis navré, s'excusa-t-il. J'avais lu « Dune Street ». Pas Duane, mais Dune. Dune Street.

Le front plissé et les sourcils en accent circonflexe, on aurait dit un philosophe confronté à un insondable mystère. Il avait l'air gentil et doux, comme un Père Noël indien. Mes yeux s'embuèrent de larmes. Qu'avais-je fait ? Et si c'était un brahmane accomplissant son *seva* ? Je sortis de la voiture puis explorai mon porte-monnaie pour lui offrir un pourboire, mais il était déjà parti. J'avais envie de me jeter à genoux pour implorer son pardon. Personne ne pouvait lire « Duane » du premier coup... C'était un mot impossible. Le monde était assez cruel comme ça pour que je ne vienne pas en rajouter. Pourquoi étais-je si mauvaise, ces derniers temps ? C'était sûrement à cause de Tempête.

À peine avions-nous posé un pied dans le loft que cette dernière trouva à redire.

– Quel est le problème ? demandai-je avec professionnalisme, prête à lui renvoyer ses remarques tel un miroir.

Le meilleur moyen de déjouer les objections d'un client consiste à le laisser se débrouiller. Contraint de trouver la solution tout seul, il se vend l'appartement à lui-même. Il comprend à quel point il en a envie. Il se convainc de dire oui. Si le client souligne qu'il n'y a aucun supermarché à proximité, la dernière chose à faire est de répondre qu'il y en a un pas très loin qui livre vingt-quatre heures sur vingt-quatre ; il se sentirait obligé de prolonger la polémique. Dites plutôt : « Vous avez raison, il n'y a pas de supermarché dans le coin. » Alors il notera de lui-même : « Remarquez, il y a un d'Agostino pas très loin, et puis, je pourrai toujours me faire livrer. »

– Ma table ne rentrera jamais dans le salon, soupira Tempête.

Sa maudite table était devenue le cauchemar de mes journées. Une sorte de monstruosité gothique deux fois trop grande pour l'île de Manhattan. Je rêvais d'y mettre le feu. Les tables de salle à manger sont la bête noire des agents new-yorkais.

– Tu as raison, Tempête. Je ne vois vraiment pas où tu pourrais la caser.

J'avais vu plusieurs couples parvenir à la conclusion qu'ils allaient devoir se séparer de leur table. J'attendais patiemment que Tempête saute le pas.

– Tirons-nous d'ici ! ordonna-t-elle en regagnant l'entrée.

Notre septième taxi de la journée nous déposa devant le Pink Pussycat Boutique, un sex-shop du Village où j'avais acheté un soutien-gorge sans bonnets pour faire plaisir à mon mari. Tempête s'adossa à la vitrine, auréolée de néon rose.

– Je sais quel appartement je veux, déclara-t-elle.

Je passai mentalement en revue tous les lofts que nous avions visités. Le seul qui lui ait plu était celui en forme de missile.

– Formidable, dis-je. C'est lequel ?

– Il se trouve au Dakota. Tu ne me l'as pas montré.

Les bras m'en tombèrent. Tout ce temps que j'avais passé avec elle... Je commençais même à lui voler certains tics, à dire « t'es mignonne » et ce genre de choses. C'est dire si j'avais payé de ma personne.

– En effet, je ne te l'ai pas montré. Je ne m'intéresse pas aux appartements du Dakota.

– Pourquoi pas ?

– Disons qu'ils sont souvent... (Je cherchai un mot approprié : délabrés, insalubres, décrépits, mal foutus ?) ...surévalués.

– Tu crois ? s'inquiéta-t-elle.

– Oui, je le crois, mais là n'est pas la question. L'essentiel est que tu t'y plaises.

– Tu n'es pas fâchée de rater une commission ?

– Non, Tempête, pas le moins du monde. Nous sommes amies, pas vrai ? Tout ce qui compte, c'est que tu trouves le loft de tes rêves. J'avoue que je suis tout de même un peu surprise. Je te croyais en recherche d'un endroit spacieux et chic dans un quartier qui bouge, et non d'un appartement délabré, mal foutu et hors de prix dans le sinistre Upper West Side. J'aurais pu t'en montrer des dizaines, si j'avais su.

Je lui avais pourtant expliqué de long en large le principe des « fichiers croisés ». J'aurais pu l'emmener moi-même au Dakota après un simple coup de fil à l'agence qui proposait l'appartement. Au moins, j'aurais touché une demi-commission.

– Tu sais, le Dakota est le premier immeuble d'appartements de luxe à New York, répondit-elle en récitant le topo de l'autre agent. J'ai tout de suite craqué sur ce loft, avec son adorable canapé en velours dans le salon et sa grande VSM – tu sais, « Vraie Salle à Manger ».

Je regrettais de ne pas avoir mon flingue sur moi. J'aurais su si elle trouvait « craquant » de recevoir une balle dans la tête. Je la détestais plus encore que mon mari.

Elle sortit de son sac un plan auquel était agrafé une carte de visite.

– Elle est trop mignonne, s'attendrit Tempête en montrant le nom de ma consœur.

Je jetai un coup d'œil à l'onéreux cinq pièces disposé en L.

– Tu ne trouves pas qu'il a la forme d'un flingue ? remarquai-je, perfide.

– Si, mais je trouve ça chouette. Je m'y sentirai plus en sécurité.

Derrière elle, godemichés et vibromasseurs lui dressaient une drôle de couronne ; une ribambelle de poupées gonflables, dont deux chèvres, pendait au plafond, dans le clignotement d'une guirlande lumineuse rouge.

– Je suis désolée, Liv.

– Mais non, Tempête.

La nuit où j'avais quitté mon mari, j'étais restée longtemps éveillée en pensant à Yoko Ono. Je l'imaginais retrouvant tous les soirs son grand lit vide au Dakota, après la mort de son mari. Chaque fois que je passais devant l'immeuble, je songeais à elle. J'adorais le Dakota. Mais à présent il me faudrait imaginer Tempête devant une assiette de pâtes au parmesan volé. Le Dakota était perdu. Même le fantôme de John Lennon le fuirait, désormais.

– Je suis heureuse pour toi, Tempête.

– C'est vrai ? T'es mignonne, va.

– Au fait, sais-tu pourquoi le Dakota porte ce nom ? Parce qu'il était tellement excentré qu'on disait à ses occupants qu'ils auraient aussi bien pu s'exiler dans le Dakota. Pour s'y rendre, il fallait se bloquer toute la journée.

Sur ces mots, j'arrêtai un taxi et abandonnai Tempête. Je remontai la 6e Avenue, le visage baigné de soleil à travers la vitre. Je fermai les yeux, puisque de toute façon je connaissais le paysage par cœur. Les immeubles, les gens, les talons hauts, les attachés-cases, les lampadaires, les feux de signalisation...

Qu'aurais-je bien pu rater ? Quelle importance, dans le fond, que je sois aveugle ou non ?

– Nous sommes arrivés, annonça le chauffeur. Allez, c'est là ! La balade est finie. Il faut descendre.

Je rouvris les paupières. Il pleuvait. Aveugle, je serais restée sur l'idée de soleil. Je traversai Central Park pour contempler le Dakota. Je m'assis sur un banc en pierre qui lui faisait face, en tailleur, mes chaussures posées à côté de moi. Je voulais faire mes adieux à l'immeuble avant que Tempête n'y débarque avec sa table.

J'avais envie de revenir en arrière, avant que je n'entre dans l'immobilier et qu'on ne ternisse l'image que j'avais de New York. Retrouver le temps où les immeubles étaient mes amis, et non ces choses que l'on achète et que l'on vend comme des esclaves. Avant que je ne devienne blasée à force de visiter des intérieurs. *T.P.I.*, disait Jack. *Trop-plein d'informations.*

J'éprouvai soudain le besoin d'appeler mon mari. Sa voix virile et monocorde me ragaillardirait peut-être. Que n'aurais-je donné pour qu'il me croise à cet instant... Qu'il apparaisse dans son manteau qui sentait toujours l'avion. Avec son éternelle grimace à la William Hurt.

Je voulais qu'il me voie en agent immobilier. Qu'il me voie travailler. Un jour, il m'avait lancé à la figure : « Tu passe tes journées chez la manucure ! Tu n'en fous pas une ! » J'avais répliqué en allant me faire inscrire au vernis rouge vif les lettres J, E, T', E, M, sur les ongles de la main droite, et M, E, R, D, E sur ceux de la gauche.

Mais non, je ne l'appellerais pas. Je venais de louper une commission de trente mille dollars. Je n'allais pas en plus perdre ma fierté.

À la tombée de la nuit, je frissonnais sur mon banc. Le portier du Dakota me salua d'un petit geste. Je lui rendis la politesse.

32

PERMIS B INDISP.

Quand j'arrivai à l'Olive Tree, le cuistot qui m'appréciait était affairé comme d'habitude dans sa guérite.

– Salut, lançai-je après un instant d'hésitation.

Il me dévisagea, surpris.

– Comment allez-vous ? demanda-t-il, le regard fuyant sous sa casquette.

Je répondis d'un hochement de tête et allai m'asseoir dans le fond de la salle. Ses paroles résonnaient dans mon crâne : « Comment allez-vous ? » À cet instant, il était probablement le seul au monde à se soucier de moi : je l'avais repoussé comme un malpropre, mais il me laissait la porte ouverte. Miséricordieux. Comme un gourou pris d'indulgence pour sa plus mauvaise élève.

La serveuse m'apporta une petite assiette de taboulé.

– De la part de Frank, précisa-t-elle.

Je levai les yeux vers lui mais il baissa timidement les siens. J'avais envie de m'agenouiller pour prier.

Cette nuit-là, je rêvai que Woody Allen invitait Andrew dans sa maison de campagne, mais sans moi. « Week-end entre hommes », insistait Woody. Je réussissais cependant à les espionner à travers les carreaux, affalés dans les fauteuils d'une bibliothèque lambrissée, à fumer des barreaux de chaise. Je me réveillai en sursaut, la gorge serrée de jalousie.

Ces cauchemars à répétition étaient insoutenables. Déjà, sans eux, chaque réveil était un traumatisme : je me souvenais que je ne dormais plus avec mon mari, que j'étais seule, loin de nos huit pièces sur la 5e Avenue, de notre lit gondole, de la verrière d'où l'on voyait monter un soleil parfait comme un jaune d'œuf. J'étais toute seule sur MacDougal Street, à me dire que si j'agitais mes membres très fort, ils parviendraient peut-être, d'une manière ou d'une autre, à accrocher de nouveau ceux de Jack. Il pourrait me grimper dessus pour calmer son érection matinale, avant de m'apporter une tasse d'Earl Grey.

Chaque matin, je m'asseyais dans le lit et me frottais les yeux avec les poings, comme une mauvaise actrice.

Chaque matin, je pensais à une faute que j'avais commise. Une nuit que mon mari était en voyage d'affaires, j'avais laissé les fenêtres du salon entrouvertes durant une tempête de neige. Il m'avait téléphoné dans la journée pour me rappeler de les fermer, mais je ne l'avais pas écouté. Le lendemain, j'avais retrouvé le salon recouvert d'un blanc manteau. Il avait fallu que le portier me monte une pelle.

À présent, je revoyais le premier rêve que j'avais fait dans mon nouvel appartement. Jack rentrait d'un long séjour.

– Me revoilà !

– Comment c'était ? demandais-je.

– Très bien, sauf pour les crabes. Il y en avait partout.

Je découvrais alors à ses pieds un tas de crabes séchés, que j'éliminais avec un balai.

Le téléphone me sortit de mes songes. C'était Violet, qui me proposait un brunch.

– Je t'ai réveillée, Liv ?

– Pas du tout, dis-je avant de lui raconter mon rêve avec Woody Allen.

– Franchement, qui s'intéresse à Woody Allen ? demanda Violet.

– La seule chose qui me retienne de me suicider, c'est la peur de rater son prochain film !

– Eh bien, ça en dit long sur notre amitié...

En allant aux toilettes, je m'aperçus que j'avais mes règles. Audrey Bausch serait peut-être heureuse d'apprendre que l'ovule du mois n'avait pas été fécondé. Je m'assis sur la cuvette et pleurai un bon coup.

Je me douchai et me lavai les cheveux, en m'acharnant sur le flacon de shampooing vide à la manière d'une actrice de porno.

Violet m'avait donné rendez-vous dans un restaurant de Chelsea. Arrivée la première, je pris une table près de la fenêtre. Dehors, un chien se soulageait sous le regard de son maître, qui avait la main recouverte d'un sac de supermarché. Soudain, un trèfle à quatre feuilles en plastique portant l'inscription « Joyeuse Saint-Patrick ! » sortit de l'anus du chien et se planta dans sa crotte. Le type écarquilla les yeux. Puis il se pencha et empaqueta l'ensemble dans le sac.

Hilare, je me retournai pour voir si d'autres avaient suivi la scène, et là, le choc. Même à Tokyo, je n'aurais pas été aussi minoritaire : j'étais cernée par des couples d'hommes. Joyeux et détendus, ils échangeaient des baisers, des sourires et des petits signes. Je ne m'étais jamais sentie aussi peu à ma place. Mais pourquoi Violet m'avait-elle convoquée dans cet enfer ? J'attendis, la mort dans l'âme, focalisée sur le Tampax Super Plus qui gonflait entre mes cuisses.

– Vous désirez autre chose ? demanda le serveur à la table d'à côté. (Il m'ignorait ostensiblement, dans son tablier rose enveloppant sa taille de guêpe.) Eh, vous croyez que j'ai rien senti ? s'écria-t-il soudain en portant la main à ses fesses.

Il se retourna vers deux couples installés à une table de quatre.

– Ne refaites jamais ça ! menaça-t-il.

– Tu l'as pincé, John ? demanda l'un des types.

– C'était plus fort que moi, avoua le coupable, un grand obèse dégarni avec une moustache noire.

– Je ne supporte pas qu'on me touche. Ne refaites jamais ça, vous m'entendez ? Ça ne m'amuse pas du tout.

Il débarrassa leurs assiettes et repartit en roulant des hanches.

– Eh, Warren, n'oublie pas ton traitement, dit John.

Son voisin produisit un sachet en plastique contenant des dizaines de pilules de couleurs différentes. Il les avala avec trois verres d'eau.

Violet apparut, le dernier numéro de *Time Out* sous le bras. Je pressentis qu'elle allait me pousser à passer une petite annonce.

– J'ai une idée du tonnerre, lança-t-elle en ouvrant son journal à la rubrique « rencontres ». Chacune va répondre à une annonce.

Ma vie n'était qu'une succession de clichés...

– Non, Violet.

Elle se mit à découper les encarts, qu'elle rassembla en petites piles sur la table. Puis elle aperçut le sachet vide de Warren.

– Je peux vous l'emprunter ? (Elle y versa ses bouts de papier et remua le tout.) Pioche !

Je plongeai la main dans le sac et sortis le texte suivant :

ALLONS FAIRE UN TOUR. H. bl. cél. intel. mign. (très) ch. F. bl. cél. belle, intel. +1m60, drôle, gaie, pour balades en voit. et plus. Perm. B indisp.

– C'est parfait ! approuva Violet.

– Mais tu sais bien que je n'ai pas le permis.

– Ah, tu l'as choisi ! répondit-elle, comme si j'étais condamnée aux erreurs de casting.

– Mais ce n'est plus de notre âge, tout ça. On est trop vieilles pour ne pas savoir que tous ces types sont nazes.

Ces annonces étaient aussi mensongères que leurs cousines immobilières. Personne n'écrivait jamais *petit, radin, chauve, hait femmes et sexe*. De même qu'on ne lisait jamais *taudis sombre, rats, cafards, plaf. bas, ch. élevées.*

Violet me lut les titres des autres annonces. Homme idéal. Médecin élégant. Grand ami des bêtes. Noir expérimenté. Prince charmant. Elle choisit ce dernier.

– Le vrai Prince charmant n'était pas un gros naze, affirma-t-elle.

– Tu rigoles ? Cendrillon était simplement trop jeune pour s'en rendre compte. Si elle s'était traînée au bal à vingt-six ans, elle aurait vu que c'était un pédé refoulé doublé d'un fétichiste de la chaussure, un petit enfant gâté atteint de troubles obsessionnels compulsifs, à sauter de pied en pied comme un débile avant de rentrer chez papa-maman. Rien que son nom ! Prince charmant. On ne fait pas plus gay. Même Andrew est un type potable comparé à ton Prince charmant.

– Tu dois appeler Monsieur Balade en Voiture, répliqua Violet. Tu l'as choisi.

Ce soir-là, je laissai un message sur la boîte vocale de cet inconnu. Il me rappela sans tarder et nous bavardâmes pendant deux heures. Ça lui était égal que je mesure seulement un mètre cinquante-sept. Et que je ne sois pas très gaie ces temps-ci. Je lui racontai mon rêve avec Woody Allen, puis celui des crabes. Nous décidâmes de nous rencontrer.

– Au fait, autant que vous le sachiez : je n'ai pas mon permis, ajoutai-je.

– Vous plaisantez ?

Je ris.

– Eh non, désolée. C'est vous qui conduirez lors de nos balades en voiture...

Je surpris mon reflet dans le miroir. Je souriais. J'avais le regard intense et concentré de celle qui converse pour la première fois avec un homme qui lui plaît.

– Alors tant pis, Liv. Ça ne pourra pas marcher entre nous.

Je ris de plus belle.

– J'ai le plus profond mépris pour les femmes qui ne conduisent pas, reprit-il. Je pense que tu recherches un homme qui s'occupera de tout pendant que tu t'offriras des séances de manucure, de pédicure, de massage et d'épilation. Tu veux rester une enfant. Mais tu n'es plus une enfant, n'est-ce pas ?

– Non, bredouillai-je.

– Non, tu n'es plus une enfant. Tu es une divorcée de vingt-six ans, et encore... Je parie que t'en as dix de plus.

Ses paroles étaient si tranchantes que j'en vins à me demander si je n'avais pas trente-six ans. Mais non, j'en étais restée à vingt-six.

– T'es le genre de gonzesse qui refuse de s'assumer. Tout ce qui t'intéresse, c'est de buller au bord d'une piscine, à te faire épiler le maillot.

C'était la deuxième fois qu'il parlait d'épilation. J'avais l'impression d'avoir accidentellement composé le numéro de mon mari, qui m'accusait toujours de ce crime odieux – une bonne hygiène pileuse. Que pouvais-je répondre ? Que j'avais obtenu mon premier ruban chez Smoothe Transitions ?

– T'es la troisième qui appelle sans savoir conduire. Et non, fillette, ne compte pas sur moi pour t'apprendre. Prends-toi en main. Trouve-toi une auto-école.

Il raccrocha. Un vrai prince charmant.

Je voulais étriper Violet.

J'étais assise à l'Olive Tree devant une salade écœurante et un film dans lequel Charlie Chaplin s'éprenait d'une aveugle. Il la regardait avec passion tandis qu'elle fixait le vide. Tous deux remuaient les lèvres, en grande conversation.

J'entendis un couple s'installer derrière moi et la serveuse leur apporter les menus.

– Eh bien, voilà ce que j'appelle une charmante soirée, n'est-ce pas ? dit l'homme avec un fort accent britannique.

– Absolument ! confirma la femme. Et pleine de surprises.

– Vous avez été très chic, n'est-ce pas ? ajouta l'Anglais.

Je me demandai comment il l'avait surprise, et en quoi elle s'était montrée très chic. C'était tout à fait le genre de conversation qu'on a envie d'épier. D'ordinaire, les New-Yorkais ne causent que d'appartements.

– Ces rendez-vous à l'aveuglette sont si... Oh, pardon, je ne voulais pas employer ce mot-là, gloussa la femme. Ce doit être l'émotion. Ce n'est pas tous les jours qu'on rencontre un juge.

– Et ce n'est pas tous les jours qu'on a la chance de sortir avec une kinésithérapeute, n'est-ce pas ? répondit le juge anglais.

Je me retournai pour découvrir Jérôme, les yeux braqués dans ma direction. Il portait son costume du vendredi, bien que nous soyons lundi ; il avait dû se mélanger les pinceaux en sortant du pressing. J'allai m'asseoir de l'autre côté de la table de manière à l'avoir en face de moi. La femme me tournait ainsi le dos.

– Je n'étais jamais venu ici, poursuivit Jérôme.

– Oh, c'est un endroit formidable. L'un des plus vieux restaurants de MacDougal Street. On y sert essentiellement des plats israéliens.

Elle lui détailla tout le menu. Je savais qu'il trouvait son élocution un peu lente. Puis elle lui décrivit la salle de la même façon que moi jadis. La grande serveuse blonde et tatouée, la rôtisserie à l'entrée, le long bar du fond, les ardoises noires et les bouts de craie dans des bols, les lampes en pâte de verre au-dessus des tables, le bébé noir qui pleurait dans sa poussette, le couple qui fumait, les deux filles asiatiques qui jouaient aux échecs. L'exercice la laissa pantelante. Elle se renversa sur son dossier comme je le faisais devant Jérôme.

– C'est merveilleux, dit-il.

Elle se décala de quelques centimètres pour revenir dans l'axe de son regard.

– Et ils passent des films de Charlot en boucle sur un écran mural.

Jérôme entendit à sa voix qu'elle s'était déplacée. Il ajusta son regard, qui tomba de nouveau à côté.

– Charlot tend un bouquet à une femme. Elle a les cheveux clairs et ses yeux...

Elle se tut en comprenant que le personnage était aveugle.

– Je crains que les films muets ne soient pas ma tasse de thé, ironisa Jérôme.

– Euh, oui... bien sûr, balbutia la femme, mortifiée.

– Alors ? Suis-je tel que vous m'imaginiez ?

– Pour être franche, je m'attendais à un homme... comment dirais-je... voyant.

Je n'en revenais pas que Jérôme ne lui ait rien dit.

– Cela pose-t-il problème ? demanda-t-il de but en blanc.

– Non, pas du tout, mentit la femme.

– Je n'ai pas jugé utile de mentionner ce détail dans mon annonce. À moins que vous ne vous arrêtiez à ce genre de choses ?

Jérôme, passer une petite annonce ? Mon Dieu ! Et si je l'avais piochée dans le sac de Violet ?

– Non, pas vraiment. Simplement, nous avons tout de même passé deux heures au téléphone. Vous auriez pu m'en parler.

– Je suis terriblement confus, Iris.

– Allons, n'en parlons plus. Profitons plutôt du moment présent.

– Je suppose que je ne suis pas tout à fait le Prince charmant...

Iris éclata de rire et Jérôme parut blessé.

– Vous aimez votre métier de juge ? Ce doit être difficile de...

– Qu'est-ce qui doit être difficile ? Parce que je suis aveugle, c'est ça ? Je suis entouré de lectrices, figurez-vous.

– Ah, c'est parfait.

– Oui, bien que la dernière en date nous ait brusquement quittés.

– Elle est morte ?

– Non. Elle a choisi de devenir agent immobilier.

– Beurk !

– Je ne vous le fais pas dire ! Elle avait pourtant un fort potentiel. C'était une drôle de fille. D'un naturel morose, mais maligne comme un singe. Elle avait comme qui dirait des goûts de luxe. Elle me manque beaucoup. C'était un sacré tempérament.

Iris se taisait. Je devinais qu'elle ne voulait rien savoir de plus sur cette drôle de fille morose et maligne comme un singe. Mais moi, si. J'en redemandais. C'était épatant.

– Et pourquoi avez-vous rompu avec votre amie – Sarah, c'est bien ça ? demanda Iris pour changer de sujet.

– Sarah, tout à fait. C'est une longue histoire, vous savez. Disons que ça n'a jamais été très sérieux entre nous. Et puis, j'ai eu une liaison avec une de mes collaboratrices.

Une liaison ? Je me demandais bien avec qui. Sûrement pas Mme Howard la réceptionniste, ni Elise la sténo barjo, ni même Cathy l'huissière. Ce ne pouvait être qu'une nouvelle lectrice. Ma remplaçante, en somme.

– Et quel était son nom ? demanda Iris.

– Elle s'appelle Liv. Il s'agit de la fille dont je viens de vous parler. Mon ex-lectrice.

Je faillis m'étouffer avec une tomate. Je devais avoir l'air aussi ahuri que Charlot. J'avais envie de hurler, mais je me retins en m'imaginant dans un film muet.

– Liv ? répéta Iris. Ce n'est pas commun. Liv Ullman. Liv Tyler. Est-elle norvégienne ?

– Non, je ne crois pas.

– Si je comprends bien, cette liaison vous a amené à rompre avec Sarah ?

– En fait, je n'ai jamais recherché ce type de rapports, mais par la force des choses... Liv est tombée amoureuse de moi et...

– Comment le saviez-vous ?

– Il y a des signes qui ne trompent pas. Elle insistait pour me raccompagner jusqu'au métro, elle m'offrait des cadeaux, n'omettait jamais de me rapporter un cidre chaud de chez Starbucks l'après-midi. Jusqu'au jour où elle est passée aux aveux.

– Qu'a-t-elle dit ?

– Je doute que vous souhaitiez entendre ça.

Bien sûr que si, imbécile.

– Oh si, je vous en prie !

– Alors passons sur les détails sordides. Pour résumer, elle a déclaré qu'elle m'aimait, et ce depuis le premier jour, puis elle a décrit diverses sensations qu'elle éprouvait à mon contact, etc. C'est une curieuse conversation pour un premier rendez-vous, n'est-ce pas ?

– Et qu'avez-vous fait ? demanda Iris avec une pointe de dégoût dans la voix.

– Je lui ai rappelé ma relation avec Sarah, et mon vœu d'être fidèle.

– Je croyais que ce n'était pas très sérieux entre vous deux.

– C'est exact. Mais que voulez-vous, je ne savais trop quoi répondre. J'étais pris au dépourvu. C'est alors qu'elle a bondi sur mes genoux, a jeté ses bras autour de mon cou... et là, j'ai constaté qu'elle avait ôté sa jupe et ne portait plus qu'un porte-jarretelles et des bas.

Il chercha son verre et but une gorgée. Je ne pouvais même pas me figurer assise sur ses genoux. Quels genoux ? Je ne voyais qu'un ventre rond prolongé de deux poteaux.

– Pile à cet instant, Sarah est entrée dans mon bureau pour me faire une surprise.

– Non ! Vous voulez dire qu'elle vous a surpris dans les bras de la fille ?

– J'en ai peur... Bien entendu, Sarah n'a pas supporté, et m'a quitté sur-le-champ. Quant à Liv, elle est partie tenter sa chance dans l'immobilier, mais elle revenait tous les jours pour me décrire les appartements qu'elle avait visités. Elle voyait des endroits splendides. Parfois, elle m'emmenait avec elle quand on lui confiait les clés.

Je me sentis un peu coupable de ne pas avoir fait ce qu'il racontait là. J'avais rangé mes yeux dans un carton pour partir comme une voleuse.

– Son comportement dénote une grande immaturité, et j'eusse préféré qu'elle fît preuve de retenue. Mais elle était si jeune. Je crois lui avoir beaucoup appris. De même qu'elle a bien dû m'apprendre une ou deux petites choses.

– Je n'en doute pas, dit Iris d'un ton sardonique. Vous la voyez toujours ?

– Non, soupira Jérôme. J'ai dû mettre un terme à cette situation. Ça ne pouvait plus durer. Elle continue de m'appeler, cependant.

– À quoi ressemblait-elle ?

– Dodue, répondit Jérôme. Très appétissante, je dois l'admettre.

Dodue ? Cette fois-ci, la coupe était pleine. J'ouvris mon sac, empoignai mon flingue et le posai sur mes genoux. D'où Jérôme tenait-il que j'étais dodue ? Je scrutai les alentours et, une fois certaine que personne ne regardait, je levai l'arme avec une parfaite nonchalance, quelques centimètres au-dessus de la table, le canon braqué sur Jérôme.

– Elle était grosse ? demanda Iris.

– Disons simplement qu'elle était bien en chair, n'est-ce pas ?

Il était à mille lieues de se douter qu'un pistolet était pointé sur lui. C'était l'aspect le plus saisissant de la cécité : on pouvait être dans la mire d'un tank sans le savoir. Mais quel était le pire, dans le fond ? Voir la mort en face, ou ne se rendre compte de rien ? Je rangeai mon arme.

– S'il vous plaît ! criai-je à la serveuse.

Jérôme se figea.

– Que se passe-t-il ? demanda Iris.

– J'ai besoin de monnaie, expliquai-je à la fille avant de me lever.

– Vous vous sentez bien, Jérôme ? reprit Iris. On dirait que vous avez vu un fantôme.

Elle lâcha un rire nerveux en pensant à ce qu'elle venait de dire.

– Bonsoir, Jérôme ! C'est moi, Liv.

– Bonsoir, répondit-il d'une voix étranglée, blanc comme une endive.

– Bonsoir, je m'appelle Liv, dis-je à l'intention d'Iris.

– Euh... bonsoir.

Elle m'étudia de haut en bas, cherchant la femme dodue.

– Iris, reprit Jérôme d'une voix chevrotante, je vous présente Liv, une ancienne employée.

– Oh, j'étais un peu plus qu'une employée, susurrai-je. N'est-ce pas, Jérôme ?

– Oui, bien entendu, marmonna-t-il.

– J'allais justement vous appeler, Jérôme. J'ai fini votre bouquin, et j'ai vraiment adoré.

Je n'avais pas réussi à le lire, tant c'était verbeux et bourré de coquilles. Je m'étais directement rendue à la dernière page, où un type se faisait renverser par une voiture sur Montague Street, à Brooklyn.

– Vous êtes trop polie...

– Je vous jure que c'est vrai. Je ne pouvais plus le refermer.

– Et qu'avez-vous le plus aimé ?

– Eh bien... J'adore la fin, quand l'aveugle se fait écraser dans la rue.

– Mais le héros de mon livre n'est pas aveugle !

– Non, bien sûr, je sais bien qu'il n'est pas aveugle. J'employais une sorte de métaphore pour résumer le personnage. Vous savez, le fait qu'il se fasse renverser et tout ça...
– Oui, fit Jérôme d'un air piteux.
– À la prochaine ! lançai-je avant de quitter le restaurant.

33

EX-ÉDIF. RELIG.-AUTEL

Je passai toute la journée du lendemain à l'Olive Tree, persuadée qu'on était samedi et non mardi. Le costume de Jérôme avait dû m'induire en erreur. Heureusement, pour un agent commercial indépendant comme moi, ce genre de détail n'a guère d'importance.

Assis en bout de salle, un type au crâne lisse noircissait du papier à musique. Par la fenêtre, un bel homme portait un aspirateur-traîneau. Le cuistot grillait une douzaine d'aubergines. Mike, le vieux cinglé du quartier, fit son entrée et décida d'intervertir toutes les salières et poivrières du restaurant.

– Salut, Moïse, me lança-t-il.

Tous les habitués de l'Olive Tree avaient droit à un surnom biblique ou fantaisiste, sauf le serveur, rebaptisé Garibaldi. Moïse me ravissait, même si je ne savais pas grand-chose de cet illustre personnage, sinon qu'il arborait une barbe de Père Noël et trônait au sommet d'une colline avec les dix commandements sous le bras, l'air sévère comme un juge.

Mike se glissa sur la banquette en face de moi et se releva dans la même foulée. Puis il reprit sa ronde.

Je voulus y voir un signe. Dieu m'appelait à lui. Je n'avais pas ouvert la bouche de la journée, sauf pour sourire à la serveuse tout en posant mon doigt sur le menu. Je suis Moïse, me dis-je. J'étais entourée de symboles divins – du papier à musique, un aspirateur, des aubergines. La salle empestait le mouton. MacDougal Street. Drôle d'endroit pour finir empalé sur une broche tournante. Sur l'écran, Charlie Chaplin jouait les prédicateurs dans une église et narrait la légende de David et Goliath.

Je réglai l'addition et m'en allai. Au moment où je posais le pied dehors, une Porsche rouge s'arrêta devant moi. La portière s'ouvrit brusquement et un type d'à peu près mon âge s'extirpa de l'habitacle. Cheveux noirs et yeux bleus, il était beau comme un prince. Et seul.

– Monte dans la voiture, intima-t-il.

Je reculai d'un pas, craignant soudain qu'il ne soit lié à Andrew. Dernièrement, une fille s'était fait pousser sous les roues du métro. Le journal télévisé avait parlé d'une « réceptionniste appréciée de ses collègues ». Triste portrait. J'aurais droit à quoi, moi, comme épitaphe ? « Une jeune femme, agent immobilier, vue pour la dernière fois à bord d'une Porsche rouge » ?

– Allez, monte dans la voiture, dit-il d'un ton plus amène.

Je lui souris, tout en lui demandant avec mon pouce s'il s'adressait bien à moi. C'est alors que je remarquai la présence de Mike, le cinglé, dans mon dos.

– Allez, papa, monte dans la voiture !

Mike posa les mains sur ma taille, comme s'il se cachait derrière un arbre.

– Voudrais-tu grimper dans cette putain de voiture ?

Mike me lâcha et se mit à me courir autour. Son fils sortit des billets de son portefeuille.

– Alors prends au moins ça.

Un petit attroupement s'était formé sur le trottoir. Mike zigzagua entre les curieux.

– Madame ? dit le fiston, cette fois-ci bien à moi.

– Moïse, rectifiai-je.

Il me regarda comme si j'étais folle. Ce type n'avait aucun humour.

– Pourriez-vous donner cet argent à mon père, s'il vous plaît ?

J'avais sûrement gâché mes chances d'obtenir un rencard. Je m'emparai d'une liasse de billets de cent dollars. Il me remercia, puis cria à son père :

– Je veux que tu prennes cet argent, papa !

Je restai un instant plantée avec les biffetons dans la main. Puis j'allai les remettre à Mike.

– Merci Moïse, dit-il en esquissant un courbette.

Il prit la liasse, puis la lança en l'air. Les coupures tombèrent en pluie sur le trottoir. Personne n'essaya de les ramasser.

J'admirais Mike. Il ne voulait pas dépendre de ses enfants, comme moi de mes parents. Son fils claqua sa portière et démarra en trombe. Dès qu'il eut disparu, Mike fondit sur les billets, qu'il enfourna dans ses poches.

– J'aime bien ton père, me confia-t-il ensuite.

– Tu le connais ? m'étonnai-je.

– Il est d'une grande générosité. Je l'ai vu hier.

– Tu as vu mon père hier ?

Mon cœur s'emballa. Mon père serait passé à New York sans me prévenir ? Il lui arrivait de sillonner le Village et le Lower East Side à l'arrière d'un taxi ou d'une limousine en quête d'inspiration. Se serait-il arrêté pour discuter avec Mike ?

– Dis à ton père que je le remercie pour le transistor. Même s'il ne marche pas très bien.

– Je ne comprends pas, Mike. D'où connais-tu mon père ? demandai-je d'une voix tremblante.

Mike parut presque agacé. Il posa la main sur mon épaule.

– Enfin, Moïse, tu as perdu la tête ou quoi ? Ton père ! dit-il en désignant le ciel. Ton père ! Tout le monde connaît ton père, voyons.

Il parlait de Dieu.

34

WASHGTN SQ NORTH – RENVERSANT !

Dans les derniers jours précédant mon accident d'oreille, Andrew s'était longuement épanché sur les séances de Pilates que lui prodiguait une certaine Timothy, qu'il disait hyper-séduisante et strip-teaseuse à ses heures perdues. Je n'avais jamais entendu parler de cette discipline.

– Je prévoyais justement de m'y mettre, avais-je néanmoins répondu.

– Menteuse.

– Je te jure que si.

– Tu cherches juste à m'imiter.

– Détrompe-toi. Tout le monde fait du Pilates.

– Et si je bouffais de la merde, t'en boufferais aussi ?

– Essaie, on verra bien.

– En tout cas, si tu vas là-bas, ne parle pas de nous deux à Timothy car le patron du centre connaît Jordan, d'accord ?

J'appelai le centre de Pilates pour prendre rendez-vous.

– Votre prénom ? demanda l'hôtesse.

– Moïse.

Le centre était un grand loft au vieux parquet peuplé d'appareils bizarres et de tapis de gym multicolores. Dès mon arrivée, je dus signer une décharge dégageant le centre de toute responsabilité en cas de décès ou de blessure. J'inscrivis

« Moïse » dans la case du nom, puis « Dieu » pour la personne à contacter en cas d'urgence, « Père » pour le lien de parenté m'unissant à cette dernière, et enfin « Andrew Lugar » pour l'individu qui m'avait recommandé cette adresse.

– Calez vos pieds sous la lanière, m'indiqua Timothy. Et relâchez vos côtes.

– Comment voulez-vous que je relâche mes côtes ? râlai-je.

Allongée sur la machine, les yeux rivés au plafond, j'étais censée me mouvoir d'avant en arrière à la force des jambes. L'appareil était l'invention d'un certain Joseph Pilates, infirmier militaire durant la Seconde Guerre mondiale qui ne supportait pas de voir des gens inertes, fussent-ils souffrants. Il avait donc conçu un engin permettant de prendre de l'exercice couché.

La table qui me soutenait était à mi-chemin entre un lit d'hôpital et un instrument de torture bardé de poulies, de ressorts et de sangles. Le genre de truc sur lequel Andrew aurait adoré faire l'amour. Mais je m'étais promis de ne plus penser à lui.

– Prêt, partez ! lança Timothy, en pointant sur moi deux doigts en V.

Puis elle se mit à compter : et une et deux et trois et quatre... À dix je n'avais toujours pas bougé, mais elle me libéra les chevilles pour l'exercice suivant.

Andrew omettait toujours les détails les plus parlants lorsqu'il décrivait quelqu'un : en l'occurrence Timothy était japonaise, grande, filiforme, avec de longs cheveux noirs aux pointes inégales. Elle portait un maillot de bain une-pièce, des sandales à plate-forme qui révélaient des orteils longs et cuivrés, et des faux cils qui rayonnaient au coin de ses paupières, mais elle aurait été très belle même sans tous ces artifices. Les pores de sa peau exhalaient des effluves alcoolisés et métalliques, dont je fus immédiatement jalouse. C'était toujours mieux que de sentir le kebab et l'Oil of Olaz.

– Un type que je connais m'a conseillé de m'adresser à vous, lui dis-je, espérant qu'elle saisirait la balle au bond.

– Super.

– Il m'a dit le plus grand bien de vous.

– Bon, maintenant nous allons essayer la « Scie ». Asseyez-vous en écartant les jambes de cette façon et faites comme si vous vouliez scier votre petit orteil droit avec votre main gauche.

Ça ne paraissait guère appétissant.

J'attendis qu'elle me demande le nom du type que je connaissais. En vain.

– Il s'appelle Andrew Lugar, lâchai-je.

Elle se figea.

– Vous voulez dire : Andrew « Attache-moi » Lugar ?

– C'est bien lui.

Elle éclata de rire.

– Et c'est un ami à vous ? demanda-t-elle.

– Sûrement pas !

– Ce type est un abruti fini. (Elle indiqua au mur la photo en noir et blanc d'une infirmière aidant un malade à se redresser.) Il voudrait que je m'habille en blouse blanche pour rester fidèle à l'esprit de Joseph Pilates. Quel pervers ! (Nous rîmes en chœur.) J'espère vraiment que vous n'êtes pas amis.

– Pas du tout, rassurez-vous.

– J'ai même parlé de lui à ma psy, et elle m'a affirmé que c'était un psychopathe. Il nous fait beaucoup rire, mon copain et moi.

– Vous avez un copain ? m'étonnai-je.

Connaissait-il ses activités de strip-teaseuse ?

– Oui, on vient d'emménager dans un loft à Williamsburg. Mais il m'en veut encore de l'avoir abandonné pour passer trois semaines à Bali l'an dernier.

– Je devrais peut-être aller à Bali...

– C'est un endroit génial. Mais un matin, en me levant dans ma hutte, j'ai retrouvé un scorpion géant dans ma culotte !

Andrew devrait éviter d'explorer ce trousseau-là, pensai-je.

– Je ne supporte pas ces types mariés qui viennent vous draguer, poursuivit Timothy. C'est pourquoi je leur fais tout de suite comprendre que je suis casée, pour que les choses soient bien claires.

– Mais Andrew n'est pas marié, objectai-je. Il vit juste en concubinage.

– Ah bon ? Je croyais qu'il venait d'épouser Jordan. Mais avec lui, on n'est jamais sûr de rien, pas vrai ? Pourtant je suis quasiment certaine d'avoir vu une alliance à son doigt. Il dit tantôt « ma copine », tantôt « ma femme ». Enfin bref, tout ce que je sais, c'est qu'il est très volage.

– Quel gros naze. Et il vous parle de ses conquêtes ?

– Bien sûr. Vous connaissez le couturier Peter Kellerman ?

Je hochai la tête.

– Il parle souvent de sa fille, Liv Kellerman.

Je souris. Andrew lui avait donc parlé de moi.

– Vous voulez dire qu'il a une liaison avec Liv Kellerman ? repris-je.

– À vrai dire, il raconte des choses épouvantables sur son compte. Mais il est tellement bavard à son sujet que je le soupçonne d'être amoureux d'elle. En tout cas, c'est clair qu'elle l'obsède.

Mon rythme cardiaque s'accéléra.

– Quelles choses épouvantables ? demandai-je d'une petite voix.

– D'après lui, elle vit dans un taudis, alors que sa famille roule sur l'or. Mais même son père la trouve insupportable. Elle prétend qu'elle ne veut pas de son fric, mais en vérité c'est lui qui lui aurait coupé les vivres. Andrew la compare à la fille de ce bouquin de James, vous savez, *Washington Square*. Laide comme un pou, sans aucun talent, aigrie et stupide...

Je hochai la tête pour montrer que j'avais lu le livre, bien que j'aie seulement vu le film, avec Olivia de Havilland dans mon rôle.

– Elle bosse dans une médiocre agence immobilière, ajouta Timothy. Cette fille est devenue notre sujet d'amusement préféré. Je soutiens qu'il l'aime, et il maintient qu'elle le dégoûte.

Washington Square aurait peut-être connu une autre fin si Katherline avait eu un flingue...

Le mouvement suivant s'appelait le « Taquin ». Je restai immobile, les dents serrées, à ruminer ma colère.

– Mais que faut-il faire pour que vous bougiez ? demanda Timothy. Vous poser un flingue sur la tempe ?

Pourquoi pas ? J'en avais un prêt à l'emploi. Avec un peu de chance, elle m'abattrait.

– Saviez-vous que vous aviez une hanche plus haute que l'autre ?

– Non, je l'ignorais.

Elle me fit allonger sur le dos, jambes jointes, pour comparer leur longueur. Elles étaient effectivement inégales. Alors elle passa les vingt minutes suivantes à tirer sur la plus courte pour l'allonger. Dans le fond, le Pilates n'était pas très différent de la drague : on pouvait rester passive pendant que l'autre vous tenait la jambe.

Timothy me conduisit vers une autre table qu'elle appelait la « Cadillac », sans préciser s'il s'agissait là du terme officiel. Elle captura mes chevilles dans deux lanières en peau de mouton puis me fit basculer tête en bas, en me tenant les pieds pour les empêcher de glisser.

– Vous êtes sûre que j'ai le niveau pour ça ? demandai-je.

– Vous pouvez le faire.

– Andrew y arrive, lui ?

– Il n'arrive à rien, le pauvre. Il est tout de suite en nage, et doit prendre sa tension toutes les cinq minutes. Vous avez mieux avancé en une séance que lui en une année.

– Vraiment ?

Il m'avait raconté qu'il venait de commencer.

– D'ailleurs, il était ici juste avant vous. Vous auriez pu vous croiser.

Des cris suivis de rires fusèrent depuis l'étage d'en dessous.

– Vous ne me ferez pas faire ça ! tonnait une femme. Je viens de manger.

Timothy m'expliqua qu'il s'agissait de Grace, l'épouse de Robert De Niro.

Puis un livreur apparut avec un énorme bouquet d'orchidées. M'apercevant les pieds en l'air, il secoua la tête, apitoyé. On appela Timothy à l'accueil. Les fleurs étaient pour elles. Je restai suspendue à l'envers, sans personne pour me tenir les pieds.

Timothy ouvrit la carte jointe au bouquet.

– Oh, mon Dieu ! (Elle se précipita sur le téléphone et pianota un numéro.) C'est moi, chéri. Comment te remercier ? Elles sont si belles. Je t'aime.

– Timothy ? appelai-je.

Voir cette belle plante couverte de fleurs était insoutenable.

– Moi aussi, je m'excuse, l'entendis-je susurrer.

Les séances de Pilates coûtaient quatre-vingts dollars de l'heure.

– Ça va, je peux parler jusqu'au prochain client, murmura-t-elle en regardant sa montre. Je viens de finir une séance. Je vais aller m'en griller une dehors. Tu as une idée pour le dîner ?

– Timothy ? insistai-je.

Elle passa un trench-coat vert pomme par-dessus son maillot, prit une cigarette dans son sac et franchit la porte en verre armé tout en parlant dans le sans-fil.

Ainsi suspendu, mon corps s'allongea et se détendit. Je gagnais en minceur et en courage, comme Timothy. Le Pilates était un truc sensationnel. Pas étonnant que toutes les stars s'y soient mises. Le résultat était immédiat. Je sentais un picotement entre mes jambes, qui me rappela combien je haïssais Andrew. Je voulais le tuer. C'est lui qui aurait dû pendouiller à ce truc comme un canard dans la vitrine d'un Chinois, pas moi.

Au bout d'un moment, Timothy réapparut et me découvrit telle qu'elle m'avait laissée.

– Mince ! fit-elle en me redescendant. Je suis vraiment confuse.

– Ne vous inquiétez pas. Je n'ai pas trop souffert.

Je me changeai derrière le rideau d'une minuscule cabine puis j'allai récupérer manteau et chaussures au vestiaire. C'est alors que je remarquai, avachi dans un casier au niveau du sol, un objet familier : un sac marin bleu, pareil à celui d'Andrew. Il devait en exister des milliers de semblables, songeai-je. Ce ne pouvait être le sien. Je le contemplai un instant, puis, en maintenant le haut de mon corps parfaitement immobile, délogeai le sac avec le pied de ma jambe la plus longue.

Je venais d'inventer un nouvel exercice de Pilates : le Sac marin.

M'assurant d'un coup d'œil que personne ne m'avait vue, je laissai tomber mon manteau sur le sac, puis me baissai pour ramasser le tout – et m'enfermai avec aux toilettes.

J'ouvris le sac et vis, surnageant au milieu du bazar, le journal intime d'Andrew. Je l'ouvris et tombai sur un océan de Liv. Mon prénom avait colonisé la page. Liv ceci, Liv cela... Mais je ne parvenais à tout déchiffrer.

On frappa à la porte.

– Un instant ! dis-je.

Que faire ? Emporter le sac complet ou juste le journal ? Je brûlais de le lire, mais Andrew risquait de venir récupérer ses affaires d'un moment à l'autre. Je devais quitter les lieux au plus vite. Mon regard s'arrêta sur la photo de Joseph Pilates dressée sur le rebord du lavabo. Il posait en maillot de bain, les pieds écartés et les poings sur la taille, fier de ses soixante ans. Jugeant que ce cliché serait du plus bel effet à côté du gourou sur mon bureau, je le glissai dans mon sac à main avec le journal d'Andrew.

Quittant les toilettes de la même façon que j'y étais entrée, je poussai le sac et le reste de son contenu – un suspensoir et un roman de Faulkner – dans le casier, puis longeai le comptoir où une pancarte indiquait : « La maison décline toute responsabilité en cas de perte ou de vol d'objets personnels », et franchis la porte.

Timothy fumait une nouvelle cigarette sur le trottoir.

– Il semble que mon prochain client m'ait posé un lapin, dit-elle. Vous allez de quel côté ?

– Je prends un taxi jusqu'à MacDougal Street.

– Ça vous dirait qu'on le partage ? Je dois retrouver mon copain dans ce coin-là. Je tuerai le temps dans un café.

J'attendis qu'elle ait récupéré son bouquet et fait la bise à la fille de l'accueil. Je n'aurais jamais pu travailler dans un club de gym ou un restaurant, car il y fallait sans cesse embrasser ses collègues. On ne connaissait pas ça dans le milieu de l'immobilier.

Nous avançâmes jusqu'à Hudson Street pour trouver un taxi.

– Moïse est un drôle de prénom pour une fille, nota Timothy.

Et le sien, alors ?

Un taxi s'arrêta enfin. Son passager paya le chauffeur puis descendit côté rue pendant que j'ouvrais la portière de droite.

C'était Andrew. Il nous regarda, bouche bée.

– Liv ? Mais qu'est-ce que tu fous ici ?

– Liv ? répéta Timothy en ouvrant de grands yeux. Mince alors...

– Salut Andrew, dis-je.

– Salut. Excuse-moi, je suis très pressé. J'ai oublié un truc au Pilates.

– Inutile de courir, Andrew. C'est moi qui l'ai.

J'entrouvris mon sac sur un coin du cahier.

– Hé, c'est à moi ! s'écria-t-il en tendant la main.

C'est alors que je vis son alliance. Elle me surprit sans crier gare. Je me sentis coupable, telle une enfant qui surprend ses parents en plein coït. La bague paraissait vulgaire sur son annulaire. Comme si ce n'était pas son doigt mais sa queue. Mais peut-être l'avait-il toujours portée, sans que je m'en rende compte, sans que je sente l'anneau de platine froid effleurer mes tétons.

Nous nous regardions en chiens de faïence, tenant chacun une portière.

– Eh, petit branleur radin ! Tu vas lâcher ça, oui ? hurla le chauffeur à l'intention d'Andrew.

– Tu as oublié de laisser un pourboire, Andrew ?

– Je rate une rue et il fait retirer deux dollars au compteur ! expliqua le taxi.

– Dans ce cas, Andrew, je crois que tu dois quelques excuses à... Quel est votre nom ?

– Mohamed, dit le chauffeur.

– Allez, fais des excuses à Mohamed.

– Je dois y aller, Liv.

– Excuse-toi d'abord.

– Tu peux me rendre mon journal ?

– Rentre dans le taxi, ordonnai-je.

Il ne voulait rien entendre. Alors je sortis mon pistolet et le braquai sur Andrew, en gardant le bras plié pour ne pas me faire remarquer.

– J'ai dit : rentre dans le tacos !

Andrew regarda Timothy. Il m'avait dit que le patron du centre Pilates était proche de Jordan. Le risque que Timothy le dénonce semblait autrement l'émouvoir que mon flingue.

Elle lui renvoya un regard plein de mépris.

– Rentre, intimai-je.

Il obtempéra.

Timothy restait pétrifiée sur le trottoir. J'adorais ses cheveux, de la même couleur que les miens, mais raides et crantés.

– Allez, viens, lui proposai-je. On va bien se marrer.

Elle ne parut guère emballée.

– Écoute, répondit-elle, ce ne sont pas mes affaires. Je suis désolée qu'il ait dit ces horreurs à ton sujet, mais je crois que vous êtes aussi fêlés l'un que l'autre. Je prendrai un autre taxi.

Mais je n'avais aucune envie de voyager seule avec Andrew.

– Il raconte aussi des choses sur toi, tu sais.

– Du genre ?

– Du genre : « Elle est strip-teaseuse. »

– Quoi ? !

Elle monta et je la suivis. Nous nous retrouvâmes tous les trois à l'arrière du taxi, avec Timothy au milieu.

– Pourriez-vous remonter la West Side Highway ? demandai-je à Mohamed.

C'était ma toute première prise d'otage, mais le périphérique me semblait une bonne solution, car il nous permettrait d'évoluer rapidement.

Appuyée sur le torse de Timothy, je pressai mon arme sur le crâne d'Andrew.

– Tu n'es pas trop serrée ? demandai-je à ma complice. (J'essayais de ne pas abîmer les fleurs posées sur ses genoux.) Je vais te tuer, promis-je à Andrew.

Je plantai le canon dans son oreille, en soutenant mon poignet droit avec la main gauche, bien que le flingue soit léger.

– Vous faisez quoi, derrière ? demanda Mohamed.

– Roulez ! répondis-je. Dépêchez-vous.

– Eh, je peux pas faire voler taxi ! grogna-t-il.

La voiture s'ébranla et la traditionnelle petite annonce s'enclencha. Ce n'était plus mon père, mais le couple de juges Judy et Jerry Sheindlin, qui nous disaient avec un accent new-yorkais à couper au couteau combien il était stupide de ne pas boucler sa ceinture de sécurité à l'arrière.

– Tu as entendu les juges, Andrew ? Mets ta ceinture.

Il s'exécuta.

– Et si tu expliquais à Timothy et Mohamed à quel point tu m'aimes, et comment tu vas quitter ta femme pour m'épouser ?

– Je ne te reconnais plus, Liv.

J'enfonçai le flingue aussi loin que possible dans son oreille.

– Arrête ça, ordonna-t-il.

– Ta gueule ! Il est chargé et j'hésiterai pas à tirer.

– Je ne suis pas strip-teaseuse, Andrew, intervint Timothy.

Mon poignet commençait à fatiguer. J'aurais voulu changer de main, mais je craignais que l'autre n'y voie une ouverture. Il me faudrait encore de nombreuses séances de Pilates si je décidais d'utiliser cette arme de manière régulière. Je pris soudain conscience qu'Andrew pouvait facilement dégommer le pistolet d'un coup d'avant-bras et me tuer. Sans réfléchir, j'armai le flingue en faisant coulisser la partie supérieure du canon. Le clic métallique nous fit tous trois sursauter.

Un téléphone portable sonna. Timothy porta la main à son sac, avant de constater qu'il s'agissait de celui de Mohamed.

– Je peux pas te parler, souffla celui-ci avant de raccrocher.

Je me souvins combien Jérôme détestait ces engins ; à cause d'eux il enchaînait les embardées sur le trottoir, croyant qu'il y avait deux fois plus de monde qu'en réalité. Les portables étaient la bête noire des aveugles.

– Dis à Timothy et à Mohamed combien tu aimes me sauter. Dis-leur à quel point tu m'as menti. Dis-leur comment tu me mords quand on baise.

– Te sauter ? releva Andrew d'un air songeur.

Il cherchait à gagner du temps. Il paniquait à l'idée que Jordan sache.

– Dis-leur ! hurlai-je.

– Allons, Liv. Te sauter ? Je ne t'ai jamais sautée. Je voulais être ton ami, Liv, mais nous n'avons jamais couché ensemble. J'essayais seulement de t'aider.

– De m'aider ?

Je n'en croyais pas mes oreilles.

– Tu es malade dans ta tête, Liv. Tu sais bien qu'il n'y a jamais rien eu de physique entre nous.

Je repliai son lobe avec mon flingue.

– Donne-moi ton alliance, lui ordonnai-je.

– Tu vas trop loin.

– Donne !

Andrew tira sur l'anneau jusqu'à ce qu'il cède. Je le glissai autour de mon pouce.

– Ça fait combien de temps que tu es marié ? Tu l'étais déjà quand nous nous sommes assis dans le sauna de Laight Street ? Quand tu m'as rapporté mes rideaux ? La nuit du match de boxe ?

Un soir, il avait commandé sur mon bouquet à péage un combat de lourds-légers au tarif de cinquante dollars, qu'il avait promis de me rembourser. J'attendais toujours.

– Tu me dois cinquante dollars. Rends-les-moi.

Il se contorsionna pour extraire son portefeuille de sa poche-revolver, et me remit deux billets de vingt et un de dix.

Puis il fondit en larmes, en silence, tête baissée. Je me demandai s'il pleurait son fric. On aurait dit un petit garçon. Un psychopathe en herbe, non un psychopathe accompli. M'étais-je montrée trop dure ? Ma voix s'adoucit.

– Dis-moi seulement à quand remonte ton mariage et je te laisserai filer.

– Au jour de notre rencontre, répondit-il. Je me suis marié au tribunal, juste après le pot de départ du juge Moody. C'est lui qui nous a mariés. C'est mon beau-père.

J'éloignai le flingue de son oreille.

– Dis-moi, Timothy, tu n'aurais pas une paire de ciseaux sur toi, par hasard ? Je voudrais lui couper l'oreille pour l'envoyer à son épouse, accompagnée de l'alliance.

Et pourquoi ne pas garder l'autre pour moi ? Je la mettrais sous verre, comme un papillon. Oreille pour oreille.

– Je dois avoir ça, répondit Timothy.

Elle posa les fleurs sur les genoux d'Andrew et se mit à fouiller dans son sac. Mais Mohamed fut le plus rapide :

– J'ai canif, dit-il en me prêtant un couteau suisse dont il avait déplié une lame et une minuscule paire de ciseaux. (Puis il me tendit un rouleau d'essuie-tout en ajoutant :) Tu salis avec sang et oreille, tu nettoies.

– Merci, Mohamed. Au fait, Andrew, tu habites dans le coin, non ? Où, exactement ? Je vais peut-être pouvoir visionner une autre vidéo de mariage que la mienne ? Si tu savais comme je rêve de voir ton appartement...

Mais en prononçant ces mots, je pris conscience du contraire. Je n'avais plus rien à cirer de son appartement. Je me fichais de savoir où ils vivaient, lui et son épouse.

– À la réflexion, Mohamed, on va laisser monsieur ici.

Mohamed s'arrêta sur la bande d'arrêt d'urgence. Timothy reprit sa gerbe d'orchidées pour permettre à Andrew de descendre. J'estimai que nous étions près de la 84e Rue, non loin de la statue de Jeanne d'Arc. Sur notre gauche, léché par le soleil, le fleuve était couleur d'or. Sur notre droite s'élevaient les immeubles de Riverside Drive avec leurs toits de cuivre vert. Les bâtiments new-yorkais étaient des monceaux d'orgueil, chacun voulant détrôner son prédécesseur. L'existence de l'Ansonia, l'un des plus beaux édifices de Broadway, tenait à une vengeance. N'ayant pu emménager dans la maison de ses rêves dans l'Upper East Side du fait de son divorce, son concepteur imagina l'Ansonia, avec ses cinq otaries nageant dans la fontaine du rez-de-chaussée.

– Sors ! intimai-je.

– Liv... tenta Andrew.

Mohamed se retourna d'un coup et lui braqua son propre flingue entre les deux yeux.

– T'as entendu la dame ? beugla-t-il. Alors tu sors ! Je veux plus entendre ta gueule !

Andrew détacha sa ceinture et ouvrit sa portière.

– T'inquiète pas, dis-je, c'est moi qui régale.

Je me demandais si l'on se reverrait un jour, ou si je resterais sur cette dernière image de lui. Il ne prit même pas la peine de s'excuser auprès de Mohamed.

– Affreux petit bonzomme ! cracha ce dernier.

Timothy et moi éclatâmes de rire.

– Non, c'est terrible, ajouta-t-il. Je connais les types comme ça. J'ai une fille.

Je levai l'alliance à la lumière pour déchiffrer l'inscription gravée en caractères minuscules : « J.M. & A.L. » Je revis en esprit le juge Moody me présentant Andrew et Andrew me soulevant sur le balcon. Je l'avais aidé à enterrer sa vie de garçon, en somme. Puis il avait épousé Jordan. Jordan Moody. La lectrice de Jérôme, celle que j'avais remplacée.

Mohamed nous ramena au centre-ville. Il nous déposa à l'angle de la 6e Avenue et de la 3e Rue, devant des terrains de basket.

– Tu souhaites continuer le Pilates ? s'enquit Timothy.

– Et comment !

– Je m'en veux encore de t'avoir oubliée sur la Cadillac.

– Allez, à la semaine prochaine !

– Salut les drôles de filles, lança Mohamed.

35

MAIS. 2 MAÎTR.

Liv possède un flingue. Je suis tombé dessus hier soir pendant qu'elle prenait sa douche. Un flingue. Un Glock 9 mm Luger. Je crois bien que c'est ce qu'utilisent les poulets. Il est chargé. Mais qu'est-ce que ma petite suceuse préférée fabrique avec un pétard ? Serait-elle un flic en civil ? Non, elle doit plutôt avoir des idées suicidaires, du fait qu'elle ne peut m'avoir tout à elle. Je suis sûr qu'elle a déjà pensé à me tirer dessus. Elle a probablement lu quelque part que la meilleure façon de me pousser à quitter Jordan était d'acheter un flingue.

Sa « petite suceuse préférée » ! Comment osait-il ? Et de quel droit fouillait-il dans mes affaires ? Ce type ne respectait rien de rien. Je tournai la page.

Je pense que je vais le lui piquer. J'ai hâte de voir son adorable minois juif quand elle verra qu'il a disparu. Je pourrais tuer quelqu'un avec ; les flics retrouveraient ses empreintes à elle. Quelque chose me dit qu'elle a ouvert ce journal. Liv, si tu lis ces lignes, sache que je vais te piquer ton flingue et que je vais descendre quelqu'un – peut-être même TOI. Voilà ce qui arrive aux vilaines petites fouille-merde ; rappelle-moi de te donner une fessée.

Plongée dans ce torchon, suffoquant, haletant comme un chien, je traversai la 6e Rue en oscillant comme une ivrogne.

Je ne pouvais attendre d'être rentrée pour le dévorer. Je ne pouvais attendre une seconde de plus.

Hier, une femme s'est présentée au cabinet. Elle venait passer un entretien auprès de Mark, qui cherche une secrétaire. J'ai tout de suite eu envie de lui arracher sa culotte. J'ai un énorme besoin de femmes, qu'aucune ne pourrait satisfaire seule. Comment faire comprendre à Liv qu'on ne peut pas pratiquer n'importe quelle position avec n'importe quelle femme ? On ne peut pas tout faire avec tout le monde. Mais elle refuse de comprendre. En serrant la main de cette femme, je me suis penché sur elle et j'ai retrouvé l'odeur de Liv. Elle doit utiliser le même shampooing, Pantène. Il a fallu que j'aille me branler aux chiottes, bien que je me sois juré d'arrêter.

Il avait raison : je ne comprenais pas. Sans compter que j'étais passée à Head and Shoulders.

Je suis allé voir le gourou en Floride. Après avoir raconté à Liv que je passais le week-end avec Jordan, j'ai pris l'avion pour Miami. Il a raconté une histoire en hindi, dont je ne pige pas un traître mot, et pourtant une image s'est formée dans ma tête : je traversais un pont de cordes. Puis il nous a expliqué en anglais que sa fable parlait d'un homme qui traversait un pont de cordes. Il a ensuite pointé le doigt sur moi et m'a demandé de venir m'agenouiller devant lui. Il a posé la main sur mon crâne et j'ai senti une douce chaleur se répandre dans mon corps, comme le jaune dégoulinant d'un œuf à la coque. Le gourou m'a dit : « Je vois dans ta vie une femme aux longs cheveux sombres. Vous avez une destinée commune, mais celle-ci n'est guère heureuse. Si tu vas à elle, tu la feras souffrir. Tu risques même de la tuer. – Mais je l'aime, ai-je répondu. – Je sais que tu l'aimes, a-t-il ajouté. Mais vous êtes néfastes l'un à l'autre. » Je dois cesser de voir Liv.

J'interrompis ma lecture pour retrouver mes repères. Je n'avais toujours pas dépassé les terrains de basket. Une Noire obèse en combinaison de velours rouge jouait à la pelote, toute seule, à main nue. Mon cœur allait lâcher si je ne me calmais pas. Je m'accotai à un téléphone public, la main sur le récepteur. Il fallait que je me confie à quelqu'un. Faute de pouvoir joindre le gourou, j'appelai Violet.

– Tu ne devineras jamais ce que je viens de faire, lâchai-je d'un ton coupable.

– Quoi ? demanda-t-elle avec un enthousiasme démesuré, comme si elle espérait que j'aie enfin commis une vraie bêtise.

Je pris une longue inspiration.

– J'ai volé le journal intime d'Andrew.

– C'est pas vrai ! Et ça raconte quoi ?

– Un gourou lui a révélé qu'il m'était néfaste.

– Je l'ai toujours su, Liv. Au début, j'ai pensé : « Bon, je suppose que Liv et ce mec étaient destinés à se guider l'un l'autre... »

– Mais de quoi tu parles, Violet ?

Je regrettais déjà d'avoir évoqué le journal.

– Eh bien, il doit exister un lien karmique t'unissant à Andrew, ce qui signifie qu'il avait quelque chose à t'apprendre.

Violet transformait n'importe quelle histoire d'amour en épisode de sitcom des années cinquante ; une petite leçon de morale à la fin, et hop ! tout rentrait dans l'ordre.

– Mais j'avoue que je me sens plutôt d'accord avec ce gourou, poursuivit-elle. Je me sens mal à l'aise avec votre histoire depuis le début.

Violet ne pouvait formuler une phrase sans « se sentir » quelque chose. Pour ma part, j'étais déçue par le tour de la conversation. Je repris ma lecture pendant qu'elle développait sa théorie.

Cette nuit, en quittant le trou à rats de Liv, j'ai rencontré la fille la plus canon que j'aie jamais vue, et j'ai pensé : « Mon Dieu, c'est elle la femme de ma vie. » Nous avancions dans la même direction et je me sentais déjà en elle, mes doigts, ma queue, avant même de lui avoir dit bonjour. Elle était d'une beauté renversante. J'ai enfin compris le sens de l'expression : « cheveux de lin ». Si j'avais dû dessiner la femme idéale, je n'aurais pas osé la faire si bonne. J'ai dit : « Vos chaussures me plaisent beaucoup. Elles sont vraiment chouettes. » Elle m'a remercié, et à cet instant j'ai su que je pourrais la sauter. Il s'était mis à pleuvoir et j'ai dit : « Vous allez fusiller vos pompes. » Elle a répondu : « Mais non. » J'ai dit : « Si, elles vont prendre l'eau. » Elle a répondu : « Mais non. » J'ai dit : « Mais si, à moins que vous n'habitiez juste ici. » Nous étions en face d'un pavillon sur Washington Square North. Au numéro 19. Elle m'a fait monter dans sa chambre, et quelle chambre ! Des plumes de paon par centaines, disposées aux quatre coins de la pièce ! Et je n'ai pas eu à subir d'interminables palabres. Juste une moiteur insoupçonnable et son parfum sur mon visage. Je vais frotter mes joues sur cette page pour le conserver à jamais.

J'approchai lentement le cahier de mes narines. Il sentait le papier.

– Promets-moi que tu n'ouvriras plus jamais ce journal, me suppliait Violet. Ce n'est pas bien.

– Comment ?

– Tu dois respecter sa vie privée. Tu n'aimerais pas qu'il fouine dans tes affaires. C'est un mauvais karma. Si tu continues à le lire et que ça te met en colère, tu ne pourras t'en prendre qu'à toi-même.

– Tu as raison. Je ne le ferai plus.

– Mais comment te l'es-tu procuré, au fait ?

Aïe. Je savais que la vérité lui déplairait. En même temps, je ne voulais pas lui mentir. Alors je crachai le morceau, en insistant sur l'épisode avec Andrew et Timothy, suite à quoi nous tentâmes d'imaginer, rêveuses, quelle serait notre vie si nous nous appelions Timothy.

– Tu sais, je ne trouve pas ça drôle du tout, coupa brusquement Violet.

– Mais ce n'est pas une blague !

– Je veux parler des risques insensés que tu as pris.

– On ne craignait rien, tu sais.

Lorna n'aurait pas tiqué, elle. Elle aurait même jugé l'incident cocasse. Je me promis d'appeler Lorna et non Violet la prochaine fois que je brandirais mon flingue.

– Quand même, tu aurais pu te faire arrêter.

– Arrêter ? Tu plaisantes ! Personne ne se fait arrêter à New York.

Elle soupira.

– Je sens que j'ai du mal à te saisir ces temps-ci, Liv. Tu sembles si... (Elle fouilla dans sa tête blonde à la recherche du mot juste.) ...négative.

– Je ne crois pas, Violet. C'est toi qui te montres négative, en suggérant qu'on aurait pu m'arrêter.

Une voix enregistrée me demanda de rajouter vingt-cinq cents dans la fente de l'appareil. Je cherchai une pièce dans mon porte-monnaie.

– Franchement, tu t'attendais à quoi en sortant avec un homme marié ? persista Violet.

Son nouveau copain jouait à Donjons et Dragons tous les samedis soir avec ses potes. Je préférais encore me colleter avec un psychopathe maqué. Et puis Violet n'était pas vraiment mon amie si elle ne supportait pas un peu de grabuge à l'occasion. Je croyais de plus en plus à ma théorie selon laquelle il n'y a pas d'amitié viable entre New-Yorkais et Texans.

Violet et moi n'avions décidément rien en commun. Mais comment rompre avec sa meilleure copine ? Un vulgaire pistolet ne me serait d'aucune aide. Il faudrait au moins un bazooka. C'était bien plus difficile que de rompre avec un homme. Nous étions des millions de femmes dans mon cas, à détester une amie sans pour autant oser la blesser. C'était une véritable pandémie.

– Je te rappellerai si jamais je deviens moins négative.

Je serrai la pièce de vingt-cinq cents dans ma main, jusqu'à ce que nous soyons coupées.

Toute la nuit, des phrases d'Andrew résonnèrent dans mon crâne :

Comment lui annoncer que c'est bientôt fini entre nous ?

Son petit corps potelé va me manquer.

Hier soir, j'ai dormi dans le bureau et appelé Liv dès mon réveil.

Jordan a préparé un chili végétarien.

Je sais que Liv lit ces pages. Je vais passer à l'ordinateur. Je te préviens, Liv, si je te surprends à lire mon journal, j'enfonce ton flingue dans ta chatte et je te tue.

Liv est peut-être une enfant adoptée. Car j'ai du mal à croire qu'elle soit juive. Comment une juive peut-elle être aussi bête ?

Je me redressai et allumai ma lampe de chevet. Je relus en boucle le passage sur la fille qui habitait Washington Square. Puis soudain la lumière se fit en moi. *Liv, je sais que tu lis ces pages... Si tu lis ces pages, Liv... Si tu lis ces pages...* Andrew savait que je tomberais dessus. Tout cela n'était qu'un jeu. Un bon vieux gag à la Andrew. Le genre de tour qu'un ado jouerait à sa petite sœur. Il écrivait toutes ces choses seulement pour que je les lise. Elles ne voulaient rien dire. C'était du flan.

Le 19, Washington Square North n'existait même pas. Je le savais pour avoir quadrillé le secteur pour le compte de Smoothe Transitions. Un grand nombre de ces immeubles appartenait à l'Université de New York. Au numéro 20 succédait un parking couvert, puis du 18 au 14 s'étendait un long bâtiment d'après-guerre adjacent au numéro 2 de la 5e Avenue, la maison de l'ancien maire Ed Koch. Il y avait bien un numéro 9 de l'autre côté de la rue, mais pas de 19. Or, on peut difficilement baiser dans une maison qui n'existe pas. L'immobilier est un préalable au sexe.

Le lendemain matin, je sortis de chez moi munie de mon flingue et du journal d'Andrew. Comme il faisait beau, je décidai d'aller au bureau à pied. Je remontai MacDougal Street puis tournai au coin du parc. Je découvris de nouveaux oiseaux dotés de longs becs jaunes, et croisai quelques écureuils noirs, qui me donnaient toujours la frousse. Puis je tombai sur une villa, en plein milieu de Washington Square North, avec un grand 19 au-dessus de la porte.

Je restai plantée dans la rue à contempler la maison. Il y avait onze marches, puis un petit palier, et deux dernières marches avant l'entrée. J'avais pris l'habitude de tout compter en me promenant avec Jérôme.

Je réfléchis un instant. L'existence de cette maison ne prouvait rien. Andrew n'y était pas forcément entré. Fébrile, je me mis à faire les cent pas comme un avocat, tout en observant les fenêtres. Je m'attendais presque à voir dégouliner une « moiteur insoupçonnable ».

Ne m'estimant pas en état de travailler, je me rabattis sur le Caffe Reggio, où je sifflai une théière d'Earl Grey contenant au moins trois feuilles, de nouveau plongée dans ce satané journal.

Jordan a trouvé un chaton et il semble qu'il soit mourant. Je déteste ce monde. J'ai dit à Liv qu'on ne pouvait pas se voir car je devais rester auprès de Sammy (c'est son nom). Elle a réagi comme une vraie pute. Je lui ai dit : « Tu fais ta pute, là. Elle a répondu : Et alors ? – Et alors je vais raccrocher. »

– C'est votre journal intime ? demanda le type mignon assis à la table d'à côté.

– Tout à fait, répondis-je.

Je lui vis une bague, mais à l'annulaire de sa main droite. Il paraît que c'est ainsi que les Européens portent leur alliance.

– D'où venez-vous ? m'enquis-je.

– De l'Oregon.

Dans ce cas, ce n'était pas un Européen, mais juste un gentil célibataire. Je me félicitai de ma faculté de cerner un individu en si peu de temps.

Nous discutâmes pendant une heure. Je lui appris que la maison de Louisa May Alcott[1] se trouvait de l'autre côté de la rue et que le Caffe Reggio était célèbre pour avoir possédé la première machine à cappuccinos de tous les États-Unis.

– Une fois, une baignoire à pieds a traversé le plafond, racontai-je. Pile là où nous sommes assis.

J'indiquai la surface rapiécée au-dessus de nos têtes.

– Je ne vous crois pas !

Puis je l'informai à regret que je devais partir travailler.

– Vous êtes dans quelle branche ? demanda-t-il.

---

1. Romancière américaine (1832-1888), auteur des *Quatre Filles du Dr March.* (*N.d.T.*)

– Je suis agent immobilier.

– Tiens, comme ma femme !

Sa femme ? Mon regard se posa aussitôt sur sa main gauche, pour me rendre compte qu'il n'en avait pas. Il n'avait ni main ni bras gauche. Voilà pourquoi il portait son alliance à droite. Bon sang, comment avais-je pu bavarder pendant une heure avec un type sans remarquer un détail aussi flagrant ? Mais quand allais-je donc ouvrir les yeux ?

[Troisième partie]

« En amour, tout cœur doit être son propre interprète,
tout regard doit parler pour lui-même,
et ne se fier à aucun agent... »

William S*HAKESPEARE,*
Beaucoup de bruit pour rien
Acte II, scène 1

36

CONCG. 24/24

Lors de la réunion du lundi, Kim nous informa qu'un loft exceptionnel arrivait sur le marché, mais que le propriétaire n'était pas un type facile. Aussi voulait-elle contrôler elle-même les opérations après avoir choisi, pour la seconder, l'agent au tempérament le mieux adapté à la situation.

– Qu'entendez-vous par « pas facile » ? demandai-je, déclenchant les rires de quelques collègues.

Kim me jeta un regard noir, comme si je ne retenais toujours que l'aspect négatif des choses.

– Disons qu'il est un peu particulier, rectifia-t-elle. En fait, c'est un gros emmerdeur.

Elle brandit l'agrandissement en vingt par vingt-cinq d'un immense séjour. Le sol était recouvert d'une belle moquette sable parsemée de somptueux tapis persans. Le soleil se déversait à travers une baie vitrée haute de six mètres. Je voyais un bout de la rampe d'escalier, l'échelle de Bali appuyée aux étagères de livres que mon mari avait montées lui-même, une saleté de chouette dorée offerte à notre mariage, la table basse que j'avais choisie sur Greene Street...

C'était le mien. Celui de mon mari. Mon ex-appartement. La photo d'une vie antérieure. J'avais presque oublié combien il était splendide.

Kim débita quelques infos complémentaires, puis ajouta :

– Nous sommes tous attendus là-bas demain matin à 9 heures. Ce sera la première étape de notre circuit.

Plusieurs fois par mois, Kim nous embarquait dans un car de location pour visiter six ou sept appartements d'affilée.

– Il faudra ôter nos chaussures avant d'entrer, précisai-je.

– Qu'en savez-vous ? demanda Kim.

– Je le sais, c'est tout.

Le lendemain matin, mon regard s'arrêta sur une petite fille en ciré rose qui descendait la rue avec un Winnie l'Ourson sous le bras et un téléphone mobile à l'oreille. Elle portait un bonnet de laine noué sous le cou par deux pompons en forme de fraise. Elle n'avait guère plus de sept ans.

– Puis-je parler à mon papa, s'il vous plaît ?

Je décidai de la suivre.

– Je vous appelle de mon portable et je suis censée lui parler sur le trajet de l'école, dit-elle sèchement tout en avançant. Salut, papa, je ne peux pas rester trop longtemps en ligne, sinon ça me chauffe l'oreille.

Nous nous arrêtâmes au feu rouge. Un porte-monnaie en caoutchouc transparent contenant une bague en plastique pendait à l'attache de son sac à dos.

– Tu rentres à la maison ce soir ? demanda-t-elle, tout excitée.

J'étudiai son visage pour deviner la réponse. Son sourire demeura intact.

– Devine quoi, papa. J'ai une grande nouvelle à t'annoncer. Oh, attends, j'ai un autre appel. Je te reprends tout de suite.

Elle écarta le téléphone de son oreille, enfonça une touche et reprit l'appareil.

– Allô ?... Salut, maman. Je suis déjà en ligne avec papa. Je peux te rappeler ?... D'accord. (Elle appuya sur la touche.) Tu es toujours là, papa ?... C'était juste maman. Alors voilà : j'aimerais que ma nouvelle chambre ait une jolie vue et une très grande penderie... Parce que j'aime bien voir l'Empire State Building et les chiens dans la rue. Ah, ça y est, je dois te laisser.

Je vis en levant les yeux que nous étions arrivées devant l'école.

– Salut, lança-t-elle avant de ranger le téléphone dans sa grande poche et de rejoindre ses camarades sur les marches du perron.

Je songeai trop tard à lui laisser ma carte.

Le car de Liberty Lines était garé devant le building de Smoothe Transitions, prêt à acheminer les collègues jusqu'à mon ancien chez-moi. Je restai sur le trottoir opposé, partagée entre appréhension et excitation. J'imaginai le bus s'arrêtant devant l'entrée de l'immeuble, et moi sortant la dernière comme le plus petit clown d'une troupe de cirque. Je passerais devant le portier, toute fière de mes amis si distingués. « Salut, chéri ! » dirais-je à mon mari en me déchaussant dans l'entrée.

– Qu'est-ce que vous attendez ? cria Kim en m'apercevant.

Je montai dans le bus et m'assis au deuxième rang, séparée de Marti Landesman par l'allée.

Je me mirai dans l'immense rétroviseur central et ajustai ma position. J'occupais la place maudite où tout le monde peut vous observer. Je me souvins qu'une camarade de lycée avait trouvé mon cou très court. Si je lui en reparlais aujourd'hui, elle aurait certainement oublié, mais il est de ces phrases anodines qui vous marquent à jamais...

Kim nous distribua une feuille comportant le descriptif ainsi que le prix de lancement des six appartements prévus au programme.

Je me demandai si Jack serait présent. J'imaginais notre bataillon déboulant dans la chambre pour le trouver avec je ne sais quelle fille dans notre lit. Je me souvenais du moindre détail : le jour où nous l'avions acheté, le jour où on nous l'avait livré, le jour où nous avions acheté le climatiseur, le jour où on nous l'avait livré, le jour où nous avions fait l'amour dans la penderie parce que nous n'avions pas de rideaux, le jour où nous avions acheté les rideaux, le jour où on nous les avait livrés...

J'observai Marti Landesman, qui remplissait les pages de son organiseur. Elle le tenait avec poigne et assurance, comme une grand-mère s'apprêtant à décapiter un poulet.

– Est-ce que le 49e Ouest-10e Rue est toujours disponible ? demanda la femme assise derrière elle.

– Offre acceptée, mais j'attends encore, répondit Marti sans même relever les yeux.

Elle avait la pire voix de New York. Râpeuse, monocorde et grossière, comme une semelle crottée qu'on frotte sur le trottoir.

À mon grand étonnement, j'avais justement rêvé d'elle cette nuit-là. Nous étions dans deux ascenseurs qui avançaient à l'horizontale, et elle me pourchassait avec une seringue, telle une infirmière foldingue.

J'eus l'idée de lui en parler.

– Eh, Marti ! chuchotai-je.

– Ouaip, fit-elle sans me regarder.

– J'ai rêvé de toi.

Elle daigna se tourner vers moi.

– Ah ouais ? dit-elle avec air de profond dégoût. (Quelques minutes s'écoulèrent.) Alors, c'était quoi ce rêve ?

– Tu voulais me tuer avec une grosse aiguille.

Je vis que l'idée lui plaisait.

– Dis-moi, ce n'est pas un peu pathétique, tout ça ? répondit-elle en regardant par-dessus son épaule, espérant que d'autres avaient entendu.

Mais qu'est-ce qui m'avait pris ? C'était ma plus grosse bourde professionnelle depuis que j'avais attiré l'attention d'une famille sur des « foutres » apparentes.

– Je crois que tu devrais te faire soigner la tête, conclut Marti.

Là-dessus, un téléphone sonna. Le sien, bien sûr.

– Marti Landesman, annonça-t-elle bruyamment, comme si elle était l'unique passagère de ce car. Non, Harrison Street est une bonne rue car elle est belle et large. Thomas Street est étroite.

Elle raccrocha.

Je rêvais de savoir moi aussi quelles rues étaient larges et lesquelles étaient étroites.

Nous parcourûmes le reste du trajet en silence.

Le visage du portier m'était inconnu.

– Vous pouvez monter, dit-il à Kim.

Nous talonnâmes la chef jusqu'à l'ascenseur, que nous attendîmes en silence. Je comparai mon ancienne entrée à l'actuelle, un vestibule exigu puant la pisse de chat et le graillon. Je m'étais sentie si bien dans ce hall, avec son chariot cuivré pour transporter mes emplettes ; désormais, je devais gravir cinq étages les bras chargés de linge. Mon mari n'aimait pas les effusions devant le concierge ou les voisins ; Andrew m'avait embrassée en bas de la cage d'escalier, un soir de dispute où je ne voulais pas qu'il monte. Je portais une robe de cocktail sans soutien-gorge. Il avait décroché les bretelles de mes épaules, me dénudant jusqu'à la taille, et nous avions passé une heure à nous bécoter dans cette tenue.

On ne soupçonne pas combien les fleurs artificielles font toc, jusqu'à ce qu'on les retrouve intactes six mois plus tard. Quand l'ascenseur se rouvrit sur mon ancien étage, un garçon de huit ou neuf ans jouait aux billes sur le palier. Onze trophées sportifs dessinaient un circuit en forme de S.

– Salut, dis-je comme si j'étais sa nouvelle voisine. (Le reste du groupe enjamba les coupes pour gagner mon ancien appart.) Elles sont toutes à toi ?

– Ouais. Plus une dernière en argent que j'ai laissée à l'intérieur.

– Tu les as gagnées dans quelle discipline ?

– Foot, basket, base-ball et bowling.

– Ça fait combien de temps que tu vis ici ?

Il réfléchit un instant.

– Je sais pas.

– Je ressens la même chose.

M'éloignant dans le couloir, je ne pus m'empêcher, malgré ma vigilance, de culbuter un trophée. Confuse, je me penchai pour le remettre en place.

– Laissez, je le ferai, marmonna le gamin d'un air agacé.

– Je suis désolée, tu sais.

– C'est rien. Moi aussi, il m'arrive d'être empoté.

La porte était entrouverte de quelques centimètres. Je la poussai doucement, tout émue.

Lors de notre emménagement, mon mari avait marqué d'un trait de crayon nos tailles respectives sur le mur. « On vérifiera tous les ans si on ne s'est pas tassés », disait-il. C'était la première fois que l'idée de vieillir avec quelqu'un me séduisait. Depuis, nous avions repeint à deux reprises, en reportant à chaque fois ces repères. Aujourd'hui, ils avaient disparu.

Située à l'étage, la porte d'entrée s'ouvrait sur une grande mezzanine surplombant l'immense séjour au plafond surélevé. L'effet était garanti.

– On se croirait dans un château, pas vrai ? souffla une collègue devant ma mine hébétée. On s'attendrait à croiser un type en armure.

Mais il y en a un, pensai-je. Mon mari.

– Qu'est-ce que ça peut bien être ? demanda une autre en soulevant un gros œuf en pierre polie posé sur un disque assorti.

Il y en avait toute une armée, disséminée à travers le salon telle une ponte d'extraterrestres. Ça aussi, c'était nouveau.

La dizaine d'agents ayant pris le car semblait soudain s'être démultipliée, grouillant au milieu de mes affaires. Je renonçai à visiter la chambre : voir Marti Landesman fouler la moquette de ses grands pieds allait me causer de nouveaux cauchemars. Je me rendis dans la cuisine, où Kim inspectait le garde-manger.

– Le proprio est là ? demandai-je.

– La personne qui a conçu cette cuisine est un crétin, répliqua-t-elle.

Le granite, le marbre, les peintures, le carrelage, les pavés de verre, les étagères, le comptoir, le frigo, l'évier... Il m'avait fallu des jours, des semaines, des mois entiers pour tout choisir. Le broyeur de glace était resté sur la position « pilée ».

– Regardez, le réfrigérateur s'ouvre du mauvais côté.

– Mais non, Kim.

– Mais si, enfin !

– Le proprio est gaucher.

– Vous croyez que c'est pour ça ?

– Je le sais.

– Allons bon, fit-elle en levant les yeux au ciel, et comment savez-vous une telle chose ?

– C'était mon mari.

– Le proprio ?

– Oui. Nous étions mariés.

– Et vous viviez ici ?

– Exact. C'est moi la crétine qui ai conçu cette cuisine. C'est pourquoi je pense être la mieux placée pour réaliser cette vente.

Notre gouvernante, Charitable, apparut dans l'embrasure de la porte.

– Bonjour, mademoiselle Liv.

– Jack est là ? m'enquis-je.

– Non, il est parti avant mon arrivée.

Était-ce une manière délicate d'annoncer qu'il avait découché ? Elle me proposa une tasse de café.

– Volontiers, Charitable. Faites-en donc pour tout le monde.

Kim, qui suivait notre échange comme une spectatrice à Wimbledon, déclina l'offre :

– C'est gentil, mais nous n'aurons pas le temps.

– Donc, repris-je, j'aimerais que vous me confiiez cette vente.

– Ma foi, si le propr... votre mari est d'accord, je n'y vois aucun inconvénient.

Soudain, ma tête devint lourde. Je m'assis sur un tabouret chromé. Charitable me servit un café.

Je comprenais enfin ce qui m'arrivait. Jack vendait l'appartement. Ce ne serait plus le nôtre. Ni même le sien. Jack partait vivre ailleurs. Je ne saurais plus sur quelle chaise il était assis à tel instant de la journée, je n'entendrais plus, depuis mes minuscules fenêtres, son bol de céréales heurter le fond de l'évier à 3 heures du matin. Il aurait d'autres chaises, un autre évier. Il deviendrait indétectable. Notre mariage s'apparenterait à un crash d'avion avec disparition totale de la boîte noire. Comme s'il n'avait jamais eu lieu.

Dès lors, la moindre des choses serait que j'encaisse une commission.

Le téléphone sonna. Charitable, Kim et moi bondîmes instinctivement, prêtes à décrocher. Mais j'étais la plus proche. Et c'était mon appareil. Je l'avais payé de ma poche. La facture devait être au fond d'un tiroir.

– Allô ?

– Allô ? fit la voix de Jack. Excusez-moi, j'ai dû me tromper.

Il raccrocha. Je l'imitai.

– Faux numéro, informai-je Kim et Charitable.

Nouvelle sonnerie.

– Allô ?

– Allô ? C'est toi, Liv ?

– Salut, Jack. (La ligne était mauvaise.) D'où appelles-tu ?

– De l'avion. Je voulais prévenir Charitable que je m'absentais une semaine. Elle est là ?

Il paraissait inquiet, comme s'il craignait que je l'aie ligotée et séquestrée dans un placard.

– Oui, elle est là.

– Qu'est-ce qui t'amène à la maison ? Tu es venue chercher les tringles à rideaux ?

– Rien à voir. Je suis avec l'équipe de Smoothe Transitions, pour inspecter l'appartement. Je suis agent immobilier.

– C'est bien, ça.

– C'est bien, ça, répétai-je avec dédain.

Kim semblait prête à m'arracher le combiné des mains. Elle craignait sûrement que je fasse tout capoter.

– Je t'en prie, Liv, ne commence pas.

– Alors comme ça, tu allais déménager sans me prévenir ?

– Mais si, j'allais t'en parler. De ça et d'autres choses. J'ai découvert la méditation, et je pars vivre en Inde. Auprès d'un gourou.

Quoi ? Comment un type dépourvu d'émotions pouvait-il s'enticher de yoga ? J'imaginai un groupe d'androïdes assis en tailleur autour d'un automate enturbanné.

– Y aurait-il un quelconque rapport avec tous ces œufs qui ont envahi le salon ?

– Ce sont des lingams, Liv. Ils symbolisent l'énergie sexuelle masculine.

– Mmm, je vois.

Je m'en vais, et il remplit la maison d'œufs mâles.

– J'aimerais tant discuter de tout ça avec toi. On pourrait peut-être s'asseoir tranquillement et...

– Peut-être, coupai-je tout en me relevant. Je veux une exclu, Jack.

Il se mit à rire.

– Rien que ça ! Je vois que la vie active te réussit, Liv.

– Gna, gna, gna, gna... Je veux l'exclusivité, tu m'entends ? Ne la laisse à personne d'autre.

J'avais l'impression de l'exhorter à la fidélité.

– Combien de temps crois-tu qu'il faille pour trouver preneur ? demanda-t-il.

– Nous nous réservons en général un délai de six mois.

– Je te laisse une semaine.

– Une semaine ?

– Oui, voyons si tu y arrives en une semaine. J'envoie un fax à Kim dès mon arrivée à l'hôtel ; tu pourras m'adresser là-bas tous les papelards nécessaires.

– Ça marche.

– Bon, je dois te laisser. Pourrais-tu dire à Charitable que je rentre mercredi et lui demander de venir tous les jours d'ici là ? Elle peut dormir dans la chambre d'amis, si elle le souhaite.

– Ce sera fait.

– Salut, chérie.

Il raccrocha.

– C'était Jack, dis-je à ma patronne et ma gouvernante.

Il m'accorde l'exclusivité pour une semaine. Quant à vous, Charitable, il n'aura pas besoin de vos services cette semaine, mais il vous paiera quand même.

Elle ôta son tablier.

– Vous êtes bien bonne, dit-elle avec un clin d'œil.

37

VISIT. 2/12 À 10 H.

– J'ai peut-être un dernier appartement à vous montrer, annonçai-je à Noah Bausch.

– Où ça ? demanda-t-il.

– C'est là le hic. Ce n'est pas dans votre quartier préféré, et ça dépasse de beaucoup le plafond que vous aviez fixé.

Mais quand on sillonne Manhattan à la recherche d'un logis depuis aussi longtemps que les Bausch, on n'en est plus à un demi-million près.

– C'est dans l'Upper East Side, expliquai-je en feignant de trouver cela positif. Sur la 5e Avenue. Et il faudra prévoir un bon million.

– Alors, c'est non.

Le lendemain, j'accueillis sans surprise les époux Bausch chez mon mari. Nous fîmes en silence le tour de l'appartement. Il était magnifique, même avec ces deux affreux à l'intérieur.

Pour une fois, ils ravalèrent leur orgueil. Ils évitèrent de frapper dans les cloisons ou de tourner les robinets pour tester la pression de l'eau. Ils s'abstinrent d'échanger des regards navrés en ouvrant les placards ou de rentrer la tête en inspectant le plafond de la salle de bains, comme s'ils craignaient de recevoir des gouttes. Et crurent *sur parole* que toutes les fenêtres s'ouvraient et que l'immeuble était câblé.

– J'aime beaucoup, murmura Audrey en découvrant les

petits carreaux de la salle de bains que j'avais rapportés d'un voyage en Provence.

– Nous aimerions le revoir, ajouta Noah. Avec Flannery, cette fois.

J'ignorais que c'était leur gamine de trois ans qui menait la danse depuis le début.

J'appelai ensuite Tempête :

– Alors, la vie est belle au Dakota ?

J'avais appris par un confrère qui la détestait autant que moi que l'affaire avait capoté. Le propriétaire avait été exaspéré par les questions ineptes de cette fille, et vexé qu'elle lui propose de racheter son mobilier pour une bouchée de pain, alors qu'il n'était même pas à vendre. Tempête Shapiro était presque devenue un cas d'école dans la profession.

– Ça n'a pas abouti, répondit-elle.

– Non, tu veux rire ? C'est horrible. Je ne savais pas. Allez, le prochain sera le bon. Mais au fait, j'y pense, j'ai peut-être ce qu'il te faut...

La limousine s'arrêta devant l'immeuble et Tempête pénétra dans l'appartement.

– Tu pourrais mettre ta table ici, lui suggérai-je en ouvrant les portes-fenêtres de la salle à manger. Ou bien ici, ajoutai-je dans la mezzanine en haut des marches. Ou encore ici, déclamai-je dans le bureau de mon mari, lancée sur l'échelle roulante de la bibliothèque, décrivant l'espace d'un geste ample comme dans une comédie musicale.

Cet appartement pouvait même vaincre une Tempête.

– Ça sent trop bon ! roucoula-t-elle en gagnant la cuisine.

Je retirai le cidre du feu pour le lui verser dans une tasse avec un bâton de cannelle. Il mijotait depuis des heures, un vieux truc d'agent immobilier qui faisait des miracles sur les gens comme Tempête. Le duplex embaumait Noël.

– Je ne sais pas pourquoi je me sens si bien ici. J'adore ces tasses.

– Bien entendu, le propriétaire est prêt à les céder à qui prendra l'appartement.

– Mmmm, fit-elle en examinant la sienne de plus près. Le seul problème, c'est que j'ignore si la 5e Avenue est très sûre.

C'était l'un de mes soucis avec le Dakota : j'ai entendu dire que Central Park était dangereux. L'idéal serait que je revienne ici de nuit.

Pour leur seconde visite, les Bausch s'étaient mis sur leur trente et un : Noah arborait une veste de sport et Audrey s'était tartinée de fond de teint. Ils promenèrent Flannery de pièce en pièce.

J'offris à la fillette le mouton en peluche que mon mari m'avait donné, quelques bracelets en bois qu'il avait achetés au Japon, ainsi que le petit train de son enfance, soigneusement emballé dans du papier de soie, qu'il considérait comme son bien le plus précieux. Je trouvais un cadeau dans chaque pièce.

– Vous êtes formidable avec les enfants, s'émerveilla Audrey. Au fait, vous avez réfléchi à notre petite proposition ?

Ils restaient obnubilés par mes ovules. Je retardais le moment de leur opposer un non définitif, sachant qu'ils m'abandonneraient aussitôt pour tenter leur chance auprès d'un autre agent. Je trouvais cocasse de parler de mes ovules dans mon ancien appartement rempli d'œufs. J'avais si souvent imaginé le bébé que m'aurait fait Jack que je pouvais presque l'entendre respirer dans sa deuxième chambre, via l'interphone Fisher-Price de mon cerveau. Et pourtant, ce ne serait pas moi mais Mme Bausch qui traverserait le couloir en déshabillé au milieu de la nuit pour s'assurer que tout allait bien.

– J'y ai beaucoup réfléchi, répondis-je. Mais je n'ai pas encore pris de décision définitive. J'avoue toutefois que je serais très tentée si vous preniez cet appartement. L'enfant qui grandira ici aura énormément de chance.

Pour mon rendez-vous nocturne avec Tempête Shapiro, j'arrivai en avance afin d'allumer toutes les lampes et de faire bouillir l'eau des pâtes. Je voulais lui donner l'impression qu'en achetant cet appartement elle n'aurait plus jamais faim et trouverait toujours de bons petits plats en rentrant le soir.

Le portier m'appela.

– Tempête Shapiro est là.

– Faites-la monter, Eddie.

– Oui, mam'zelle. C'est bon de vous revoir, mam'zelle.

J'avais l'impression d'être Scarlett de retour à Tara. J'envisageai un instant d'offrir à Eddie la montre de gousset que Jack avait héritée de son père.

J'accueillis Tempête en lui présentant le plan de l'appartement, que j'avais fait agrandir dans une boutique de photocopies de sorte que ce soit le plus grand qu'elle ait jamais vu.

– C'est trop mignon. On dirait un château ! Un grand château carré avec quatre tours.

– Tu me retires les mots de la bouche, Tempête.

– C'est un très beau loft.

– Attention, ce n'est pas un loft.

– Pour moi, si.

Je lui proposai de se mettre à l'aise, d'essayer les fauteuils et d'ouvrir les tiroirs. Puis je m'isolai dans la cuisine pour ne pas voir ça. Il aurait suffi que j'aperçoive une chaussette ou un caleçon mal rangé pour que je me mette à replier toute la garde-robe de Jack.

Je disposai les pâtes dans deux assiettes assorties aux tasses.

– Tu as faim ? demandai-je quand Tempête vint me retrouver.

– Oh, c'est trop mignon ! dit-elle. Et ce lit, qu'est-ce qu'il est confortable !

Nous nous attablâmes et j'ouvris une bouteille de rouge.

– Voilà donc à quoi ça ressemble la nuit, dit-elle, contemplative. Je me sens vraiment chez moi, ici. Oh, et ces assiettes sont...

– À toi. Elles sont à toi.

Le lendemain, à l'heure de notre réunion hebdomadaire, une curieuse Chinoise vint nous dispenser un cours de feng shui. Elle repoussa la table contre le mur et nous fit asseoir face au nord. Son corps s'inclinait légèrement vers l'est. Elle illustra son propos au moyen de plusieurs plans d'intérieurs.

– Dans cet appartement, commenta-t-elle à propos de la dernière exclusivité de Marti Landesman, le qi sera piégé dans l'angle du couloir en L. Il réagira très violemment.

– C'est grotesque ! renâcla Marti, s'attirant aussitôt une volée de regards apitoyés.

N'importe quel qi sortirait de ses gonds au contact de Marti.

– Dans celui-ci, continua la Chinoise en indiquant un loft de Tony Amoroso, la cuisine minuscule empêchera tout épanouissement spirituel.

– Euh, je ne suis pas d'accord ! objecta Tony en se levant. Comparée à la moyenne new-yorkaise, c'est une grande cuisine, avec un comptoir en granite, un réfrigérateur massif, une gazinière à six feux, et l'un des rares broyeurs que compte cette ville. En outre, le propriétaire est un prof de yoga tout ce qu'il y a de plus épanoui.

– Le propriétaire peut bien être le dalaï-lama, je vous dis qu'il n'y aura pas d'épanouissement.

– Désolé, mais je ne peux pas vous laisser proférer de telles accusations. Sans vouloir polémiquer...

– On ne discute pas avec le qi ! menaça la dame.

Elle montra ensuite l'appartement de mon mari, en secouant lentement la tête. Les regards convergèrent sur moi.

– Une immense fenêtre juste en face de la porte, analysa-t-elle, avant de lâcher la feuille comme si elle contenait un poison mortel. Le qi entre par la porte et s'envole aussitôt par la fenêtre ! Quand le qi passe directement par la fenêtre, la chance s'envole avec lui. Pas d'amour, pas de famille, pas d'enfants, pas de sexe ! Et hop ! Envolé, tout ça, par la fenêtre.

– Que faut-il faire ? chuchotai-je.

– Des rideaux aideront à retenir le qi. Mais en ce qui vous concerne, vous devriez chercher un appartement rond.

– Mais où voulez-vous que je trouve ça ? m'écriai-je en me tournant vers mes collègues d'un air implorant.

– Votre seul espoir est un appartement rond avec des vitres rondes. Tout le reste vous portera malheur !

C'est alors que j'entendis mon nom dans le haut-parleur. Un appel important. Je craignis un instant qu'il s'agisse d'Andrew. J'en étais venue à me dire qu'il croyait peut-être à toutes ses affabulations. Qu'il pensait réellement que nous n'avions jamais fait l'amour. Mais personne, pas même le plus illustre architecte, ne peut refaire l'histoire.

Me revint un souvenir de mon mariage. Pendant que Jack et moi ouvrions le bal, je lui avais demandé s'il se souvenait de notre premier baiser, qui s'était déroulé contre le mur d'une pizzeria – « Ce devait être une bonne pizza ! » avait lancé un passant.

« Bien sûr que je m'en souviens, avait répondu mon mari. Ce n'était pas terrible.

– Comment ça, pas terrible ? dis-je en m'immobilisant.

– Tu étais trop hésitante.

Hésitante ? J'étais juste intimidée, comme n'importe quelle femme à ma place.

– Va te faire foutre ! » avais-je conclu en reprenant notre valse.

Pour moi, ce premier baiser avait été fabuleux. Timide et savoureux. Et les paroles de Jack n'y changeraient jamais rien. Mais la suite prouva que si.

Je quittai la salle de réunion et décrochai mon téléphone. C'était Noah Bausch, au sujet de l'appartement.

– Huit cent mille, offrait-il.

– Bien entendu, je vais transmettre cette proposition au propriétaire, mais je sais déjà qu'il refusera. Comme je vous l'ai dit, il réclame un million deux.

J'aurais dû dire « quatre cents de plus » pour éviter de prononcer le mot « million ».

Je tournai mon fauteuil vers le nord, point cardinal de la prospérité.

– Vous pourriez peut-être ajouter une ou deux centaines de plus, Noah.

– Je ne vais quand même pas négocier contre moi-même ! s'énerva-t-il.

Dans toutes les affaires que je traitais, venait un moment où chacune des deux parties déclarait : « Je refuse de négocier contre moi-même. » C'était *la* phrase bateau. Elle me rappela le refus de mon mari de suivre une thérapie de couple. Du coup, je m'étais retrouvée seule devant le psy, obligée de répondre à la question : « D'après vous, qu'est-ce que votre mari aimerait pouvoir vous dire ? » Voilà ce que j'appelais négocier contre soi-même.

– La quession n'est pas de négocier contre vous-même, Noah.

Après tout, vous n'avez pas besoin de négocier pour être votre pire ennemi, rêvai-je d'ajouter.

– Je me trompe, ou vous avez dit « quession » ? releva-t-il perfidement.

– Certainement pas. Je crois maîtriser à peu près l'anglais, Noah. (J'entendis le bip du double appel.) On cherche à me joindre sur une autre ligne.

– Allez, proposez-lui neuf cent mille dollars. Mais nous resterons dans ces eaux-là.

– Entendu. Au revoir ! Je veux dire... ne quittez pas.

Mon second correspondant était M. Shapiro, le père de Tempête.

– Nous prenons l'appartement de la 5e Avenue, déclara-t-il.

– Je suis justement en ligne avec un autre candidat, répondis-je.

– Huit cent mille.

– Ah, désolée mais mon client vient d'ouvrir les enchères à neuf cent cinquante.

– Alors, veuillez-lui dire que nous offrons un million de dollars.

– Entendu, ne quittez pas.

J'expliquai à Noah qu'il allait devoir faire un effort.

– Un million de dollars *cash*, proposa-t-il.

Ce mot me fit tressaillir. Je ne pensais pas que les Bausch soient aussi riches. Dale m'avait toujours reproché de mal évaluer les gens.

– Ne bougez pas ! (Je revins au père de Tempête.) Je transmettrai votre offre au propriétaire, monsieur, mais sachez que votre rival se propose de régler cash.

À l'évidence, lui aussi avait les moyens de payer comptant. Mais souscrire un prêt permettait certaines déductions fiscales ou des trucs du genre. Je devais avoir noté ça dans mes cours.

– Un million cent, lâcha M. Shapiro après un court silence.

– Cash ?

– Non, pas cash ! Qu'il aille se faire foutre, s'il veut du cash !

– Entendu, je transmettrai.

– Attendez !

– Oui ?

– L'état de mes finances est impeccable, vous savez. Un paiement comptant ne change rien, dans mon cas.

– Je sais ce que vaut un paiement comptant, M. Shapiro.

– Promettez-moi de lui communiquer mon offre, Liv.

– Mais je suis là pour ça, chantonnai-je avant de reprendre Bausch.

– Il en est à un million cent.

– Un million cash est notre dernier mot, Liv.

– C'est trop bête. Vous êtes sûr de ne pas pouvoir monter un peu plus ?

Noah resta muet.

– Allô ? Allô ?

– Je suis là, marmonna-t-il. Je n'irai pas plus haut.

– Eh bien, je lui ferai part de vos deux offres, énonçai-je telle une puéricultrice expliquant à deux enfants qu'elle les aime autant l'un que l'autre.

– Merci, murmura-t-il.

– À votre service.

En me renversant sur mon dossier, j'avisai la présence de Carla. Je n'avais pas vu que l'a réunion était terminée. Elle me fixait du regard, littéralement bouche bée.

– Seigneur ! pestai-je. Tu n'as jamais vu une vente de ta vie ? Prends une photo, ça te fera un souvenir...

J'attrapai mon sac et me dirigeai vers la porte.

Je remontai l'allée bordée d'agents vociférant au téléphone ou croquant dans des pâtisseries. J'éprouvais un sentiment d'accomplissement inédit. Avec deux offres à un million de dollars sur la table, j'étais assurée d'intégrer le Cercle des

Millionnaires, ce qui impliquait sûrement un déjeuner à la Tavern on the Green, voire un week-end dans la résidence secondaire de Samantha Smoothe dans le Connecticut.

Chaque mois, Smoothe Transitions se payait une pleine page du *New York Times* dans laquelle s'exhibaient ses agents les plus doués, affairés à des distractions saisonnières telles que le jardinage au printemps ou le patinage en hiver. Ce serait à mon tour d'y figurer et tout le monde pourrait m'y voir. Dale, Lorna, mon père... Tous sauf Jérôme, bien sûr.

38

POURQ LOUER ? ACH. BOUCH. PAIN !!!

J'aurais aussi bien pu coucher au bureau, car Noah et Tempête se relayèrent toute la soirée pour m'expliquer en pleurnichant pourquoi ils ne pouvaient surenchérir.

– Vous n'avez qu'à ajouter dix mille de plus, dis-je à Noah.

– Mais on ne peut pas, geignit-il. Attends, chérie... Flannery voudrait vous parler, Liv.

– Allô ? susurrai-je dans l'appareil. Flannery, Flannery... Alors, on va faire un gros dodo ?

Je ne supportais pas qu'on colle le téléphone sur l'oreille d'un enfant. Flannery ne pipait mot ; je l'entendais seulement respirer. Nous patientâmes chacune de notre côté, puis je dis :

– Tu me repasses ton papa ?

– Devinez comment elle a prénommé son ourson préféré, lança Noah.

– Je ne sais pas. Embryon ?

– Non, elle l'a baptisé Liv Kellerman. Liv Kellerman lui tient compagnie dans son lit, l'accompagne chez le médecin... L'autre jour, elle a oublié Liv Kellerman au square et il a fallu que j'aille le chercher au milieu de la nuit. À part ça, quand saurons-nous si notre offre a été retenue ?

Je lui répondis pour la centième fois que je les contacterais sitôt que le proprio m'aurait donné sa réponse. Je dis la même chose à Tempête.

Chaque fois que ces deux-là m'appelaient, ma colère montait d'un cran. Les imaginer dans mon appartement chéri m'insupportait. J'en avais choisi la moquette, j'avais ciré rampes et parquets. Je ne voulais pas que Tempête dorme dans ma chambre. Je ne voulais pas que les Bausch posent des verrous sur mes magnifiques fenêtres. Ces murs étaient destinés à Madonna et à Lourdes, pas à Noah, Audrey, Flannery et leur éventuel ovule. J'étais encore plus jalouse de ces futurs occupants que je ne l'avais été de Jordan.

J'avais pensé trouver quelque réconfort en procédant moi-même à la vente. Un peu comme une femme enceinte qui choisirait elle-même les parents adoptifs de son enfant. Mais c'était au-dessus de mes forces. Je haïssais Tempête. Je haïssais les Bausch. Comment osaient-ils mégoter sur dix mille dollars ?

Le téléphone sonna.

– Allô ?

– Vous avez eu le propriétaire ? demanda Noah.

– Non, je ne l'ai pas eu, mais je crains qu'il y ait du nouveau, et que ça ne vous plaise guère.

– Quoi donc ? paniqua-t-il.

– Une autre acheteuse s'est manifestée, avec une offre très élevée, et je pense qu'elle va l'emporter, puisque vous semblez être à cinq dollars près.

– Elle propose combien ?

– J'ai peur de ne pouvoir communiquer ce chiffre sans l'accord du propriétaire.

– Je croyais pourtant que les visites étaient terminées. Qui est cette femme ? D'où sort-elle ?

J'hésitai un instant.

– Il s'agit d'une certaine Liv Kellerman, Noah. La femme, pas le nounours.

– Quoi ? !

– Eh oui ! J'estime que cet appart vaut beaucoup plus que ce que vous êtes prêt à y mettre, alors j'ai décidé de l'acheter moi-même.

– Mais c'est scandaleux ! Et illégal !

Il avait certainement raison sur ce point. Mais nous n'avions pas abordé « la surenchère sur son propre client » en cours.

– Je suis désolée, Noah. Mais cet appartement est pour moi.

J'entendis du bruit dans la cuisine. Ayant une peur bleue des souris, je pris mon flingue sur la table de chevet.

– Écoutez, je dois vous laisser. Mais bonne chance pour vos recherches, conclus-je avant de raccrocher.

Je découvris dans la cuisine un petit monticule de plâtre, telle une dune au milieu de la pièce. Je levai les yeux au plafond. Une poudre grise s'écoulait lentement, comme dans un sablier. Dune Street.

Ce bâtiment était sans cesse en travaux. On retaillait les briques, des filets noirs pendaient aux échafaudages devant mes fenêtres. Mon immeuble était une femme afghane prisonnière d'un tchadri.

Je retournai m'allonger sur mon lit, dans l'attente d'un coup de fil de mon mari. Puis j'entendis un second éboulement, qui se mua peu à peu en grondement. On aurait dit qu'une baignoire allait crever le plafond d'un moment à l'autre. Je me levai et enfilai mes bottes les plus rigides ainsi que mon sombrero, avant de m'aventurer au milieu des gravats pour sauver ce qui pouvait l'être. Je me retrouvai soudain en train de plier bagage.

Avant de quitter la pièce, je tapotai le plafond avec un manche à balai, par simple curiosité. Une pluie de cailloux gros comme le poing se déversa dans la pièce, me recouvrant d'une suie blanche semblable à des cendres humaines.

Je sortis de la cuisine une fraction de seconde avant que le plafond ne cède sous le poids d'un réfrigérateur familial et d'une gazinière.

Je ne pris pas la peine de verrouiller la porte derrière moi.

Je chargeai mes sacs et paquets dans une limousine blanche que je venais de louer. Des serviettes en papier frappées de clochettes de mariage enveloppaient un service de flûtes à champagne. Le chauffeur fronça les sourcils devant mes sacs-poubelle remplis de chaussures. Je ne trouvai pas le champagne.

J'empruntai le chariot en cuivre du portier pour transférer mes bagages jusqu'à l'appartement et je pris possession des lieux. J'étais heureuse qu'Andrew ne soit pas là pour me pousser par-dessus la rambarde. Le téléphone sonna. Je répondis. C'était Jack.

– Alors, on a reçu des offres ?

– Non. Personne n'en voulait.

– Mais que fabriques-tu chez moi à cette heure-ci de la nuit ?

– J'habite ici.

– Tu y passes la semaine, c'est ça ? Où est Charitable ?

– Non, j'habite ici, Jack. Et je ne repartirai jamais.

– Tiens donc ! Et tu fais ça avec chaque exclusivité ? Débarquer chez les gens pour les mettre à la porte ? Drôle de politique.

– Je parle sérieusement, Jack. Je ne bougerai plus d'ici.

– Tu as toujours été obsédée par cet appartement.

– Oui, je l'aime.

– Je l'aime aussi.

Nous n'avions pas été aussi affectueux depuis une éternité.

– Je n'ai pas l'impression d'abuser, Jack. J'ai le droit de vivre ici. Cet appartement fait partie de moi, je ne peux plus vivre sans.

– Tu sais que je suis un type bien, Liv. Je ne te mettrai pas à la porte.

– Merci. Je te laisse mon deux-pièces de MacDougal Street, si tu veux.

Je relus mon contrat de divorce sur le comptoir de Ray's Pizzeria. Jack me cédait l'appartement et une partie du mobilier, en échange de quoi je renonçais, au grand dam de l'avocat recommandé par Marti Landesman, à toute pension alimentaire.

J'obtenais aussi la garde exclusive de *La Roulotte du bonheur*, la vidéo que je ne désespérais pas de visionner un jour.

Mon père avait assisté ses mannequins dans des centaines de divorces, et je savais qu'il m'en voudrait de ne pas avoir sollicité ses conseils. Mais je désirais m'en occuper toute seule. Après s'être approprié la réception de mon mariage, il pouvait bien me laisser le divorce.

Je demandai au pizzaiolo de me prêter un stylo afin de signer le document. Je voulais faire vite, seule et sans chichis.

– Mais il vous faut un témoin, objecta le type. Et un notaire.

Je vérifiai la dernière page.

– Mince, vous avez raison.

– Ça tombe bien : je suis notaire, annonça-t-il en ouvrant un tiroir d'où il sortit deux gros tampons et un encreur.

Romeo Manuel Ernesto Montego signa en qualité de notaire, à côté du témoin Jorge De La Cruz, un jeune qui fumait sur le trottoir. Puis je rangeai le contrat dans la grande enveloppe et sortis. J'avais conclu une bonne affaire. Mon alliance était tombée aussi facilement que le slip d'une prostituée, alors que Jack avait dû faire scier la sienne par un serrurier bougon.

39

RESTAUR. À L'ID.

Le jour où Jack vint empaqueter ses vêtements, ses œufs et tout le reste, je m'arrangeai pour ne pas être là. Je regagnai l'immeuble en même temps qu'une autre femme qui feuilletait un journal. Blonde, coupée classique, elle portait des mocassins bleus, un trench et une sacoche Ghurka.

– Bonjour, dit-elle machinalement en passant devant le portier, tout en repliant son journal.

– Je peux vous aider ? demanda ce dernier.

Ses cheveux à lui étaient noués en catogan sous sa casquette de travail. Il décrocha le combiné de l'interphone et approcha son doigt de la console, prêt à sonner au nom qu'elle lui indiquerait.

La femme s'arrêta.

– J'habite ici, voyons ! Vous me faites le coup à chaque fois.

Sa voix évoquait la douleur et la frustration d'une petite fille sans cesse éloignée de ses parents. La petite fille dont la chambre est située au fond d'un si long couloir que personne ne l'entend crier lorsqu'elle découvre un cafard dans son verre de lait. Je connaissais ces intonations. C'étaient les miennes quand j'étais gosse.

– Ça fait neuf mois que j'habite ici, ajouta la femme pendant que j'attendais l'ascenseur.

Son dépit me mit très mal à l'aise. Je prenais subitement conscience qu'il y avait des êtres malchanceux sur terre. Des gens malades, seuls, ou tellement transparents que leur concierge ne les reconnaissait pas. C'était presque comme si votre amant se trompait de prénom pendant l'amour.

Passe encore que vos parents ou votre mari évitent de vous reconnaître. Qui sait, peut-être ont-ils peur de voir en vous le reflet d'eux-mêmes ? Mais le gardien de votre immeuble ? Ce n'est qu'un figurant dans votre existence. Que risque-t-il à vous voir ? C'est précisément pour ça qu'on le paye : mémoriser votre visage ainsi que le numéro de votre appart, et réceptionner un colis de temps à autre.

Ne pas être reconnue par son portier, même en insistant, fait de vous une quasi-SDF. Vous n'avez pas trouvé votre nid. Le bail, les quittances, les factures, les meubles et la vaisselle ne changent rien à l'affaire : vous n'aurez de logis que lorsque le portier vous saluera à la fin de la journée.

Comment aurais-je réagi si ça m'était arrivé ? Je l'ignorais, car on m'avait reçue tout autrement :

– Bonsoir, Liv. Heureux de vous revoir parmi nous.

Il s'était souvenu de moi, après des mois d'absence ! Je n'avais peut-être rien fait de ma vie, je n'étais peut-être qu'un vulgaire agent immobilier, j'avais raté mon mariage, j'étais sans enfant, j'avais renoncé à mes ambitions, mais au moins mon portier me connaissait.

Je me demandais si Jack aurait un jour à décliner son identité en me rendant visite.

Ne souhaitant pas partager l'ascenseur avec la femme humiliée, je m'arrêtai pour relever mon courrier. Sur le panneau en liège à côté des boîtes aux lettres figurait l'annonce suivante : « Dale les doigts de fée – tous travaux domestiques. » S'agissait-il de la même Dale ? J'arrachai une languette indiquant le numéro où la joindre. J'aurais besoin d'aide pour raccrocher mes rideaux.

J'ouvris la boîte. Quelques missives de type facture ou impôts à l'intention de mon mari, que j'enfournai illico dans la poubelle chromée, et une grande enveloppe avec pour seule mention : « Aux occupants ». Je l'emportai là-haut, tout excitée comme s'il s'agissait d'une invitation personnelle à la Maison-Blanche.

Sitôt la porte refermée, je déchirai l'enveloppe et découvris une écriture féminine des plus gracieuse.

Chers « occupants »,

Au risque que ma démarche vous paraisse cavalière...

Ma tante, qui fut chanteuse et actrice, a vécu dans votre appartement de 1947 à 1963, qu'elle considéra jusqu'au bout comme ses plus belles années. Puis la chance tourna et elle fut obligée de partir.

Ma tante nous a quittés il y a trois mois, à l'âge de quatre-vingts ans, des suites d'un cancer. Elle avait émis comme dernière volonté de revoir cet appartement, mais le sort en a décidé autrement. Quelques jours avant sa mort, je l'ai amenée dans votre immeuble, où elle a « retrouvé » le hall, les boîtes aux lettres et l'ascenseur, mais elle n'a pas osé monter, de peur de déranger.

Je m'estime très chanceuse d'avoir pu quitter Saint-Louis (où je suis assistante sociale) pour New York, afin de l'« aider » à mourir.

Je me suis dit que vous aimeriez peut-être en savoir plus sur la « vie » de votre appartement ; aussi trouverez-vous ci-joints quelques clichés en noir et blanc que je vous offre avec plaisir.

Cordialement à vous,

Cynthia (Oberon) Otis

Je trouvai dans l'enveloppe une publicité en papier glacé, montrant une belle blonde portant une étole de vison fermée par une broche en diamant. Tout en bas figurait son nom, Olivia Oberon, suivi de « Ric Records ».

Vint ensuite la photo d'une réception, prise en plongée depuis la mezzanine. Mon séjour était peuplé d'hommes en smoking et de femmes en robe de soirée, cigarettes et coupes de champagne à la main. Je n'avais jamais vu une fête aussi belle. Un sapin de Noël trônait sur un piano à queue ; dans un recoin stagnait un chariot de bar en bambou. Postée au milieu de la pièce, Olivia souriait face à l'objectif.

Un autre cliché immortalisait son emménagement, avec des cartons dans tous les coins et le canapé posé en équilibre dans l'escalier. Vêtue d'un ensemble léopard et chaussée de talons hauts, Olivia s'émerveillait de manière théâtrale, les mains sur les tempes, hilare, radieuse. J'étais fascinée par sa tenue, si décalée en un tel jour.

La dernière image montrait, encadrée par de longs rideaux en dentelle, la vue imprenable qu'offrait la baie vitrée. « Paysage de 1947 », précisait la légende au dos.

Je descendis l'escalier pour comparer ce cliché à la vue d'aujourd'hui. Le parc était identique. Le lac était toujours là. Pas un arbre n'avait bougé.

J'appelai les renseignements de Saint-Louis, qui me communiquèrent le numéro de Cynthia Otis. Elle décrocha immédiatement.

– Bonjour, je suis Liv, l'« occupante ». Je ne vous trouve pas cavalière du tout.

Je lui dis mon intention d'accrocher la photo de sa tante près de la fenêtre, de sorte qu'elle demeure à jamais dans cet appartement.

Cynthia Otis fondit en larmes.

– Merci, souffla-t-elle. Merci du fond du cœur. Elle m'a tellement parlé de cet endroit. Je vous suis très reconnaissante. Ma tante aurait été extrêmement touchée.

J'étais parcourue de frissons. Je la laissai pleurer quelques instants.

– Mais... votre prénom est Liv, dites-vous ?

– Liv Kellerman, tout à fait.

– Mais c'était le surnom de ma tante ! Deux Liv dans le même appartement ? C'est incroyable. Il y a toujours cette grande glace au-dessus de la cheminée ?

Soudain me revint une image de mon propre emménagement. Je n'étais ni souriante, ni émerveillée, ni en costume léopard. Vêtue d'un vieux jogging, je mordais dans un petit pain d'un air maussade, pendant que mon mari démontait les panneaux de miroir. Piqués et oxydés comme un roquefort, ils recouvraient toute la hauteur entre la cheminée et le plafond. J'avais supplié Jack de les laisser, mais il avait répondu : « C'est eux ou moi. » J'aurais dû y réfléchir à deux fois. Abattre cette glace était de loin son plus grand crime, et je lui en voulais à mort.

Olivia Oberon n'aurait jamais dû déménager, et je n'aurais jamais dû m'installer ici. Le sort des deux Liv m'embua les yeux.

– Mon mari a insisté pour qu'on retire la glace, pleurai-je. Si vous saviez combien je regrette...

– Tante Liv a connu un destin tragique, expliqua Cynthia. C'est le divorce qui l'a chassée de cet appartement. Elle y a vécu des disputes terribles, terribles... Son mari est parti avec leur fille et la nounou. Détruite, ma tante a alors mis fin à sa carrière. Elle a failli mourir de chagrin lorsqu'il a fallu quitter cet appartement. Au sens propre du terme.

– Mais c'est exactement ce qui m'est arrivé ! m'écriai-je.

– Votre mari vous a aussi trompé avec la nounou ?

– Presque ! Il a couché avec une infirmière lorsqu'il s'est fait opérer des cervicales...

C'était la première personne à qui je l'avouais. Toute petite déjà, je pressentais que les infirmières étaient des êtres maléfiques.

– Ils sont ensemble aujourd'hui ? demanda Cynthia.

– Non, pas du tout.

– Au moins, vous avez pu garder l'appartement. Ma tante a passé le reste de sa vie à donner des cours de chant dans un minuscule meublé de la 8e Avenue.

Je ne pouvais imaginer plus triste, en effet. Lorsque j'eus raccroché, je n'étais pas d'humeur à rester enfermée, malgré le travail qui m'attendait. Je décidai de manger une soupe chez la vieille dame à l'angle de Madison. Sur le trottoir, de jeunes garçons essayaient de percher une balle sur la marquise bleue de l'entrée.

Un ouvrier de travaux publics me sourit. La rue entière se faisait charcuter. Où que j'aille, j'étais poursuivie par les chantiers. Des hommes coulaient une dalle de béton. Je voulus y laisser mes empreintes, mais un ouvrier me rattrapa par la manche. Tout New York écrivait ses initiales dans le ciment, sauf moi.

De retour à la maison, je disposai les photos d'Olivia Oberon sur le rebord de la cheminée, puis errai de pièce en pièce. Je pouvais me repérer les yeux fermés. Emménager dans mon ancien appartement, c'était comme un rendez-vous à l'aveuglette avec mon ancien mari : redondant. Une double négation. Je craignais d'avoir commis une erreur.

En consultant ma montre, je vis qu'il était trop tard pour rallier le rassemblement en faveur de la préservation de la maison d'Edgar Allan Poe, sur le 3e Rue Ouest. Mais j'avais assez de soucis comme ça. Edgar Poe devrait se passer de moi.

Je me rendis compte que je tenais mon téléphone sans fil, alors que je ne prévoyais d'appeler personne.

– Allô ? dis-je dans l'appareil, comme s'il venait de sonner.

Je déambulai dans le salon en répétant « allô ? » distraitement. Je considérai mes rideaux dorés avachis dans un coin. Mais à quoi bon appeler Dale les doigts de fée si je n'étais pas sûre de rester ?

Je me tournai vers le canapé que Jack m'avait laissé. Il ne l'avait sûrement jamais soulevé, et n'avait donc pu découvrir le trou dans la moquette. Je le fis pour lui et m'attendris à la vue de ce rectangle vide, semblable à une calvitie naissante sur le crâne de l'être aimé. C'était la seule nouveauté dans cet appartement.

Je m'étendis sur les coussins. J'avais obtenu ce que je voulais. J'avais prié pour retrouver ce divan un jour. J'avais prié dans le cabinet de Jérôme, sur mon pupitre chez Dale, dans une foultitude d'appartements plus minables les uns que les autres. Je regardai la pauvre Olivia perchée sur la cheminée. Liv le fantôme, revenue vivre ici avec Liv la fille... Je compris soudain que Liv la fille était un fantôme, elle aussi. Je n'étais qu'un ectoplasme hantant mon propre appartement.

Je devais partir d'ici pour sauver mon âme. Je pouvais presque voir le qi s'échapper par la fenêtre.

40

DÉLAI RÉFLEX.

Lundi matin, Kim nous demanda comme d'habitude s'il y avait du nouveau. La gorge nouée, je levai la main. Puis la baissai. Puis la relevai. Je m'apprêtais à la baisser quand elle dit :

– Oui, Liv ? Vous avez quelque chose de votre côté ?

– Oui. Je remets mon appartement en vente.

– Entendu. On va tâcher de ne pas se le faire piquer en co-courtage.

– Et n'oubliez pas, ajoutai-je, qu'en tant qu'agent de la maison, je devrai seulement trois pour cent au lieu de six.

C'était la seule clause que j'avais pris la peine de lire sur les trois volumes que comptait le manuel du courtier.

– Combien en demandez-vous ?

– Un million cent.

J'acceptai une offre à un million tout rond de la part de M. et Mme Wolfe, des clients de Marti Landesman. Je ne leur montrai pas les photos d'Olivia et ne révélai rien de ma vie. Nous n'évoquâmes jamais le passé de cet appartement, mais seulement le syndicat de copropriété, les écoles alentour, et la raison pour laquelle j'avais disposé la grande baignoire ainsi.

Je ne pris aucune de leurs remarques personnellement. Je me fichais de savoir qui allait vivre ici.

Depuis le téléphone de la cuisine, j'interrogeai ma boîte vocale au bureau. J'avais deux messages. Le premier, diffusé auprès de l'ensemble du personnel, émanait de Samantha Smoothe soi-même, qui nous informait de son passage le lendemain dans l'émission *Good Morning America*. Nous étions tous priés de mettre le réveil pour écouter son analyse des tendances du marché. Elle en profita pour demander si l'on connaissait un endroit sympa pour la fête annuelle.

Le second message émanait de Juliet Flagg, l'ancienne propriétaire du Loft de ma Vie sur Liberty Street. « J'ai essayé à plusieurs reprises de vous joindre à votre ancien bureau, disait-elle, jusqu'à ce que Lorna, votre secrétaire, me rappelle pour me transmettre vos nouvelles coordonnées. » Je ris à l'idée que Lorna se fasse passer pour ma secrétaire. À charge de revanche, Lorna...

J'appelai d'abord Sam Smoothe pour lui proposer de festoyer dans mon appartement : voir celui-ci envahi par deux cents agents était un bon moyen de ne pas l'oublier. La grande patronne s'engagea à fournir le buffet, les fleurs et une équipe de nettoyage, ainsi qu'à me décerner au Noël suivant le « Prix Chic Type ». L'affaire était dans le sac.

– Vous savez, ajoutai-je, je connais quelqu'un qui correspond parfaitement à l'esprit Smoothe Transitions. Elle s'appelle Lorna, elle m'a beaucoup appris à mes débuts.

– Faites-la donc venir, répondit Sam. Elle sera la bienvenue.

Je la remerciai et raccrochai. J'allais trouver un poste à Lorna, puis à Valashenko – et même peut-être un jour à Dale.

Je téléphonai ensuite à Juliet.

– J'ai retrouvé mon loft, m'informa-t-elle. Disons, pour résumer, que mon mariage a capoté.

J'admirais sa franchise.

– Et puis, continua-t-elle, mon appartement me manquait terriblement. Alors j'ai appelé ce couple auquel vous l'aviez vendu, les Zeisloft, pour leur faire une offre. Ils ont remballé leurs ignobles boules à neige pour s'installer dans la capitale et je suis revenue. Mais j'ai vite compris que c'était une erreur et je souhaite le revendre.

Je n'en croyais pas mes oreilles. Le Loft de ma Vie était de nouveau libre !

– Je préférais vous en parler avant de tout mettre en branle. Une de mes camarades de yoga est agent immobilier, mais je crains qu'elle ne manque d'expérience.

– Quel est son nom ? hasardai-je.

– Tempête Shapiro. Elle m'a forcé la main pour m'amener un client qui, aux dernières nouvelles, serait preneur. Mais je préférerais vous accorder l'exclusivité à vous, étant donné que vous l'avez déjà vendu une fois.

– Vous avez bien dit Tempête Shapiro ?

Comment croire que le pire cauchemar de la profession en faisait désormais partie ?

– Tout à fait. Mais je ne suis pas convaincue par ses méthodes. Elle a promis au client que je lui vendrais mon mobilier, ce qui n'a jamais été dans mes intentions.

Pas de doute, c'était bien Tempête.

– Hélas, je doute de pouvoir être votre agent, Juliet.

– Pourquoi donc ?

– Parce que j'aimerais être l'acheteuse.

– Ah.

– Que diriez-vous de six cent mille ?

– Attendez, il ne faut pas un agent pour ça ?

– Non, deux avocats suffiront. J'ai déjà un financement, je peux préparer la paperasse moi-même, et puis, nous sommes amies.

Juliet reçut un autre appel. Elle me mit en attente.

– C'est Tempête, annonça-t-elle en me reprenant. Son client propose autant que vous.

– Alors, je vous en donne cinquante mille de plus. Mais vous savez que les charges sont très élevées.

– Le marché est au beau fixe, répliqua-t-elle. Tout est cher, en ce moment.

– Mais Liberty Street est un quartier pourri !

– Vous ne disiez pas ça, la dernière fois. Tribeca est très branché.

– Sauf que ce n'est pas à Tribeca.

– Si, c'est le sud de Tribeca.

– Ha ! Vous voulez rire ? Les taxis n'y vont même pas.

– Alors six cent cinquante mille est votre dernière offre ?

– Je ne vais quand même pas négocier contre moi-même !

Elle me remit en attente, pour me reprendre dans la minute :

– Tempête est montée à sept cent mille. Mais pour ce prix, son client réclame l'armoire de ma grand-mère.

– Sept cent cinquante ! lâchai-je. Sans armoire. Sans fauteuils. Sans vaisselle. Sans parmesan. Vide. Complètement vide.

– À ce propos un détail risque de vous contrarier.

– Quoi ?

– Ils ont laissé un drôle de frigo. Les clayettes pivotent sur elles-mêmes.

– C'est pas grave. J'ai connu pire.

– Bon. Ne quittez pas.

J'attendis un peu plus longtemps ce coup-ci.

– Tempête me signale que son client accepte sept cent cinquante, mais n'ira pas plus loin.

– Elle est toujours en ligne ?

– Non, elle a raccroché. Mais elle dit aussi que son client peut me payer cash.

– Vous savez, Juliet, cela ne fait aucune différence dans le cas présent. Je parie que Tempête ne sait même pas évaluer ses clients. Et puis, entre nous, vous avez vraiment envie de laisser votre appart à un inconnu ?

– Ça n'a plus d'importance, répondit-elle.

Je savais ce qu'elle ressentait.

– Écoutez, soupirai-je, je vous en donne huit cent mille à condition que nous signions tout de suite.

Elle éclata de rire.

– Marché conclu !

41

ENTIÈR. RÉNOV.

Juliet et moi scellâmes notre accord dans le bureau d'un avocat établi dans le bas de Broadway. Plus connu sous le diminutif d'Oz, c'était une légende dans le milieu de l'immobilier, qui n'avait pas son pareil pour mettre les gens d'accord. On m'avait tellement parlé de lui que je fus surprise de découvrir un petit bonhomme affable, conservant sur son bureau une photo de lui-même sur un petit voilier. Il me rappelait mon père. Dans le fond, papa était comme ce gars. Ce n'était pas une vedette inaccessible et insatiable. Derrière le strass et les paillettes se cachait un homme ordinaire. Telle était peut-être la vérité que j'avais voulu occulter : au bout du compte, tous les hommes, même Peter Kellerman, étaient des types ordinaires.

Avant de m'inscrire aux cours d'immobilier, j'avais pensé appeler mon père à la rescousse, afin de lui demander d'empêcher mon autodestruction, de me sortir de la médiocrité dans laquelle je m'enfonçais. Il m'aurait trouvé un job dans sa maison de couture, voire un poste d'assistante quelconque sur un tournage. Au moment de m'acquitter du prix du stage, j'avais demandé un instant à la secrétaire pour foncer sur le téléphone du hall.

– J'ai quelque chose à te demander, papa.

– Tout ce que tu voudras.

– Il s'agit d'un grand service, articulai-je, ma voix s'envolant dans les aigus.

– Tout ce que tu voudras, je te dis.

Je veux que tu m'aimes, avais-je envie de répondre. Sois mon père. Repartons de zéro. Passons du temps ensemble. Redécouvrons-nous l'un l'autre. Tu pourras de nouveau m'apprendre à manier des baguettes chinoises, à me maquiller, à fermer la glissière de mon imperméable. Regarde-moi, papa. Je suis toujours la petite fille que tu aimais.

Quel intérêt d'être une enfant chérie si tout s'émousse tôt ou tard ? Chaque année, notre amour s'écornait jusqu'à n'être plus qu'un « cht'aime » furtif en conclusion d'un coup de fil. Voilà pourquoi je m'effondrais systématiquement après lui avoir parlé : mon père me détestait. Pour la même raison que mon mari me détestait et qu'Andrew me détestait. Parce que j'avais entrevu, ne fût-ce que brièvement, l'homme ordinaire qu'ils étaient.

– Que puis-je pour toi, Liv ?

– Euh... tu pourrais me trouver des places pour *le Roi Lion ?*

– Bien sûr, voyons. C'est tout ?

– C'est tout.

– Très bien. Au revoir, Liv. Cht'aime.

– Cht'aime aussi.

Pourquoi avais-je eu si peur, me demandais-je aujourd'hui ? Après tout, il valait mieux ne jamais le voir que de le trouver ivre mort à la fermeture du Spago de Sunset Boulevard, un mannequin blond sous chaque bras. Je vivais mieux les yeux fermés. Ce que je recherchais n'existait même pas. Que se passerait-il si je surgissais à l'improviste au milieu d'un de ses défilés à Paris, Miami ou Milan ? La réponse tenait en quatre lettres : rien. Il ne se passerait rien. Même dans ma plus belle robe et mes plus hauts talons, même avec mon flingue à la main, il ne se passerait rien. Il n'était pas là. Je ne le voyais pas et il ne me voyait pas. Nous étions aussi aveugles que Jérôme. Je pouvais, tout au mieux, le dire au juge.

En sortant de chez Oz, j'invitai Juliet à déjeuner dans un établissement où les serveuses portaient d'affreuses choucroutes sur la tête et les murs exposaient la lignée entière des Miss Subway. C'est là que j'avais mangé après avoir passé mon second examen d'agent immobilier.

– Où se trouve votre nouvel appart ? demandai-je.

– À Brooklyn. Mais il est très spécial. L'immeuble est complètement rond ! Même les fenêtres sont rondes.

Avant de prendre congé, elle me demanda quelle formation j'avais suivie pour exercer mon métier.

– Ça me titille depuis mon divorce, expliqua-t-elle. L'immobilier semble s'imposer à moi comme un débouché naturel.

Mes nouvelles clés en poche, je m'arrêtai au salon Tortolla pour que Tom me coupe les cheveux. À ma demande, il parvint à les rendre aussi lisses et japonisants que ceux de Timothy. Je lui fis cranter mes pointes, puis me délectai du résultat.

– J'ai toujours rêvé d'avoir cette tête-là ! avouai-je.

– Mais tu ne l'auras pas tous les jours, me dit Tom. C'est bien trop de travail. Tu ne t'en sortiras pas avec ton sèche-cheveux et ton peigne.

– Dans ce cas, je viendrai plus souvent.

Depuis sept ans qu'il me coiffait, c'était la première fois que Tom tentait un style nouveau. Cela dit, il n'avait pas davantage innové sur lui-même. J'adorais Tom, mais je commençais à me demander si un coiffeur blasé n'était pas encore pire qu'un mari blasé.

– Alors il faudra bloquer l'équivalent de deux rendez-vous. Et ce sera hors de prix.

– Mais je veux des cheveux hors de prix, Tom ! J'en aurai les moyens.

– Mon Dieu, soupira le coiffeur en me souriant dans le miroir. Je viens d'engendrer un monstre.

J'emménageai sur Liberty Street le jour de mon anniversaire. Mais dans ma tête, c'était plutôt Independence Day. Le soir, moulée dans un ensemble léopard acheté pour l'occasion, je sortis sur ma nouvelle terrasse, m'attendant presque à voir un feu d'artifice en guise de cadeau de bienvenue. Je cherchai les fusées derrière l'East River, au-dessus de Brooklyn, puis du côté du New Jersey. Dans mon esprit, je les distinguais déjà. Le ciel devenait un économiseur d'écran géant.

Avec mon propre marteau, j'accrochai au mur les photos d'Olivia que je venais de faire encadrer.

– Qui sait, lui confiai-je, peut-être connaîtrons-nous un nouveau déménagement. Ce n'est pas le seul appartement au monde.

Une chose que j'avais apprise en pratiquant ce métier : il y a toujours un autre appartement. Et s'il existe d'autres appartements, alors il existe peut-être d'autres hommes.

Et s'il existe d'autres appartements et d'autres hommes, il existe peut-être d'autres villes, extrapolai-je avant de me ressaisir devant la vue qui s'offrait à moi. Non, il n'y avait pas d'autre ville.

Dans deux semaines, il faudrait payer les premières charges, et je posterais mon règlement depuis la boîte aux lettres cuivrée de mon entrée. Mais il me faudrait des timbres. Je me rendrais au bureau de poste pour acheter des timbres-cœur.

J'ouvris le carton estampillé « armement » et sortis mon flingue de son nid de papier bulle et de pages immobilières du *New York Times*. J'avais entendu dire que la police ne posait aucune question quand on lui rapportait une arme à feu, et qu'elle vous donnait même un peu d'argent – que la plupart des gens devaient investir dans des baskets ou du crack, sûrement pas dans des timbres-cœur.

Je pénétrai dans l'ascenseur et enfonçai la touche RC, tout en caressant les reliefs en braille. La cabine s'arrêta à l'étage d'en dessous, où me rejoignit un type très mignon. Il portait une cravate ornée de petits chiens, et pas d'alliance.

– Joli ensemble, fit-il devant ma tenue.

Nous descendîmes d'un palier, où apparut un autre beau gosse, avec les cheveux savamment ébouriffés comme un mannequin.

Ceux du suivant étaient aussi longs, noirs et raides que les miens. Je n'étais jamais sorti avec ce genre de type. Cette pensée me mit le feu aux joues.

À chaque niveau apparaissait un nouveau mec canon, qui y allait de son petit commentaire : « Il reste une petite place ? », « C'est la foule des grands soirs ! », « Ce doit être un omnibus », etc. Et moi, avec ma tenue léopard et mon flingue dans la poche, j'avais l'impression de participer à un safari. J'étais heureuse de la façon dont tout cela finissait, heureuse d'être en vie avec mes deux yeux, mes deux oreilles et mes ovules en lieu sûr.

Liberty Street n'avait rien de pourri. C'était dans le quartier des affaires ! Rien de tel, pour une célibataire new-yorkaise, que l'extrême sud de Manhattan. Tous les beaux mecs atterrissaient là, comme passés au tamis. Je priai pour que l'ascenseur tombe souvent en panne.

J'irais faire mes emplettes, puis je remonterais pour défaire les cartons. J'appellerais mon père pour lui donner ma nouvelle adresse. Lui expliquer qu'il ne restait de mon mariage qu'une simple cassette vidéo, que je lui enverrais pour ses archives. Et lui demander si personne, parmi ses relations, ne cherchait à acheter ou à vendre.

Peut-être même que je regarderais *La Roulotte du plaisir*. Je me sentais enfin prête à visionner un film toute seule. Car je n'étais pas seule. J'étais à New York.

Remerciements

Je remercie Tina Bennett, Julie Grau, Craig Burke, Shari Smiley, Nicholas Weinstock et Jill Hoffman, ainsi que Susan Petersen Kennedy, Liz Perl, Louise Burke, Dan Harvey, Lennie Goodings, Jens Christiansen, Bree Perlman, Svetlana Katz, Elizabeth Tippens, Amanda Weinstock, Debra Rodman, Scott Jones, Robert Steward, Kit McCraken, Dan Ehrenhaft, Doug Dorph, Stephanie Emily Dickinson, David Lawrence, Jayne Jenner, Steve Moskowitz, Ronald Wardall, Charlotte Brady, Paul Wuensche, Patricia Volk, Rick Schneider, David Khinda, Elizabeth Gibbons, Brendan O'Meara et ma famille.

Avec une pensée particulière pour Stefanie Teitelbaum – merci.

Composé par P.C.A.
44400 – Rezé

Impression réalisée sur CAMERON par

BRODARD & TAUPIN
GROUPE CPI

La Flèche

pour le compte des Éditions Michel Lafon
en mars 2002

Imprimé en France
Dépôt légal : mars 2002
N° d'impression : 11920
ISBN : 2-84098-790-2
LAF 245